Inventario

Obras de Mario Benedetti en esta colección

Mario Benedetti

INVENTARIO
POESIA COMPLETA (1950-1985)

NUEVA IMAGEN

Portada: Carlos Aguirre

Inventario
© 1978, Editorial Nueva Imagen, S. A.
© EDITORIAL PATRIA, S. A. DE C. V.
Bajo el sello de Nueva Imagen
Renacimiento 180, Colonia San Juan Tlihuaca
Delegación Azcapotzalco. C. P. 02400, México, D. F.

Miembro de Cámara Nacional de la Industria Editorial.
Registro núm. 046

ISBN 968-39-0197-2

Impreso en México
Printed in Mexico

Primera edición y Segunda edición, (Montevideo): **1963, 1965**
Tercera y Cuarta edición aumentada, (Montevideo):**1967, 1970**
Quinta edición aumentada, (Buenos Aires): **1975**
Primera edición (México): **1978**
Décima novena reimpresión 1996
Vigésima reimpresión: 1996

a luz
como siempre

Integran esta veintidós edición (séptima en España) de *Inventario* todos los poemas que he publicado en libro entre 1950 y 1985: *Sólo mientras tanto* (1950), *Poemas de la oficina* (1956), *Poemas del hoy por hoy* (1961), *Noción de patria* (1963), *Próximo prójimo* (1965), *Contra los puentes levadizos* (1966), *A ras de sueño* (1967), *Quemar las naves* (1969), *Letras de emergencia* (1973), *Poemas de otros* (1974), *La casa y el ladrillo* (1977), *Cotidianas* (1979), *Viento del exilio* (1981) y *Geografías* (1984).

Algunos poemas que posteriormente fueron transformados en canciones, figuran en sus dos textos —poema y canción—, cada uno de ellos incluido en el lugar y la época correspondientes.

Al igual que en las anteriores ediciones, el volumen se abre con la producción más reciente y concluye con la más antigua, quizá con la secreta esperanza de que el lector, al tener acceso a esta obra por la puerta más nueva y más cercana, se vea luego tentado a ir abriendo otras puertas, «a beneficio de inventario».

M. B.

Madrid, septiembre de 1986

GEOGRAFIAS
(1982-1984)

ESO DICEN

Eso dicen
que al cabo de diez años
todo ha cambiado
allá

dicen
que la avenida está sin árboles
y no soy quién para ponerlo en duda

¿acaso yo no estoy sin árboles
y sin memoria de esos árboles
que según dicen
ya no están?

AY DEL SUEÑO

Ay del sueño
si sobrevivo es ya borrándome
ya desconfiado y permanente
y tantas veces me hundo y sueño
muslo a tu muslo
boca a tu boca
nunca sabré quién sos

ahora que estoy insomne
como un sagrado
y permanezco
quiero morir de siesta
muslo a tu muslo
boca a tu boca
para saber quién sos

Ay del sueño
con esta poca alma a destajo
soñar a nado tiernamente
así me llamen permanezco
muslo a tu muslo
boca a tu boca
quiero quedarme en vos

PATRIA ES HUMANIDAD

Patria es humanidad.
JOSÉ MARTÍ

La manzana es un manzano
y el manzano es un vitral
el vitral es un ensueño
y el ensueño un ojalá
ojalá siembra futuro
y el futuro es un imán
el imán es una patria
patria es humanidad

el dolor es un ensayo
de la muerte que vendrá
y la muerte es el motivo
de nacer y continuar
y nacer es un atajo
que conduce hasta el azar

los azares son mi patria
patria es humanidad

mi memoria son tus ojos
y tus ojos son mi paz
mi paz es la de los otros
y no sé si la querrán
esos otros y nosotros
y los otros muchos más
todos somos una patria
patria es humanidad

una mesa es una casa
y la casa un ventanal
las ventanas tienen nubes
pero sólo en el cristal
el cristal empaña el cielo
cuando el cielo es de verdad
la verdad es una patria
patria es humanidad

yo con mis manos de hueso
vos con tu vientre de pan
yo con mi germen de gloria
vos con tu tierra feraz
vos con tus pechos boreales
yo con mi caricia austral
inventamos una patria
patria es humanidad

EL SILENCIO DEL MAR

y el silencio del mar, y el de su vida.

JOSÉ HIERRO

El silencio del mar
brama un juicio infinito
más concentrado que el de un cántaro
más implacable que dos gotas

ya acerque el horizonte o nos entregue
la muerte azul de las medusas
nuestras sospechas no lo dejan

el mar escucha como un sordo
es insensible como un dios
y sobrevive a los sobrevivientes

nunca sabré qué espero de él
ni qué conjuro deja en mis tobillos
pero cuando estos ojos se hartan de baldosas
y esperan entre el llano y las colinas
o en calles que se cierran en más calles
entonces sí me siento náufrago
y sólo el mar puede salvarme.

LOS CINCO

Palpen la espiga el cáliz el estambre
la huella dibujada por la tierra
busquen el cuerpo amado entre los cuerpos
el que no es

miren en qué baldosa de la historia
se emprende a tientas el regreso y cómo
se va reconociendo palmo a palmo
lo que no es

14

aprendan a olfatear el miedo huésped
la invitación del sexo / la osadía
rastreen el olor de la confianza
la que no es

oigan cómo se entiende la llamada
la impunidad del eco / su caricia
y cómo se cosecha entre las voces
la que no es

saboreen la lluvia y el durazno
los párpados del alba y la madera
tómenle el gusto al lecho de la vida
la que no es

CEREMONIAS

Hubo un tiempo en que nos fijábamos en las hojas secas
en el muro de ceniza y en la noche descalza
y en la luna pálida de tantas destrucciones
y así apostábamos a la melancolía
inconscientes de que ése no era aún nuestro percance
faltaban temporadas de sistemática pobreza
laberintos privados y tristezas de medio pelo

el calvario era ajeno y quedaba lejos
el tamaño de la pena era tan módico como el deleite
nuestros dientes de hambre y nuestras lenguas en celo
funcionaban sin prisa pero funcionaban

las primaveras se nos iban de entre las manos
mirábamos el horizonte sin saber qué pedirle
el crepúsculo se henchía de gallos azules
y el aire era enigmático como un viejo sabihondo

pero una madrugada forzaron las puertas
nos allanaron el desván y la memoria

decidieron por nosotros en mitad de la duda
nos quitaron los fantasmas y los papeles
levantaron un cepo de palabras
y un corral de miedo donde abandonarnos

nos suspendieron el derecho a la tibieza
borraron los presagios con el odio
nos despojaron de la lluvia verde
y del silencio gratis y del amor cribado
nos cortaron en dos con un hacha de invierno

de ese modo tan turbio nos fue revelado
que en realidad no habíamos trajinado por el tedio
sino que éramos inadvertidamente felices
no esplendorosa sino pasablemente ávidos
de amparos lechos soledades perdones

de ese modo tan impropio nos fue dicho
que cualquier otro quebranto era menos que este azote
y tuvieron que aparecer túneles y máscaras y trampas
para que echáramos de menos el letargo cotidiano
las venas de los árboles el caballo a contraluz

¿habremos aprendido el catecismo del rencor
o la rabia se nos irá cayendo como escamas?
¿recordaremos siempre no olvidar
o las franjas de inquina se nos irán pudriendo?
¿almacenaremos para nunca los aborrecimientos
y los sacaremos de la troya a perdonazos?

es claro que ni el rayo ni el rocío tienen prisa
desahucios y bienvenidas esperan su turno
por algo estamos listos para empezar desde cero
y nadie se arrodilla sobre los pámpanos caídos

vamos a merecer cada centímetro de augurio
vamos a abrir caminos a los sobrevivientes
sin guirnaldas pero con respuestas
flamantes y accesibles

vamos a reponer lo mucho que perdimos
vamos a aprovechar lo poco que nos queda

COMARCA EXTRAÑA

País lejos de mí / que está a mi lado
país no mío que ahora es mi contorno
que simula ignorarme y me vigila
y nada solicita pero exige
que a veces desconfía de mis pocas confianzas
que alimenta rumores clandestinos
e interroga con cándidas pupilas
que cuando es noche esconde la menguante
y cuando hay sol me expulsa de mi sombra

viejo país en préstamo / insomne / olvidadizo
tu paz no me concierne ni tu guerra
estás en las afueras de mí / en mis arrabales
y cual mis arrabales me rodeas
país aquí a mi lado / tan distante
como un incomprendido que no entiende

y sin embargo arrimas infancias o vislumbres
que reconozco casi como mías
y mujeres y hombres y muchachas
que me abrazan con todos sus peligros
y me miran mirándose y asumen
sin impaciencia mis andamios nuevos

acaso el tiempo enseñe
que ni esos muchos ni yo mismo somos
extranjeros recíprocos extraños
y que la grave extranjería es algo
curable o por lo menos llevadero

acaso el tiempo enseñe

que somos habitantes
de una comarca extraña
donde ya nadie quiere
decir

    país no mío

FINTA

En las pausas insomnes
en los ojos glaciales
en el gesto ritual de la amenaza
el vocero del odio estrena sus enigmas
hinca roedor sus dientes en el humo
recobra la prudencia de su miedo impalpable

en la cábala oscura
en el martirio en cierne
en el postigo abierto a la amenaza
las larvas del odio se hacen adultas
los recientes acechos se organizan
la extenuada blasfemia nos anega

en el nuevo desvelo
en la hipótesis vieja
en la azul cicatriz de la amenaza
la provincia del odio se vuelve inhabitable
y hay delirios que copan el futuro
en el adviento de la noche mala

así y todo el absurdo resplandor
el amago presente e infinito
esa letal rampante hiedra de la amenaza
pueden ser reintegrados a su túnel de origen
si uno aprende el idioma de la muerte
y no lo olvida en vida

DESAPARECIDOS

Están en algún sitio / concertados
desconcertados / sordos
buscándose / buscándonos
bloqueados por los signos y las dudas
contemplando las verjas de las plazas
los timbres de las puertas / las viejas azoteas
ordenando sus sueños sus olvidos
quizá convalecientes de su muerte privada

nadie les ha explicado con certeza
si ya se fueron o si no
si son pancartas o temblores
sobrevivientes o responsos

ven pasar árboles y pájaros
e ignoran a qué sombra pertenecen

cuando empezaron a desaparecer
hace tres cinco siete ceremonias
a desaparecer como sin sangre
como sin rostro y sin motivo
vieron por la ventana de su ausencia
lo que quedaba atrás / ese andamiaje
de abrazos cielo y humo

cuando empezaron a desaparecer
como el oasis en los espejismos
a desaparecer sin últimas palabras
tenían en sus manos los trocitos
de cosas que querían

están en algún sitio / nube o tumba
están en algún sitio / estoy seguro
allá en el sur del alma
es posible que hayan extraviado la brújula
y hoy vaguen preguntando preguntando
dónde carajo queda el buen amor
porque vienen del odio

SIN TIERRA SIN CIELO

Jesús y yo salvadas las distancias
somos dos habitantes del exilio
y lo somos por cautos por ilusos

algo se nos quebró en mitad del verbo
y así sobrellevamos esta pena
restaurando vitrales y nostalgias

no tenemos altares ni perdones
Jesús y yo de pueblo memoriosos
a veces compartimos el exilio

compartimos los panes y desiertos
y las complicidades y los judas
y el camello y el ojo de la aguja
y los santotomases y la espada
y hasta los mercaderes y la furia

no es eco ni abstracción
es una historia apenas

él veterano yo inexperto
llegamos emigrantes al futuro
descalzos y sin norte y sorprendidos

yo / oscuro y fracturado / sin mi tierra
él / pobre desde siempre / sin su cielo

NO LO HARAS EN VANO

Ah no lo harás en vano

se te helarán los dedos
y el corazón y los olores

se te helará la noche
y la arrogancia y las rodillas

se te helará la sangre
y los crepúsculos y el humo

se te helará el bostezo
y el ademán y la lujuria

se te helarán los ojos
la madrugada y el esperma

se te helará el ritual
y las caricias y los signos

se te helará la luna
y el arbolito y la **garganta**

se te helarán los labios
y los disfrutes y la vida

todo está listo
no lo harás en vano

NIVEL DE VUELO 350

Allá abajo la tierra sobrevive
se apagan los mejores
alguien crece en el odio
o se funde y confunde en los amores

desde arriba la suerte es una espuma
los hombres son iguales
y pese al aire fatuo
desde abajo la tierra hace señales

y son tristes voraces desoladas
señales sin señuelo
cual si fuera forzoso
recopilar indicios desde el cielo

pero yo los recuerdo en sus detalles
no todo está perdido
hay rumbos para ahora
y otros para trazar desde el olvido

aquí arriba me siento poderoso
frágil y deleznable
y voy callado pero
puede que me haga añicos cuando hable

o que no me haga añicos y al contrario
me arropen las saudades
y unos pocos me ayuden
a unir como en un sueño mis lealtades

QUIERO CREER QUE ESTOY VOLVIENDO

Vuelvo / quiero creer que estoy volviendo
con mi peor y mi mejor historia
conozco este camino de memoria
pero igual me sorprendo

hay tanto siempre que no llega nunca
tanta osadía tanta paz dispersa
tanta luz que era sombra y viceversa
y tanta vida trunca

vuelvo y pido perdón por la tardanza
se debe a que hice muchos borradores
me quedan dos o tres viejos rencores
y sólo una confianza

reparto mi experiencia a domicilio
y cada abrazo es una recompensa
pero me queda / y no siento vergüenza /
nostalgia del exilio

en qué momento consiguió la gente
abrir de nuevo lo que no se olvida
la madriguera linda que es la vida
culpable o inocente

vuelvo y se distribuyen mi jornada
las manos que recobro y las que dejo
vuelvo a tener un rostro en el espejo
y encuentro mi mirada

propios y ajenos vienen en mi ayuda
preguntan las preguntas que uno sueña
cruzo silbando por el santo y seña
y el puente de la duda

me fui menos mortal de lo que vengo
ustedes estuvieron / yo no estuve
por eso en este cielo hay una nube
y es todo lo que tengo

tira y afloja entre lo que se añora
y el fuego propio y la ceniza ajena
y el entusiasmo pobre y la condena
que no nos sirve ahora

vuelvo de buen talante y buena gana
se fueron las arrugas de mi ceño
por fin puedo creer en lo que sueño
estoy en mi ventana

nosotros mantuvimos nuestras voces
ustedes van curando sus heridas
empiezo a comprender las bienvenidas
mejor que los adioses

vuelvo con la esperanza abrumadora
y los fantasmas que llevé conmigo
y el arrabal de todos y el amigo
que estaba y no está ahora

todos estamos rotos pero enteros
diezmados por perdones y resabios
un poco más gastados y más sabios
más viejos y sinceros

vuelvo sin duelo y ha llovido tanto
en mi ausencia en mis calles en mi mundo
que me pierdo en los nombres y confundo
la lluvia con el llanto

vuelvo / quiero creer que estoy volviendo
con mi peor y mi mejor historia
conozco este camino de memoria
pero igual me sorprendo

LA BUENA TINIEBLA

Una mujer desnuda y en lo oscuro
genera un resplandor que da confianza
de modo que si sobreviene
un apagón o un desconsuelo
es conveniente y hasta imprescindible
tener a mano una mujer desnuda

entonces las paredes se acuarelan
el cielo raso se convierte en cielo
las telarañas vibran en su ángulo
los almanaques dominguean
y los ojos felices y felinos
miran y no se cansan de mirar

una mujer desnuda y en lo oscuro
una mujer querida o a querer
exorcisa por una vez la muerte.

VIENTO DEL EXILIO
(1980-1981)

a la memoria
a la estirpe martiana
a la vida revolucionaria
de Haydeé Santamaría

ENTRE SIEMPRE Y JAMAS

VIENTO DEL EXILIO

Un viento misionero sacude las persianas
no sé qué jueves trae
no sé qué noche lleva
ni siquiera el dialecto que propone

creo reconocer endechas rotas
trocitos de hurras
y batir de palmas
pero todo se mezcla en un aullido
que también puede ser deleite o salmo

el viento bate franjas de aluminio
llega de no sé donde a no sé donde
y en ese rumbo enigma soy apenas
una escala precaria y momentánea

no abro hospitalidad
no ofrezco resistencia
simplemente lo escucho
arrinconado
mientras en el recinto vuelan nombres
papeles y cenizas

después se posarán en su baldosa
en su alegre centímetro
en su lástima
ahora vuelan como barriletes
como murciélagos como hojas

lo curioso lo absurdo es que a pesar
de que aguardo mensajes y pregones
de todas las memorias y de todos
los puntos cardinales

lo raro lo increíble es que a pesar
de mi desamparada expectativa

no sé qué dice el viento del exilio

ULTIMAS GOLONDRINAS

Sabes
gustavo adolfo
en cualquier año de éstos
ya no van a volver
las golondrinas
ni aun las pertinaces
las del balcón
las tuyas

es lógico
están hartas
de tanto y tanto alarde
migratorio
de tanto y tanto cruce
sobre mar y retórica
y pretextos
y alcores

su tiempo ya pasó
lo reconocen
y a mitad de su ida
o de su vuelta
oscuras

cursilíneas
tiernitas de alas largas
se dejarán caer
como buscando
cada una su ola
terminal

ENTRE SIEMPRE Y JAMAS

zwischen Immer und Nie
PAUL CELAN

Entre siempre y jamás
el rumbo el mundo oscilan
y ya que amor y odio
nos vuelven categóricos
pongamos etiquetas
de rutina y tanteo

–jamás volveré a verte
–unidos para siempre
–no morirán jamás
–siempre y cuando me admitan
–jamás de los jamases
–(y hasta la fe dialéctica
de) por siempre jamás
–etcétera etcétera

de acuerdo
pero en tanto
que un siempre abre futuro
y un jamás se hace abismo
mi siempre puede ser
jamás de tantos otros

siempre es una meseta

33

con borde con final
jamás es una oscura
caverna de imposibles
y sin embargo a veces
nos ayuda un indicio

que cada siempre lleva
su hueso de jamás
que los jamases tienen
arrebatos de siempres

así
incansablemente
insobornablemente
entre siempre y jamás
fluye la vida insomne
pasan los grandes ojos
abiertos de la vida

EL IMAN

Aquí la soledad se pone oscura
el viento insiste al final del día
estoy cansado como después de un sueño
y aunque me gustaría brindar con alguien
bebo el vino en un vaso de vidrio arrugado

golpean en la puerta con nudillos menudos
es nelsito un vecino de cinco años
me pregunta si puede jugar con el imán
no quiero defraudarlo así que lo autorizo
y él inaugura su verdad revelada

luego desaparece erudito y ceñudo
el viento urge aunque con otro ritmo
termino el vino sin desesperarme

y lentamente estiro el brazo torpe
hasta el imán que aguarda en su misterio

CANTERA DE PROJIMOS

Es cierto / si estás solo llegarás fácilmente
al desparpajo contigo mismo / así
no habrá obsecuencias ni iras sagradas
que te expulsen de la sinceridad

la soledad tiene sus pústulas y su encanto
pero suele ser un espectáculo procaz
sobre todo porque carece de espectadores
y los espejos la invaden sin motivo

atención por favor afirmate en tus huesos
en tus recuerdos mejores y peores
siempre es válido para entender el dolor
y reducirlo a su uña de miedo

estar sin nadie es un desorden blanco
un malogro del fueguito privado
hay que aprender que no todo es dulzura
y que el fiel de la angustia no sirve

la soledad te ayuda únicamente
si la vas a colmar de ecos necesarios
de nostalgias tangibles / sólo así
podrá llegar a ser tu cantera de prójimos

EL PAISAJE

Durante muchos años
y tantísimos versos

35

el paisaje
no estuvo en mis poemas

vaya a saber
por qué

mejor dicho
el paisaje
eran hombres
                    mujeres
                         amores

pero de pronto
casi sin yo advertirlo
mi poesía empezó
a tener ramas
                    dunas
                         colinas
                              farallones

vaya a saber
por qué
dejó de ser
poesía en blanco y negro
y se llenó de verdes
tantos como follajes
de flamboyanes rojos
oros suaves del alba
y memorias de pinos
con sus siluetas sobre
horizonte y candela

¿será que este paisaje
no quiere que sigamos
sin decirnos las claves?

¿o será que el paisaje
no quiere que me vaya?

TEORIA DE CONJUNTOS

Cada cuerpo tiene
su armonía y
su desarmonía

en algunos casos
la suma de armonías
puede ser casi
empalagosa

en otros
el conjunto
de desarmonías
produce algo mejor
que la belleza

PRELIMINAR DEL MIEDO

Por sobre las terrazas alunadas
donde se aman cautelosamente los gatos
y los brillos esquivan las chimeneas
creo que nadie sabe lo que yo sé esta noche
algo aprendido a pedacitos y a pulsaciones
y que integra mi pánico tradicional modesto

¿cómo desmenuzar plácidamente el miedo
comprender por fin que no es una excusa
sino un escalofrío parecido al disfrute
sólo que amarguísimo y sin atenuantes?

los suicidas no tienen problemas al respecto
deciden derrotarse y a veces lo consiguen
entran en el miedo como en una piragua
sin remos y con rumbo de cascada
son los descubridores del alivio
pero la paz les dura una milésima

tampoco los homicidas se preocupan mucho
limitan el miedo a una coyuntura
desenvainan la furia o aprietan el gatillo
y todo queda así simplificado y yerto

pero los demás o sea los que venimos
tironeados por la maravilla
y perseguidos por el horror
los demás o sea los compinches de la duda
los candorosos los irresponsables
los violentos pero no tanto
los tranquilos pero no mucho
los deportados de la buena fe
los necesitados de alegría
los ambulantes y los turbados
los omisos de la vanguardia
los atrasados de la vislumbre

ésos qué haremos con el mundo
sino asediarlo a escaramuzas
desmenuzarlo con las uñas
extinguirlo con el resuello
desmantelarlo a mordiscones
hacerlo trizas con la mirada
dar cuenta de él con el amor
estrangularlo

TALANTES

Un hombre
alegre
es uno más
en el coro
de hombres
alegres

un hombre
triste
no se parece
a ningún otro
hombre
triste

EL AMOR ES UN CENTRO

Un tallito de verdes y un añoso algarrobo
las veinticuatro horas y el instante bisagra
una vislumbre dicha por las manos de un ciego
el amor es un centro con extrañas filiales

clausura y campo abierto
los barcos que dialogan tras la niebla
musgo y cáliz del sexo
la fogata en el ángelus inmóvil
las tiernas recompensas
las durísimas penas
el amor es un centro con extrañas filiales

todo eso y mucho más
y mucho menos y otros rubros
sintetizando yo diría
que así en la guerra como en los celos
el amor es también una alcachofa
que va perdiendo sus emblemas
hasta que queda una fruición
una esperanza
un fantasmita

CONJUGACIONES

1 (álbum)

Cómo quisiera fotografiar
minucia por minucia
pedazos de futuro
y colocar las instantáneas
en un álbum
para poder hojearlo
lenta morosamente
en un manso remanso
del pasado

2 (claves)

Algunas claves
del futuro
no están en el presente
ni en el pasado

están
extrañamente
en el futuro

3 (variantes)

La muerte es sólo una
de las varias variantes
del futuro
quizá la más primaria

acerca de la otras
espléndidas variantes
no han concluido aún
las investigaciones

4 (complemento)

Para entender mejor
cuán reaccionario
era jorge manrique
hay que desarrollar
el complemento de su tesis
o sea
todo tiempo futuro
será peor

5 (después)

El futuro no es
una página en blanco

es una fe
de erratas

6 (ausencia)

En la última
asamblea
del futuro
faltaré
sin aviso

7 (rigores)

En las fronteras
del futuro
hay un control
estricto

sólo son admitidos
los sobrevivientes

8 (previsión)

De vez en cuando es bueno
ser consciente
de que hoy
de que ahora
estamos fabricando
las nostalgias
que descongelarán
algún futuro

9 (plurales)

Hay
ayeres
y mañanas
pero no hay
hoyes

LOS INMORTALES Y LA MUERTE

LOS MORTALES

Ni siquiera la muerte permanece
JOSÉ EMILIO PACHECO

Pero estaba previsto que al aflojar la tarde
comparecieran suaves los penachos las sombras
para asombrar al bando de los vivos

es imposible estar seguro
                     porque
¿y si resultan pinos o quimeras?

lo cierto es que no están bajo las flores

por el contrario hay quienes suponen
que pueden cultivarlas
con agüita de lluvia

en realidad
no están bajo las flores
no están bajo las cruces
no están bajo las losas
no están bajo la tierra

no están
sencillamente

PASATIEMPO

Cuando éramos niños
los viejos tenían como treinta
un charco era un océano
la muerte lisa y llana
no existía

cuando muchachos
los viejos eran gente de cuarenta
un estanque era océano
la muerte solamente
una palabra

ya cuando nos casamos
los ancianos estaban en cincuenta
un lago era un océano
la muerte era la muerte
de los otros

ahora veterano
ya le dimos alcance a la verdad
el océano es por fin el océano
pero la muerte empieza a ser
la nuestra

LOS INMORTALES

La piel acariciada se acabó
se acabaron las manos que encendían
los pulmones que juzgaban el aire
las piernas que enseñaban el camino

se acabó el cuerpo penetrando en el mar
el cuerpo catedral o lastre o surco
el cuerpo a plazo fijo el abrazable
el cuerpo condenado se acabó

quedan no obstante indicios generosos
arrabales o esencias
provincias de entusiasmo
árbol al que miraron ojos que ya no existen
y hace gala de aquel vistazo tutelar
como si se tratara de su hoja más verde

senderos que los idos transitaron o abrieron
asumen en la tarde una libre tristeza
algo así como sauces o memorias

por donde ellos pasaron o amaron o riñeron
riñen aman o pasan futuros inmortales
esos que un día perderán la piel
los brazos los riñones las mejillas el sexo
y sin embargo sobrevivirán
en el mágico vientre de una mujer de barro
en la veracidad de un semejante
en la usada decencia de una casa de rocas
en la quebrada voz de un portavoz de pueblo
en un coto privado de firmamento y pena

y todo ocurre porque la inmortalidad
no es una medalla ni una canonjía
tampoco un pergamino con su guarda de flores
sino un hecho objetivo y sin anuncios

hay quien es inmortal por ganar una guerra
hay quien lo es por una perdida escaramuza
alguna impresionante obra de tomo y lomo
o un madrigal de diez versos apenas

(quién no piensa en gutierre de cetina
pero ¿acaso no es tan inmortal
como el mismo poeta
la inclemente señora de los ojos
más claros y serenos del siglo dieciséis?)

ocurre sin embargo que aún los inmortales

alguna vez se apocan se hacen nadie y vacío
se van de la costumbre
se mueren por un tiempo

debe tenerse en cuenta
que hay grandes inmortales e inmortales domésticos
unos que sobreviven por mandato de un pueblo
y otros en cambio gracias a un corazón sencillo

pero ni aun aquellos inmortales
que se apocan y mueren por un tiempo
y hasta se arriesgan al durable olvido
y se desilusionan ante la confusión
o ante la indiferencia
de la gente y las cosas
ni siquiera esos sobrios modestos inmortales
se borran para siempre de nosotros los otros
de pronto los rescata un umbral de alegría
los llama una nostalgia simplemente carnal
o los convoca un niño con sus revelaciones
y entonces sí regresan como pájaros
a posarse otra vez en futuros vestigios
a contemplar el mar como una buena nueva
a sopesar la tierra en sus terrones

entonces sí regresan como nubes
como tranquilas nubes de algodón y confianza
y hasta puede que alguien
comente
        está nublado
cuando sencillamente está inmortal

CADA VEZ QUE ALGUIEN MUERE

Cada vez que alguien muere
por supuesto alguien a quien quiero

siento que mi padre vuelve a morir
será porque cada dolor flamante
tiene la marca de un dolor antiguo

por ejemplo este día en que ningún árbol
está de verde y no oigo los latidos
de la memoria constelada
y un solo perro aúlla por las dudas
vuelve a meterme en aquel otro
interminable en que mi padre
se fue mudando lentamente
de buen viejo en poca cosa
de poca cosa en queja inmóvil
de queja inmóvil en despojo

INVISIBLE

La muerte está esperándome
ella sabe en qué invierno
aunque yo no lo sepa

por eso entre ella y yo
levanto barricadas
arrimo sacrificios
renazco en el abrazo
fundo bosques que nadie
reconoce que existen
invento mis fogatas
quemo en ellas memorias
tirabuzón de humo
que se interna en el cielo

por eso entre ella y yo
pongo dudas y biombos
nieblas como telones
pretextos y follajes

murallones de culpa
cortinas de inocencia

así hasta que el baluarte
de cosas que es mi vida
borre la muerte aleve
la quite de mis ojos
la oculte y la suprima
de mí y de mi memoria

mientras tanto
ella espera

HAPPY BIRTHDAY

¿Cómo será el mundo cuando no pueda yo mirarlo
   ni escucharlo ni tocarlo ni olerlo ni gustarlo?
¿cómo serán los demás sin este servidor?
¿o existirán tal como yo existo
   sin los demás que se me fueron?
sin embargo
¿por qué algunos de éstos son una foto en sepia
   y otros una nube en los ojos
   y otros la mano de mi brazo?
¿cómo seremos todos sin nosotros?
¿qué color qué ruidos qué piel suave qué sabor
                           qué aroma
   tendrá el ben(mal)dito mundo?
¿qué sentido tendrá llegar a ser protagonista del
                           silencio?
   ¿vanguardia del olvido?
¿qué será del amor y el sol de las once
   y el crepúsculo triste sin causa valedera?
¿o acaso estas preguntas son las mismas
   cada vez que alguien llega a los sesenta?

ya sabemos cómo es sin las respuestas
mas ¿cómo será el mundo sin preguntas?

REFRANIVOCOS / SIGNITOS

COMPENSACIONES

Ojo
    por
        ojo
lente
    por
        lente

FACILIDADES

A enemigo
que huye
puente
de lata

COMPAÑIAS

Dime
con quién
andas
y te diré
go home

INTENSIDAD

Quien
pecho
abarca
loco
aprieta

RESISTENCIA

No hay
peor
gordo
que
el que no quiere
huir

TARDIA

La madurez
llega
con su relámpago
de sabiduría
cuando uno
ya no tiene
donde caerse
sabio

MADRIGAL EN CASSETTE

Ahora que apretaste
la tecla *play*
me atreveré a decirte
lo que nunca
osaría proponerte
cara a cara

que oprimas de una vez
la tecla *stop*

ONCE

Ningún padre de la iglesia
ha sabido explicar
por qué no existe
un mandamiento once
que ordene a la mujer
no codiciar al hombre
de su prójima

¿NUNCA MAS?

Ya era tarde
cuando el cuervo
de poe
tomó conciencia
de que no era
principista
sino
tozudo

55

OVNIS

obviamente, a bud

Dice mi amigo bud que los ovnis no vienen
de marte ni de la urss ni de cabo cañaveral
sencillamente llegan de un remotísimo futuro
con la peregrina intención de investigar
cómo fue que los terrestres empezamos a jodernos
es decir cuál fue el origen de la gran hecatombre
que para ellos por supuesto es historia
y en cambio para nosotros pecadores
una mera y sombría posibilidad

en el caso de que bud tenga razón
los osados ovnímodos serían
una suerte de arqueólogos ideológicos
algo así como choznos de levi strauss
perdidos en alguna galaxia de reposo

no estaría de más intentar persuadirlos
de que han confundido la ecuación y la ruta
y que en consecuencia aún nos pertenece
la empalagosa opción de no estallar
y así mientras ellos computan y computan
su electrónica / gaseosa / ultramundana
fe de erratas
nosotros persignémonos
o respiremos hondo
o bajemos al refugio más próximo

NOMBRES PROPIOS

ALLENDE

Para matar al hombre de la paz
para golpear su frente limpia de pesadillas
tuvieron que convertirse en pesadilla
para vencer al hombre de la paz
tuvieron que congregar todos los odios
y además los aviones y los tanques
para batir al hombre de la paz
tuvieron que bombardearlo hacerlo llama
porque el hombre de la paz era una fortaleza

para matar al hombre de la paz
tuvieron que desatar la guerra turbia
para vencer al hombre de la paz
y acallar su voz modesta y taladrante
tuvieron que empujar el terror hasta el abismo
y matar más para seguir matando
para batir al hombre de la paz
tuvieron que asesinarlo muchas veces
porque el hombre de la paz era una fortaleza

para matar al hombre de la paz
tuvieron que imaginar que era una tropa
una armada una hueste una brigada
tuvieron que creer que era otro ejército
pero el hombre de la paz era tan sólo un pueblo
y tenía en sus manos un fusil y un mandato
y eran necesarios más tanques más rencores

más bombas más aviones más oprobios
porque el hombre de la paz era una fortaleza

para matar al hombre de la paz
para golpear su frente limpia de pesadillas
tuvieron que convertirse en pesadilla
para vencer al hombre de la paz
tuvieron que afiliarse para siempre a la muerte
matar y matar más para seguir matando
y condenarse a la blindada soledad
para matar al hombre que era un pueblo
tuvieron que quedarse sin el pueblo

HECHOS / NOTICIAS

Para los europeos
el estalinismo
fue
un hecho
en tanto que
para nosotros
fue tan sólo
noticia
por eso nunca
lo entendimos bien

en cambio
para nosotros
cuba y nicaragua
son hechos
fundamentales y
fundacionales
en tanto que
para ellos
son tan sólo
noticias
por eso nunca
las entendieron bien

RIGOBERTO EN OTRA FIESTA

Amanecer sabroso / mediodía y fervores /
                    noche de armas y ramas
ruinas de las que surgen aves confidenciales
descalzos que vindican / ganan gleba por gleba
las ochocientas mil hectáreas del maligno

patria libre o morir o morir o morir
morir ya lo sabían / era pan cotidiano
pero no es tan sencillo habituarse de pronto
al evangelio de la patria libre

viejo pueblo naciente del sueño y de la pólvora
sandino en las gargantas las segovias los muros
voluntarios dispuestos a barrer la desgracia
barricadas que vuelven a ser tronco y ladrillos

casi tocando el cielo de los muchos sin tierra
los sin pan / los sin techo / los sinsontes
casi escuchando el nuevo y crucial terremoto
pienso en tu veintiuno de setiembre / quizá
porque estabas tan solo rigoberto
aunque es claro existían cornelio ausberto edwin
remotos y leales / y acercarte bailando
al tirano insolente / aproximarte como
crucero de la fiesta que iba a ponerse trágica
y acribillarlo y ser acribillado
fue tan poema y tan nicaragüense
como el mejor darío
no el que se inventaba las manos de marqués
sino el que las tenía de indio chorotega

por eso en la pasión de la victoria
ahora que la fiesta es por fin generosa
entre los puños debe estar tu puño
entre las balas debe estar tu bala
entre los corazones tu verde corazón
y en cada patria libre o morir tu campante

muerte / que es uña y carne con la patria que nutres

así mirando sosegadamente
a tu pueblo / insurrecto desde zafras antiguas
de pronto advierto que tu soledad
de hace veintitrés años no era tanta
acaso porque entonces ya escondía / soñándolos
a estos campesinos
a estos combatientes
a estos niños descalzos

TOMÁS RECUERDA A CARLOS

Como un exacto curriculum de carlos
así puede leerse de un tirón
el apretado libro de tomás
pero después de ese tirón algo falta
y hay que empezar de nuevo

sólo en la segunda lectura se advierte
que no es un curriculum sino un abrazo
y así empieza a entenderse lo que consta
en las meras entrelíneas de fuego

cuántos días y noches de hermandad
no habrán sido precisos
para encerrar en siete renglones capitales
la muerte de esa niña que no quería morir
y apretarnos no obstante el corazón
sin retórica y casi sin adjetivos

qué suerte que tomás no hiciera un monumento
por eso carlos emerge o lucha
como un escándalo de la cordura
no como un héroe con postura de héroe
sino como un héroe con talante de hombre

y uno llega a sentir que en los afluentes
de esa sobriedad o quizá protegiéndola
como una esperanza inexpugnable antigua
tomás está llorando (él ha contado
que así lloraba carlos) con la ferocidad
que tiene a veces la tristeza

después vino el futuro y vendrán otros
pero no volverá el pasado inmundo
nicaragua ha sido esta vez invalida
por su rotunda gana de ser pueblo

y bien todo esto viene a corroborar
que en algunas diáfanas temporadas
la realidad puede ser una esencia
y hasta un fanal de revelaciones
alegría de un hombre / y de una suma de hombres
tan saludable como
si el coro de ángeles de sandino
hubiera llegado en ese instante
a una repentina mayoría de edad

GIRON GIRONES

Entre el viejo delirio intimidante
convertido en metralla elemental
en azote o plomada o nubarrones
contra surco alfabeto y guaguancó
en astucia falaz pero de llamas
e invasores columpiándose / y pueblo
que los volteaba a tiros del columpio

entre el viejo delirio y el novísimo
que acaso / que tal vez / que puede ser
se vuelva un argumento de napalm
malaventura de pavor y sangre

extrema circunstancia de matar y morir
e invasores columpiándose / y pueblo
que los voltee a tiros del columpio

entre el viejo delirio y el novísimo
hay veinte años de ajustar la vida
de revolucionar a pulso el sueño
de desgarrarse sin perder el gozo
de solidarizarse desde el vamos
e instalar en el cielo colectivo
a un astronauta tan guantanamero
como para entender desde lo alto
a harlem y sus ráfagas de odio

entre el viejo delirio y el novísimo
hay veinte abriles de crear en ascuas
y puede ya preverse / si en el año
2001 todo regresa / habrá
invasores columpiándose / y pueblo
que los voltee a tiros del columpio

VARIACIONES SOBRE UN TEMA DE BORIS VIAN

Cuando me canse de escuchar
llantos de niños en la brisa
cuando me canse de mirar
pueblos que apenas son ceniza

me iré con lluvias estrelladas
que son diamantes en el barro
glacial cometa de miradas
vivo la noche y desamarro

y con estrellas miel y flores
que son rubíes y topacio
tendré el silencio en los albores
del infinito eterno espacio

cuando me canse de la lluvia
y de la sangre y de la guerra
cuando me canse de esta tierra
me mudaré a la luna rubia

ah tierra-luna tierra-luna
atrás quedó la suerte perra
atrás los muertos y la guerra
adiós

ah tierra-luna tierra-luna
me pongo hoy las alas de oro
y cielo arriba cual meteoro
me voy

así que ahora no te asombres
si desde esta luna hueca
me burlo de la tierra seca
y de los pobres simples hombres

ah tierra-luna tierra-luna
adiós ciudad mi corazón
globo tullido de aflicción
adiós

cuando me canse de esperar
a los indómitos que huyen
cuando me canse de soñar
sueños que siempre se concluyen

me iré otra vez inoportuno
y apostaré por el que pierde
y volveré cuando ninguno
me necesite ni recuerde

y con el tímido derroche
de una paciencia vengadora
tendré las dudas de la noche
sin las respuestas de la aurora

cuando me canse la rutina
de que me ultrajen y me roben
cuando me canse de esta ruina
me mudaré a la luna joven

ah tierra-luna tierra-luna
atrás quedó la suerte perra
atrás los muertos y la guerra
adiós

ah tierra-luna tierra-luna
me pongo hoy las alas de oro
y cielo arriba cual meteoro
me voy

alguna vez mi vida quieta
verá estallar en el pasado
mi triste y cándido planeta
que se creyó civilizado

ah tierra-luna tierra-luna
mundo caótico y podrido
pierrot de arriba me despido
adiós

ESTOS POETAS SON MIOS

Êstes poetas são meus

CARLOS DRUMMOND DE ANDRADE

Roque leonel ibero rigoberto
ricardo paco otto-rené javier
cuántas veces y en cuántos enjambres y asambleas
los habrán (mal) tratado de pequeñoburgueses
se habrán quedado solos con su antigua costumbre
de razonar / o solos con el rigor científico

solos con un impulso moral / solos en una
soledad no querida no buscada
solos con sus amores al prójimo a la prójima
con la preocupación de que los segregaran
solos para entender todo y a todos

cuántas veces y en cuántas esperanzas o rutas
habrán andado a tientas a relámpagos
dejando reposar el tiempo la poesía
y ellos infatigables reventándose
sabiendo que no eran los pequeños burgueses
que los rudos compañeros decían
que no eran los flojos los librescos
mirándose al espejo hasta desentrañarlo
como narcisos nunca / mirándose autocríticos
jamás desalentados / tratando de encontrar
el resquicio la brecha el socavón el mérito
de ser como los otros o algo así

cuántas veces y en cuántos insomnios duermevelas
habrán considerado la pena o el atajo
de borrar la poesía / de borrarse
como poetas / borrar el modesto delirio
y juntar las palabras las volátiles
y cambiarlas por otras las concretas
y revolucionar las veinticuatro horas
y ponerse el esquema y quitarse los tropos
y andar al mismo paso / nadar el mismo río
y fabricar así la infundada esperanza
de ser iguales a los otros / ser
igualmente juzgados y medidos

cuántas veces y en cuántas lagunas y memorias
habrán querido ser / luz roja / tierra verde
y compartir la lucha a pedacitos
aprender sangre a sangre el alfabeto
cual si no lo supieran / desde abajo
arder en la bondad elemental

sentir la furia como un calofrío
continuar el amor sin los alertas
compañerísimos en las difíciles
jocundos en las fáciles
igualmente medidos y juzgados

pero un día una noche una friolera
arriesgaron el cuerpo la miseria los versos
supieron de repente que la ley era vieja
que los suaves poetas aunque se desgañiten
aunque venzan al viento y a la luna
disponen de una sola ocasión decisiva
a fin de que los rudos queridos compañeros
admitan que no siempre / pero a veces /
ésos de la palabra ésos de calma en cierne
pueden ser valerosos como un sueño
leales como un río
fuertes como un imán

lo grave es que su única ocasión
es morir
una forma tal vez de desmorirse
defendiendo una causa por la que otros
no precisan la muerte para ser aceptados
para ser abrazados y creídos

cuántas veces y en cuántas sustancias y cegueras
se habrán empecinado en los candores
y buscado argumentos con rabia / resistido
para apuntarle al enemigo / al plomo
que venía en el aire aniquilando
matando desmintiendo desabrigando ardiendo
y habrán desesperado la esperanza
de arrinconar confianza o de inspirarla

y sin embargo / luego / en un segundo
en una balacera eucaristía
en la revelación del fogonazo
en la fortuna sin promesa y última

en un instante breve como un sorbo
sin argumentos / sin palabras / tiernos
tristísimos por fin y despegados
en ese parpadeo que no cierra
deshechos y rehechos de coraje
estallados de fe / muertos de pena
dejaron de aspirar cuando el destello
cuando el sabor final y la vislumbre
cuando cambiaron la amargura tibia
de pequeño burgués por la de mártir

EL BAQUIANO
Y LOS SUYOS

ABRIGO

Cuando sólo era
un niño estupefacto
viví durante años
allá en colón
en un casi tugurio
de latas

fue una época
más bien
miserable

pero nunca después
me sentí tan a salvo
tan al abrigo
como cuando empezaba
a dormirme
bajo la colcha de retazos
y la lluvia poderosa
cantaba
sobre el techo
de zinc

TRANVIA DE 1929

a china zorrilla

Allá en mis nueve años circulaban
dos tipos de tranvías
los amarillos de la transatlántica
los rojos de la comercial
pero aparte de que fueran alemanes o ingleses
había una tremenda diferencia
en la comercial viajaba yo
en la transatlántica unos desconocidos

el treinta y seis iba a punta carretas
y a las seis y cuarto de la mañana frágil
cuando se levantaba como niebla el rocío
yo lo tomaba a diario para asistir
al deutsche schule de la calle soriano

era un horario para gente estoica
razón por la que íbamos sólo dos pasajeros
yo sentado adelante junto a la ventanilla
y bièn atrás un viejo bajito y honorable
siempre de traje oscuro y con barba canosa
que leía su diario y jamás me miraba

hoy me gusta pensarlo / aquel puntual usuario
seguro que tomaba el crujiente tranvía
en una vaga esquina del siglo diecinueve
pero en aquel entonces hubo alguien / mi padre
que dijo ése es el poeta nacional
ése es don juan zorrilla de san martín

lo cierto
fue que el augusto nombre no me reveló nada
así que lo seguí considerando un viejo
bajo y de oscuro / ceño fruncido y barba
uno que diariamente compartía conmigo
el treinta y seis de la comercial

74

poco después moría con todos los honores

recuerdo que una tarde siendo ya adolescente
me introduje en su casa
que ya no era su casa sino apenas
el museo zorrilla
y me vinieron ganas retroactivas de hablarle
de sentarme con él
en el tranvía de las seis y cuarto

en este medio siglo por supuesto he leído
sobre su vida y obra / sobre su fe y talante

el tranvía sigue galopando en la niebla
con él viejo y yo niño / con él solo y yo solo

pero nunca he sabido qué hacía tan temprano
en el tramo penúltimo de su cándida gloria

SUBVERSION DE CARLITOS
EL MAGO

Querés saber dónde están los muchachos de entonces
sospechás que ahora vendrán caras extrañas
y aunque pasó una sombra sonó un balazo
guardás escondida una esperanza humilde
que es toda la fortuna de tu corazón

la verdad es que fuiste genialmente cursi
y soberanamente popular
te metiste no sólo en los boliches
sino también entre pecho y espalda
de vos hablaban por supuesto en los quilombos
pero asimismo en los hogares de respeto
atravesaste las capas sociales
como una lluvia persistente y veraz

y así gardeliaban los obreros y las costureritas
pero también los altísimos burgueses
y no era raro que algún senador o rey de bastos
matizara sus listas de promesas a olvidar
con citas de los griegos más preclaros
y de tus tangos tan poco helénicos

tus ensueños se van no vuelven más
tal vez por eso siempre sostuvimos
que no tenías inquietudes políticas
izquierdas y derechas nos pusimos de acuerdo
para situarte en el malevaje y otros limbos
donde había paicas y otarios y percal y gayola
pero no figuraba la lucha de clases
y aunque dicen que eras ateo y socialista
otros evocan tus alabanzas a radicales y conservas

pero vos / antes y después de medellín
dejaste hacer / dejaste que dijeran / dejaste
que cada uno te inventara a su medida
y por las dudas no aclaraste nunca
si eras de toulouse o de tacuarembó

pero en alguna parte sucedió algo
que removió tu vergüenza de haber sido
tu noche triste y tu requiesca in pache
acaso fue la piba que murió en la picana
o el verdugo mayor que viste en el periódico
compungido y procaz ante la sangre joven
todo es mentira / mentira ese lamento

pero es seguro que sucedió algo
algo que te movió el gacho para siempre
fue entonces que sacaste de la manga
los seis o siete tangos con palabras rugosas
y empezaste a cantarlos como nunca
hasta que el cabo le avisó al sargento
y el sargento se lo dijo al teniente
y el teniente al mayor y el coronel

y el coronel a todos los generales
que esa noche disfrutaban de wagner
y no bien acabó el crepúsculo de los dioses
te juzgaron culpable de ser pueblo
y de asistencia a la subversión
y así entraste en la franja de los clandes

de modo que se acabaron todas las dudas
y las cavilaciones y los chismes
ya no sobre toulouse o tacuarembó
te llevaste el secreto a chacarita
sino sobre con cuáles estabas o estarás
vale decir con ellos o con nosotros
quién sabe si supieras
pero ahora sí está claro para siempre
tomaste partido contra los jailaifes y la cana
y estás con nosotros / bienvenido mago
compañero morocho del abasto

HASTA LOS ELEFANTES

a luvis, in memoriam

Qué difícil es verte sonreirte
meternos todos en el disimulo
imaginar futuros que te incluyen
decir que volveremos volverás
a respirar el aire de tu cuadra
a ver la playa el corazón del día
y disfrutar las uvas los duraznos
esos lujos del pobre

cómo hablar de las buenas cosas simples
que dan gusto a la vida y a tu vida
si sabemos que te siguen el rastro
y nadie ha de guardarte ni esconderte

77

ni podrá convencer a tu sabueso
ni morirse por vos ni derramar
un llanto clave para que te quedes
vital entre nosotros

en los comienzos el exilio era
tan sólo el hueso de vivir distante
ahora es también el de morirse lejos
ya la nómina tiene cuatro o cinco
la soledad el cáncer y los tiros
acabaron con ellos y quién sabe
cuántos más son ahora tantos menos
en el país errante

el trago es más amargo todavía
porque morir de exilio es la señal
de que no sólo a vos sino que a todos
nos han quitado ese último derecho
de abandonar el tren en la estación
donde el viaje empezó / nos han quitado
esa muerte doméstica que sabe
de qué lado dormimos y qué sueños
aportan las vigilias

por eso cuando admito que te vas
sin haber regresado y aun en brazos
de un pueblo que es hermano / te prometo
luchar no sólo por cambiar la vida
sino también por preservar la muerte
la nuestra / que es matriz y nacimiento
morir donde se quiere / como exigen
hasta los elefantes

NI COLORIN NI COLORADO

Buenos Aires, 3 de agosto (AF). −Los dos niños uruguayos hallados en Chile días atrás fueron raptados en Argentina en septiembre de 1976, según la Asamblea Permanente de los Derechos Humanos. Los niños son Anatole Boris y Eva Lucía Julien Grisonas. La abuela de los niños, María Angélica Cáceres de Julien, envió una carta a la APDH hace más de un año, para denunciar la desaparición de su hijo, esposa y dos hijos, durante una «operación policial» efectuada en su domicilio, situado en San Martín Arrabal, Noroeste de Buenos Aires.

(El Sol de México, 4 de agosto de 1979)

Y la muerte es el último país que el niño inventa.
RAÚL GONZÁLEZ TUÑÓN

Fue en valparaíso donde reaparecieron
en pleno año internacional del niño
por fin sanos y salvos
con escasa y suficiente memoria
eva lucía y anatole
niños del siglo veinte

habían mediado las naciones unidas
y fotógrafos embajadas arzobispos
y una vez confirmadas las identidades
y obtenido el aval indispensable
de burócratas y estados mayores
desde montevideo fue a buscarlos la abuela
y es posible que todo vuelva a su cauce

pero ni colorín ni colorado
el cuento no se ha acabado

valparaíso de terremotos y escaleras
donde cada escalón es una casa en ascuas
valparaíso de marineros y mercados
y costas de agua helada y transparente
había acogido a anatole y eva lucía
cuando en diciembre del setenta y seis

aparecieron en la plaza o'higgins
a la deriva y tomados de la mano

valparaíso de acordeones y tabernas
y olor inconfundible a sal y muelles
con un mar que complica los adioses
pero se encrespa con las bienvenidas
la ciudad de las proas les dio pan y cobijo
y también una esponja con la ardua misión
de borrar los poquísimos recuerdos

pero ni colorín ni colorado
el cuento no se ha acabado

montevideo de milongas y cielitos
puerto también pero con otro aroma
con cantinas y bares de mala muerte
y jóvenes cadáveres también de mala muerte
quizá reciba a eva lucía y anatole
sin primavera porque es invierno crudo
sin cantos porque hay silencio estricto
sin padres porque desaparecieron

montevideo de lluvia a plazos
de muros con pregones irreverentes
de noche sin faroles pero con tres marías
quizá reciba a eva lucía y anatole
en el breve año internacional del niño
sin primavera sin canciones sin padres

anatole sí recuerda a la madre caída
no ha olvidado aquella sangre única
ni al padre escondiéndolos en la bañera
para salvarlos del oprobio y los tiros

pero ni colorín ni colorado
el cuento no se ha acabado

lo cierto es que montevideo y valparaíso

tienen más de un atributo en común
digamos la bruma y la nostalgia de los puertos
y esta oscura piedad en homenaje
al pobre año internacional del niño
que dentro de unos meses se termina

así pues no sería de extrañar
que antes de que culminen las celebraciones
y a fin de que la lástima sea simétrica
aparecieran en la plaza zabala
o en villa dolores o en el prado
dos pequeños chilenos desgajados del mundo
tomados de la mano y a la deriva
y una vez detectados por la onu
y por fotógrafos embajadas arzobispos
comprobadas las identidades y obtenido
el aval de burócratas y estados mayores
viniera a recogerlos algún abuelo
a fin de reintegrarlos a su valparaíso
que seguramente los habría de esperar
sin primavera sin canciones sin padres

pero ni colorín ni colorado
el cuento no se ha acabado

EXTRANJERO HASTA ALLI

En aquel otro exilio
me sentí
            extranjero
hasta que llegó la manifestación
y me vi caminando
con hombres y mujeres
del lugar
y desde los bordes
los milicos locales

me miraron
con la misma inquina
que los de mi ciudad

EL JUBILADO

El torturador
ya retirado
se sienta frente al mar
en los atardeceres

la gaviota planea
y a él le molesta un poco
una libertad
tan arbitraria

hay dos o tres barcos
que ocupan todo
el horizonte

quiere decir adiós
a esos que parten
pero de pronto
no sabe bien por qué
su mano
es
un muñón

SIGHTSEEING 1980

*Quisiera ver lo que verán los que
vivan cuando Montevideo tenga un
millón de habitantes.*

JUAN ZORRILLA DE SAN MARTIN

Señores y relojes / niños y disimulos / señoritas y
                              fuegos
ésta es una excursión a los inviernos en verano
nuestro país como podrán comprobarlo en la acuarela
                              adjunta
tiene forma de corazón o quizá de boleadora o de
                              talega
más tarde indagaremos sobre escrúpulos y matices
                              semánticos
pero mientras tanto pueden disfrutar a su derecha
del cerro / nuestro pobre pero honrado himalaya
con su fortaleza colonial y sus ergástulas selladas
donde criollos y murciélagos aprendieron a palpar lo
                              oscuro
si tuviéramos tiempo llegaríamos allí para que ustedes
no pudieran verse ni siquiera las manos y no obstante
                              escucharan
los quejidos o versiones o blasfemias de otro tiempo
tan infinitamente peor que los haría felices
pero como no lo tenemos miren qué puerto
también llamado dársena o estuario o canal o bahía
éste es un país libre pueden nombrarlo como quieran
en verdad una joya de puerto por donde siempre
                              entraban
los perseguidos y los conseguidos con su alforjita
de amparos esperanzas y convicciones malheridas
hay que reconocer que en el último decenio
las exportaciones de esperanza superaron
con creces a las importaciones de amparo
lo cual es considerado un buen indicio de la balanza
                              comercial
he aquí la ciudad vieja aunque relativamente bisoña

83

para los europeos / si tuviéramos tiempo
les mostraría un muro con una mancha apenas
                                        indeleble
que parece de sangre aunque es de sangre
pero como no lo tenemos miren qué hermosa entidad
                                        bancaria
intramuros las vacas se transforman en divisas
digamos de paso que la cotización del día
es de cinco dólares por kilo de churrasco
la plaza independencia es por supuesto un tropo
si tuviéramos tiempo les hablaría de artigas
naturalista que coleccionaba perros cimarrones
pero como no lo tenemos los exhorto a que miren
disimuladamente la casa de gobierno
que en el pasado tuvo ilustres ocupantes
pero hoy en día está casi deshabitada
o sea que hay un viejito que la cuida
esta avenida comercial y amplia
tiene un pasado altamente sugestivo
con árboles manifestaciones y carnavales
si tuviéramos tiempo nos quedaríamos a los carnavales
puesto que las manifestaciones y los árboles han sido
                                        podados
pero como no lo tenemos es bueno que comprueben
la higiene municipal que barre los pájaros muertos
y la bosta de los equinos y las máscaras estrujadas
y las preguntas de los niños y más bosta de los equinos
pues no sé si habrán advertido que afortunadamente
los equinos están sustituyendo de a poco a los
                                        autobuses
debido tal vez a la penuria mundial de gasolina
y a la relativa abundancia de forrajes monturas
anteojeras espuelas y *last but not least* jinetes
he aquí la plaza nombrada en otros tiempos libertad
ahora es una plaza simplemente y es lógico
a qué poner membretes obvios y alucinógenos
que además siembran y cosechan desconciertos
ya que en otro sitio hay un local cerrado que lleva el
                                        mismo alias

un hecho destacable es que han disminuido
                        considerablemente
los índices de escorbuto inmigración natalidad y
        accidentes de tránsito
lo cuarto quizá como consecuencia de lo tercero y lo
                        segundo
pues es notorio que cada vez hay menos gente para
                        atropellar
como ven esta avenida no sólo es larga sino también
                        monótona
apenas acotada por la biblioteca nacional
donde autores místicos y no místicos hacen voto de
                        clausura
y por la presencia enigmática de la otrora universidad
hoy museo maravilloso de figuras y albedríos de cera
y sin más avancemos hacia el obelisco en desafío
homenaje al candor del siglo diecinueve
si tuviéramos tiempo aguardaríamos a que lloviese
pues con la lluvia adquiere un brillo espléndido para el
                        agfacolor
pero como no lo tenemos doblemos a la derecha por
                        el bulevar
con sus embajadas y patrulleros y palomas y rameras
                        de siempre
y sus pinos cabeceantes y reflexivos
que recuerdan todo lo que aquí olvidamos
y ahora por fin el río ancho como mar
donde el sol esmerila los delicados hombros femeninos
y las cicatrices unisex
y en la arena descansan los caracoles
y los mutilados y los niños huérfanos y los mastines
de orejas curiosas y puntiagudas y colas como radares
miren de vez en cuando hacia el horizonte
no se sabe si las toninas vienen o se van
en cambio sí se van los transatlánticos
y los remolcadores de caronte
el aire salitroso es bueno para el alma y malo para el
                        asma
quizá por eso estén aumentando considerablemente

las dificultades respiratorias a nivel nacional y
                                    también exista
un cierto desnivel entre los que aspiran y los que
                                            expiran
pero la alegría popular sin embargo es notoria
gracias al planificado y riguroso dispendio
de protóxido de nitrógeno y otras oportunidades
                                    de concomio
el mar angosto como río lame impertérrito nuestras
                                            rocas
no le importan los siglos ni las siglas
el mar angosto como río lame nuestras heridas
digo los que las tengan
no los sanos y salvos como ustedes y yo
el mar angosto como río tiene una memoria sin fondo
y en el sin fondo yacen barcos y motivos de expiación
y otros despojos más o menos anónimos
el mar angosto como río crece y decrece
y acaba por desorientarnos cuando por fin se cambia
en río ancho como mar
a tal punto que uno no sabe
cuál es su calma chicha y legal
cuál su rompiente clandestina
les pido excusas por este paréntesis hipocondríaco
y los convido a embestir otra vez contra el paisaje
que aquí y allá tiene mansiones y bicicletas
vean qué niñas rubias si ésto parece escandinavia
pero no vayan a hacerse una imagen falsa
                            o fragmentaria
hay otros barrios con niñas menos rubias y menos
                                        bicicletas
en rigor más parecidos al nordeste brasileño
que a stavanger o a lund o a björneborg
al fin y al cabo una diáfana señal de nuestra famosa
                                        diversidad
pues hay que decir que últimamente estamos
mejor en diversidades que en universidades
pero todo forma parte de lo transitorio como bien
                                    descubrieron

por distintos caminos el eclesiastés y carlitos darwin
y charles gardel
y basta ya de historia y ecología y antropofagia
he aquí nuestra meta final nuestro objetivo lúcido
y lúdico
el casino casino más casino de los mares del sur
o quizá de los ríos del sur anchos como mares
les presento formalmente al inasible fantasmal azar
ese miedoso ese intrépido ese inconsciente
ese tuerto ese ciego ese dios con capucha
francamente no sé a qué viene este símil
o sea señores y relojes / niños y disimulos / señoritas y
fuegos
les presento formalmente al azar ese necio ese
escéptico
ese improvisador ese espontáneo ese implacable
sepan no obstante que no dejamos ni dejaremos el azar
al azar
pero claro esto es un mero juego de palabras
y ustedes buscan un juego de verdad
pero créanme la verdad no siempre está en la tercera
docena
o en el color o en los impares o en la línea
a lo mejor la verdad está en cada uno de ustedes
o cerquita de ustedes
o debajo de ustedes
si tuviéramos tiempo quizá podría ayudarles a
desentrañar
esa verdad subterránea subcutánea subestimada y
subdesarrollada
pero como no lo tenemos y por otra parte
mi ámbito es la superficie más superficial
y no el subsuelo subsolar
simplemente les digo
señores y relojes / niños y disimulos / señoritas y
fuegos
ha sido un verdadero placer acompañarlos
y dejarlos aquí junto al azar
y un último consejo

catequícenlo
y ganen
si los dejan
pero si no los dejan
catequícenlo
y ganen

EX PRESOS

Después de tanto tiempo
y en un aire de nieve
hallo por fin a carlos
a lilian al flaco

vivieron
cinco seis siete años
confinados
en el fermento de los crueles

los quiero los abrazo qué derroche
pero resulta casi insoportable
comprender y admitir
que mientras yo escribía / caminaba / buscaba
escuchaba a troilo y a leo brouwer
y atravesaba el riesgo
y sumaba expulsiones y amenazas
pero gozaba el sol
y tenía a mano el mar y la mujer
durante cinco seis siete años
vale decir durante
toda una estropajosa eternidad
ellos miraban firmes o rabiosos
o tristes o distantes o serenos
las arrugas del muro impenetrable

TRIPTICO DEL PLEBISCITO

1

Poco a poco se fueron convenciendo
de que habían convencido
pero el silente dijo no

o sea
no consiguieron cambiar la imagen
ni tampoco lograron
desarrugar el ceño

sin embargo
y a pesar de sí mismos
llevaron a cabo
toda una hazaña

que no los venciera un frente
ni un partido
ni una forma de lucha
ni el carisma de un líder
sino que los derrotara
como un todo
el pueblo

2

Durante siete años
así se lo dijeron
tuvo la libertad
tuvo la justicia
tuvo el bienestar
tuvo el orden
tuvo la seguridad
tuvo el sosiego

antes de ir a votar
tomó la precaución
de mirarse al espejo

y entonces calladito
sin dudarlo un instante
votó por la opresión
y por la injusticia
y la incomodidad
y por el desorden
y la inseguridad
y el desasosiego

3

Por razones obvias
no fue
exactamente
una toma de conciencia
colectiva
sino apenas la suma
de seiscientas mil
tomas de conciencia
individuales

EL BAQUIANO Y LOS SUYOS

Es el Jefe, el baqueano
JESUALDO: *ARTIGAS*

Desde el palmar inmóvil reconoce a su gente
cuánto orgullo y tesón cuánta distancia

en un octubre opaco y remotísimo
habían arrancado del puro desaliento
acamparon primero en el monzón
pasaron la cuchilla del perdido
después el cololó y el yapeyú y la cuenca
del vera y el perico flaco y luego
los campos de tres patos y un arroyo
el bellaco y otro arroyito el sánchez

una tregua discreta en paysandú
vado del san francisco y el chingolo
y uno más importante el del queguay
alguno que otro insomnio en el quebracho
paso del chapicuy rumbo al daymán
diciembre en salto chico
cruce del uruguay ese río frontera
el peñón de san carlos los bosques de concordia
y por fin este abril junto al ayuí

desde el palmar inmóvil reconoció el baquiano
la patriada en andrajos ese pueblo
que incluía a su padre don martín
y al cura figueredo y los lamas los suárez
y bartolomé hidalgo poeta fundador
y zambos negros indios gauchos y criollos pobres
y acémilas troperos carruajes tolderías

la patria todavía era dudosa
quizá / pero el baquiano no dudaba

muchos de ellos quemaron sus viviendas
atrás dejaron toda una vida una muerte
tierras propias que eran tierra de nadie
pero en las setecientas carretas casi en ruinas
viene la dignidad como un sistema
doloroso implacable inocente y porfiado
sobre todo implacable con su propia inocencia

el general baquiano apoya el brazo terco
en la palma yatay la más cercana
y deja su mirada en las arenas limpias
para poder imaginar mejor

a principios de junio / con su pésima fe
llegará sarratea el bribón el cobarde
y con su buena fe / el caudillo frugal
habrá de sorprenderse porque a veces
las maldades lo encuentran desarmado

no olvidar que peleando ganaba las batallas
y después lo vencían echándole traidores
de todos modos eso será en junio / ahora
el general baquiano riguroso y sin dudas
entrecierra los ojos para soñar mejor
y es explicable porque su baquía más sólida
es un sueño que invade como escarcha
a los hombres la historia los potreros

el olor y el otoño de su verde provincia
atraviesan las leguas / no son muchas

para su pueblo quiere la gran cosecha patria
pero duele dejar la tierra abandonada
los ranchos en cenizas los poblados vacíos
la mazorca en el viento y el viento en la congoja
aquí al atardecer las fogatas se animan
pero el hogar de veras está allá en el oriente

en estas setecientas carretas de penuria
vino la dignidad como un sistema
y él sabe como nadie que ser digno
resultará más arduo cada día

desea por supuesto la gloria de su pueblo
pero antes que la gloria cazará la justicia
está dispuesto a dar su vida pero sabe
que eso no es decisivo / lo primero
es transformar la vida
y con un solo hombre que le quede
con él hará la guerra como estribo del cambio

el pueblo es soberano pero aún no lo sabe
él debe convencerlo de su soberanía

no necesita abrir nuevamente los ojos
para ver la llanura de lealtad
y saber que esos leales son su tropa

casi sin proponérselo los abre y nos distingue
a nosotros / llegados tantas penas después
nuestro destierro es múltiple pero estamos aquí
como única manera de juntar y juntarnos
no tenemos carretas caballos tolderías
apenas los estigmas de la nueva redota
allá quedaron vidas y viviendas
unas saqueadas otras solitarias
tan sólo están repletos
camposanto y ergástula
allá quedaron trozos de nosotros

trajimos la esperanza sin embargo
y por suerte está ilesa y está joven

hace tiempo partimos también del desaliento
acampamos primero en el asombro
pasamos las cuchillas del perdido
y cruzamos sin puente el río de la sangre
vadeamos la ciénaga del horror y su lástima
y fuimos esquivando el salto chico
de la nostalgia y creo que un arroyo
el bellaco y otro arroyito el vil
una noche de tregua y luego desde el alba
los lisos farallones del rencor
de la muerte arrancamos como yuyos
las razones de vida

todo esto un poco antes de cruzar nuevos ríos
algunos de los tantos ríos que hacen frontera
y allí empezó otro rumbo
y así empezó otro verde
el peñón del orgullo los bosques de concordia
y por fin este abril junto al baquiano

los troperos y gauchos nos recorren
nos miran con recelo durante un lustro apenas
sus primeras fogatas enrojecen las nubes
y bah después de todo no somos tan distintos

tan sólo un poco más de siglo y medio
entre ellos y nosotros

incluso hay quien pregunta si ya vimos al jefe
y nos señala dónde está y lo vemos
y también él nos da la bienvenida
con un silencio grave y sabio y duro
en el que sin embargo está claro un emblema
una antigua verdad
nada tenemos
   que esperar
    sino
      de nosotros mismos

COTIDIANAS
(1978-1979)

Sin jactancias puedo decir
que la vida es lo mejor que conozco.

Francisco Urondo

PIEDRITAS
EN LA VENTANA

NOCTURNO CERO

La noche fácil y aparentemente sagrada
o mejor dicho el abismo de la noche
no es como otros abismos
tiene fondo

su tálamo de niebla o relente o fango
acoge escarabajos desamparados
ronquidos de mal tiempo
sobornables insomnios
labios absueltos que se reconcilian

todas las resonancias del silencio
y las noticias de la lóbrega
todas las alegrías inoportunas
y los presagios confirmados
caen como gotas de sudor o rocío
en el abismo con fondo de la noche

son demasiados alumbrones y furias

por esta sola vez el abismo tiene
no sólo fondo sino espesas modorras
así que aprovecho el bostezo universal
para instalarme en sus fauces y sentir
cómo la niebla el relente o el fango
pasan sobre mis párpados
los borran.

PIEDRITAS EN LA VENTANA

a roberto y adelaida

De vez en cuando la alegría
tira piedritas contra mi ventana
quiere avisarme que está ahí esperando
pero hoy me siento calmo
casi diría ecuánime
voy a guardar la angustia en su escondite
y luego a tenderme cara al techo
que es una posición gallarda y cómoda
para filtrar noticias y creerlas

quién sabe dónde quedan mis próximas huellas
ni cuándo mi historia va a ser computada
quién sabe qué consejos voy a inventar aún
y qué atajo hallaré para no seguirlos

está bien no jugaré al desahucio
no tatuaré el recuerdo con olvidos
mucho queda por decir y callar
y también quedan uvas para llenar la boca

está bien me doy por persuadido
que la alegría no tire más piedritas
abriré la ventana
abriré la ventana.

OTRO CIELO

la stranezza di un cielo che non é il tuo
CESARE PAVESE

No existe esponja para lavar el cielo
pero aunque pudieras enjabonarlo

y luego echarle baldes y baldes de mar
y colgarlo al sol para que se seque
siempre te faltaría un pájaro en silencio

no existen métodos para tocar el cielo
pero aunque te estiraras como una palma
y lograras rozarlo en tus delirios
y supieras por fin cómo es al tacto
siempre te faltaría la nube de algodón

no existe un puente para cruzar el cielo
pero aunque consiguieras llegar a la otra orilla
a fuerza de memoria y de pronósticos
y comprobaras que no es tan difícil
siempre te faltaría el pino del crepúsculo

eso porque se trata de un cielo que no es tuyo
aunque sea impetuoso y desgarrado
en cambio cuando llegues al que te pertenece
no lo querrás lavar ni tocar ni cruzar
pero estarán el pájaro y la nube y el pino.

ESA BATALLA

¿Cómo compaginar
la aniquiladora
idea de la muerte
con este incontenible
afán de vida?

¿cómo acoplar el horror
ante la nada que vendrá
con la invasora alegría
del amor provisional
y verdadero?

¿cómo desactivar la lápida
con el sembradío?
¿la guadaña
con el clavel?

¿será que el hombre es eso?
¿esa batalla?

GRILLO CONSTANTE

Mientras aquí en la noche sin percances
pienso en mis ruinas   bajo a mis infiernos
inmóvil en su dulce anonimato
el grillo canta nuevas certidumbres

mientras hago balance de mis yugos
y una muerte cercana me involucra
en algún mágico rincón de sombras
canta el grillo durable y clandestino

mientras distingo en sueños los amores
y los odios proclamo ya despierto
implacable rompiente soberano
el grillo canta en nombre de los grillos

la ansiedad de saber o de ignorar
flamea en la penumbra y me concierne
pero no importa   desde su centímetro
tenaz como un obrero canta el grillo.

LOS LUGARES COMUNES

Con dos miradas
miro
dos paisajes

aquí el fragor labrado
surco a surco
allá los pastoreos
coloniales

aquí los mangos
de oro y sol
allá los duraznos
de felpa

aquí los flamboyanes
persuasivos
allá los pinos
de la niebla

aquí la tarde llueve
como un rito
allá manda
el pampero

por separado son
los lugares comunes
del paisaje

pero si están contiguos
en mi doble mirada
son lugares
más bien
extraordinarios.

ESTADO DE EXCEPCION

Una ensenada sólo vista en postales
una región perpleja del recuerdo
una fruta escasísima y sabrosa
un suburbio que ya no se frecuenta
una paloma absorta en los pretiles
un andante para cigarra y piano
una puesta de sol sin helicópteros
una humareda en algún campo lejos
transparencias después del aguacero

hechuras y siluetas
probablemente arcaicas
de la tranquilidad
ese diáfano estado de excepción
al que nos vamos
desacostumbrando.

DE ARBOL A ARBOL

a ambrosio y silvia

Los árboles
¿serán acaso solidarios?

¿digamos el castaño de los campos elíseos
con el quebracho de entre ríos
o los olivos de jaén
con los sauces de tacuarembó?

¿le avisará la encina de westfalia
al flaco alerce del tirol
que administre mejor su trementina?

y el caucho de pará
o el baobab en las márgenes del cuanza

¿provocarán al fin la verde angustia
de aquel ciprés de la *mission* dolores
que cabeceaba en frisco
california?

¿se sentirá el ombú en su pampa de rocío
casi un hermano de la ceiba antillana?

los de este parque o aquella floresta
¿se dirán copa a copa que el muérdago
otrora tan sagrado entre los galos
ahora es apenas un parásito
con chupadores corticales?

¿sabrán los cedros del líbano
y los caobos de corinto
que sus voraces enemigos
no son la palma de camagüey
ni el eucalipto de tasmania
sino el hacha tenaz del leñador
la sierra de las grandes madereras
el rayo como látigo en la noche?

COTIDIANA 1

La vida cotidiana es un instante
de otro instante que es la vida total del hombre
pero a su vez cuántos instantes no ha de tener
ese instante del instante mayor

cada hoja verde se mueve en el sol
como si perdurar fuera su inefable destino
cada gorrión avanza a saltos no previstos
como burlándose del tiempo y del espacio
cada hombre se abraza a alguna mujer
como si así aferrara la eternidad

105

en realidad todas estas pertinacias
son modestos exorcismos contra la muerte
batallas perdidas con ritmo de victoria
reos obstinados que se niegan
a notificarse de su injusta condena
vivientes que se hacen los distraídos

la vida cotidiana es también una suma de insta
algo así como partículas de polvo
que seguirán cayendo en un abismo
y sin embargo cada instante
o sea cada partícula de polvo
es también un copioso universo

con crepúsculos y catedrales y campos de cultivo
y multitudes y cópulas y desembarcos
y borrachos y mártires y colinas
y vale la pena cualquier sacrificio
para que ese abrir y cerrar de ojos
abarque por fin el instante universo
con una mirada que no se avergüence
de su reveladora
efímera
insustituible
        luz.

SOY UN CASO
PERDIDO

DE LO PROHIBIDO

Prohibidos los silencios y los gritos unánimes
las minifaldas y los sindicatos
artigas y gardel
la oreja·en radio habana
el pelo largo la condena corta
josé pedro varela y la vía láctea
la corrupción venial el pantalón vaquero
los perros vagos y los vagabundos
también los abogados defensores
que sobrevivan a sus defendidos
y los pocos fiscales con principio de angustia
prohibida sin perdón la ineficacia
todo ha de ser eficaz como un cepo
prohibida la lealtad y sobre todo la tristeza
esa que va de sol a sol
y claro la inquietante primavera
prohibidas las reuniones
de más de una persona
excepto las del lecho conyugal
siempre y cuando hayan sido
previa y debidamente autorizadas
prohibidos el murmullo de las tripas
el padrenuestro y la internacional
el bajo costo de la vida y la muerte
las palabritas y las palabrotas
los estruendos molestos el jilguero los zurdos
los anticonceptivos pero quién va a nacer

LOS HEROES

Resido en una región donde los héroes
suelen morir de lumbre y osadía
pero de todos modos esplenden fulgen
siguen reverberando
existen en los ojos de los niños
y desde las grandes vallas comparecen
transforman
aprueban
acompañan

en mi lejano país en cambio
los héroes
que también los hay
no pueden ser nombrados en voz alta
ni abrazados por una bandera
ni siquiera aludidos por el llanto
sencillamente no han sido autorizados
a existir como cadáveres
y menos aún
como cadáveres reverberantes

ah pero ¿quién podrá evitar
que desde su inexpugnable clandestinidad
esos muertos ilegales
conspiren?

DESGARRADURAS

La desgarradura del intelectual
es un tema que suele desvelar
a intelectuales poco desgarrados
pero de todos modos
hay desgarraduras
                    y desgarraduras

no es lo mismo sentirse desgarrado
entre la clara vocación y el borroso deber
que entre el deber y la comodidad

entre la tortura y el miedo a flaquear
que entre las ganas de flaquear y el laurel

entre la primera y la segunda patria
que entre la patria y el invasor

pero en especial no ha de meterse
en el mismo capítulo ni en el mismo saco
a aquel poeta que se sienta desgarrado
entre la fundación ford
y la agencia central de inteligencia
y aquel otro cuya desgarradura viene
de que su pellejo y no su estilo
ha sido efectivamente desgarrado
por las atroces herramientas
de algún verdugo criollo
adiestrado en albrook o en okinawa.

LENTO PERO VIENE

Lento viene el futuro
lento
        pero viene

ahora está más allá
de las nubes ramplonas
y de unas cimas ágiles
que aún no se distinguen
y más allá del trueno
y de la araña

demorándose viene

como una flor porfiada
que vigilara al sol

a lo mejor por eso
la vida cotidiana
prepara bienvenidas
cierra saldos de usura
abre memorias vírgenes

pero él
no tiene prisa
lento
        viene
por fin con su respuesta
su pan para la hambruna
sus magullados ángeles
sus fieles golondrinas

lento
pero no lánguido

ni ufano
ni aguafiestas
sencillamente
viene
con su afilada hoja
y su balanza
preguntando ante todo
por los sueños
y luego por las patrias
los recuerdos yacentes
y los recién nacidos

lento
viene el futuro
con sus lunes y marzos
con sus puños y ojeras y propuestas
lento y no obstante raudo

como una estrella pobre
sin nombre todavía

convaleciente y lento
remordido
soberbio
modestísimo
ese experto futuro que inventamos
nosotros
y el azar
cada vez más nosotros
y menos el azar.

ME VOY CON LA LAGARTIJA

Me voy con la lagartija
vertiginosa
a recorrer las celdas donde
líber
    raúl
        héctor
            josé luis
jaime
    ester
        gerardo
            el ñato
rita
   mauricio
        flavia
          el viejo
penan por todos
y resisten

voy con la lagartija
popular
vertiginosa

113

a dejarles aquí y allá
por entre los barrotes
    junto a las cicatrices
    o sobre la cuchara
migas de respeto
silencios de confianza
y gracias porque existen.

EL PARAISO

Los verdugos suelen ser católicos
creen en la santísima trinidad
y martirizan al prójimo como un medio
de combatir al anticristo
pero cuando mueren no van al cielo
porque allí no aceptan asesinos

sus víctimas en cambio son mártires
y hasta podrían ser ángeles o santos
prefieren ser deshechos antes que traicionar
pero tampoco van al cielo
porque no creen que el cielo exista.

SOY UN CASO PERDIDO

Por fin un crítico sagaz reveló
(ya sabía yo que iban a descubrirlo)
que en mis cuentos soy parcial
y tangencialmente me exhorta
a que asuma la neutralidad
como cualquier intelectual que se respete

creo que tiene razón

soy parcial
de esto no cabe duda
más aún yo diría que un parcial irrescatable
caso perdido en fin
ya que por más esfuerzos que haga
nunca podré llegar a ser neutral

en varios países de este continente
especialistas destacados
han hecho lo posible y lo imposible
por curarme de la parcialidad
por ejemplo en la biblioteca nacional de mi país
ordenaron el expurgo parcial
de mis libros parciales
en argentina me dieron cuarenta y ocho horas
(y si no me mataban) para que me fuera
con mi parcialidad a cuestas
por último en perú incomunicaron mi parcialidad
y a mí me deportaron

de haber sido neutral
no habría necesitado
esas terapias intensivas
pero qué voy a hacerle
soy parcial
incurablemente parcial
y aunque pueda sonar un poco extraño
totalmente
parcial

ya sé
eso significa que no podré aspirar
a tantísimos honores y reputaciones
y preces y dignidades
que el mundo reserva para los intelectuales
que se respeten
es decir para los neutrales
con un agravante

115

como cada vez hay menos neutrales
las distinciones se reparten
entre poquísimos

después de todo y a partir
de mis confesadas limitaciones
debo reconocer que a esos pocos neutrales
les tengo cierta admiración
o mejor les reservo cierto asombro
ya que en realidad se precisa un temple de acero
para mantenerse neutral ante episodios como
girón
       tlatelolco
               trelew
                     pando
                          la moneda

es claro que uno
y quizá sea esto lo que quería decirme el crítico
podría ser parcial en la vida privada
y neutral en las bellas letras
digamos indignarse contra pinochet
    durante el insomnio
y escribir cuentos diurnos
    sobre la atlántida

no es mala idea
y claro
tiene la ventaja
de que por un lado
uno tiene conflictos de conciencia
y eso siempre representa
un buen nutrimento para el arte
y por otro no deja flancos para que lo vapulee
la prensa burguesa y/o neutral

no es mala idea
pero

ya me veo descubriendo o imaginando
en el continente sumergido
la existencia de oprimidos y opresores
parciales y neutrales
torturados y verdugos
o sea la misma pelotera
cuba sí yanquis no
de los continentes no sumergidos

de manera que
como parece que no tengo remedio
y estoy definitivamente perdido
para la fructuosa neutralidad
lo más probable es que siga escribiendo
cuentos no neutrales
y poemas y ensayos y canciones y novelas
no neutrales
pero advierto que será así
aunque no traten de torturas y cárceles
u otros tópicos que al parecer
resultan insoportables a los neutros

será así aunque traten de mariposas y nubes
y duendes y pescaditos.

LAS NOVEDADES DEL HORROR

> *Y el ciento*
> *de lo perdido se renueva*
> *en medio de tu sangre, y crece*
> *junto a las novedades del horror.*
>
> ELISEO DIEGO

La llaman bomba limpia
los legatarios de theodoro roosevelt

que a menudo reivindican la ducha
como una creación de su inventiva higiénica
ven ahora en la bomba de neutrones
un nuevo aporte a la profilaxis

el reciente modelo es baratísimo y carece
de los inconvenientes de otros medios de asepsia
que en vietnam dejaron cuerpos mutilados
muñones sangrantes y niños en llamas

por lo pronto evita ese cuadro deprimente
entre otras razones porque destruye
a quienes podrían haberse deprimido

así cuando las ciudades neutronizadas
queden vacías de humanidad
es probable que pasen a ocuparlas
hombres cosificados y por tanto inmunes
a toda neutronización

¿se postularán los legatarios
de theodoro roosevelt y de james monroe
para llenar esas vacantes?
¿estarán lo suficientemente cosificados?

una vez que el mundo reciba neutrones
tan regularmente como hoy vitaminas
turistas de oklahoma y wyoming entre otros
serán los gozadores del planeta

también los pocos en fotografiar
el coliseo de roma
el pan de azúcar de río
la torre eiffel
las alturas de machu pichu
la acrópolis ateniense
la sonrisa de la gioconda
y es previsible

que después de cada bomba vayan ocupando
los estadios las pagodas los museos
los cabarets las cárceles los santuarios
las góndolas los faros los obeliscos
la fontana de trevi
las piscinas olímpicas
y las plazas de toros
que a esa altura no tendrán
toros ni toreros
aunque sí banderillas
y estoques

a medida que los neutrones preserven
las moradas del hombre sin el hombre
es posible que el mundo se vaya quedando
sin algunos de los hábitos
que el mismo hombre creaba

ahora bien ¿se resignarán
los vicepresidentes de directorio en vacaciones
a encontrar en la habitación del sheraton de turno
un teléfono blanco a prueba de neutrones
con el que sin embargo no podrán como antes
llamar a la call girl
de suave piel morena ay tan morible?

por otra parte
falta saber qué pasará
si el vaticano es neutronizado

naturalmente quedará incólume la basílica
y también la pietá
aunque no la piedad
y el pobre papa ya no abrirá los brazos
en su viejo ventanal de bendiciones

y si escarbamos más en la conjetura
¿qué pasará con el mismísimo dios?

dios
que no es catedral ni feligrés
es decir ni objeto ni carne perecible
aunque tal vez la suma de uno y otra
¿será respetado o será aniquilado
por la bomba limpísima?
¿perderá o conservará
su maña milagrera?

porque ¿de qué servirá que su célebre hijo
resucite a los lázaros de este siglo
si después del bombazo sólo queda el sudario?

acaso la única beneficiaria de esta higiene
sea en todo caso alguna mujer de lot
que al mudarse en estatua salobre
quede como inútil y ecuánime testigo
de este notable avance de la ciencia.

VEINTE AÑOS ANTES *

Desde el octavo piso de mi tercer exilio
veo el mar excesivo que me prestan
mercado viejo al norte donde el querosén
se llama luz brillante y al oeste
otro mercado el nuevo adonde llegan
pasos como de hormigas changadoras
y aquí y allá los nuevos colmenares
que las microbrigadas seguirán inventando

---

* Este poema es en realidad la respuesta del autor a la pregunta: «¿Qué
ha significado para ti la Revolución cubana?», formulada por la revista *Casa
de las Américas* a varios escritores y artistas latinoamericanos con motivo de
cumplirse el XX aniversario de la Revolución.

inmóvil exigente y memoriosa
la victoria me refiero a la nuestra
se quedó en el futuro
llegaremos a ella todos juntos
pero ahora frente al mar de alamar
pienso en la solidaria terrible dulzura
de este pueblo que sabe arrimar sus amparos
sin pedir cuentas cuando muere eligiendo
sea en vado del yeso o ñancahuazu
en maquela do sombo o en ogaden

antes de este paisaje con centellas
párpados o persianas de aluminio
vine sin calofríos pero helado de muertes
ojos hermanos se cerraron increíbles
hoy están en la noche bien ganada
dando su otra batalla a fantasmazos
mudos o parlanchines usando y abusando
de los silencios y los juramentos

bien quisiera asistir a sus tregüitas
cuando las pupilas se volvían emblemas
juicios a quemarropa   nudos a resolver
anteproyectos para el fin del escarnio

antes de ese dolor con redenciones
hubo también el telón de blasfemias
el evangelio de las amenazas
el enemigo tras la mirilla o no
tras la cortina o no
tras el timbrazo o no
la polaroid o no
o sí
quién sabe
sí o no la monedita al aire
caramiedo cruzcoraje
barrio norte o la paternal

121

sótano o aeropuerto
amigos cardinales mujeres siempre aroma
abrazando futuro besando adiós

pero antes figuran mi tierra mis terrones
árboles asustados por la pólvora
todo estalla inclusive almacenes y mitos
descreo del frágil corazón y hago cálculos
con la cabeza fría pero la pobre hierve
pueblo con rostro brindis pacto orgullo
como inocente hecho pedazos
también culpable de otro bienvenido universo
la realidad continuación del sueño
y libertad o muerte o suerte oh suerte

todavía antes recuperé la patria
que comejenes de la historia olvidaron
la del compa gervasio solo como un profeta
la del adolescente piantado y fervoroso
que hizo gritar los muros coloniales
y los contemporáneos no faltaba más
la .fábrica el cuartel los galpones de fobia
y su alarido blanco como una garza invicta
puso la primavera en el mercado

montevideo esa línea de fuego
a veces era tensa y veloz como bala
otras ondulante como el amor sencillo
y mientras las consignas siempre amenazadas
brotaban rojas como rosas o sangre
y el escuadrón acribillaba a ibero
creyendo así librarse del candor
en el recto horizonte
las toninas rodaban como siempre
el cielo lejanísimo ni pestañeaba
y los caballos blancos de las panaderías
comían el pastito nocturno en las veredas

fueron abriles fueron octubres de violencia

122

la derrota una opción y qué importaba
marchas de fantasía en calles reales
el solidario abrazo misterioso
pleamar de muchachos
obreros como bosque
pueblos de los rincones y explanadas

y ellos golpeando ciegos sordos mudos
en cráneos y praderas y carátulas
en cojones y úteros   o sea procurando
destrozar el futuro en cada tallo
y el rostro porfiadísimo terquísimo mirando
a mera voluntad a sólo decir no

ah pero antes de ese pampero
anduve a lomo de una isla machete
donde el coraje es fósforo y salitre
la sangre tuvo afluentes y regó los cultivos
y los gallos cantaron para siempre
y cuando el sol tan blanco hoy recorta las palmas
todo el mundo lo sabe pentágono incluido
los choznos de martí son del carajo
aquí hasta los cadáveres se enrolaron colmados
de flores y granadas y mangos y fusiles
y se los ve felices porque nadie
puede volverlos a morir

cómo no aprender de ese alegre rigor
oh generosidad escandalosa
de tantos escolares sembradores
de tantos campesinos posgraduados
de tanta libertad mundial y vecindaria

cómo no contagiarse de un fulgor infalible
en tiempos claramente tenebrosos
y no granjearse fuego   lumbrecita
cómo no sentir ganas de ayudar a reunir
allá abajo a los tantos heridos y contusos
hostigados clandestinos jadeantes

reparables exánimes bravos menesterosos
enteros optimistas y bienaventurados

por eso pienso que mi historia desde antes
esta transformación privada y poca cosa
en verdad empezó en la noticia portátil
nada segura de aquel añito nuevo
hace ya veinte eneros   poco más que un instante
cuando fidel se elevó como un árbol
como una flecha nueva o un misil
un cañón antiaéreo un exorcismo
o una simple cometa roja y negra.

COTIDIANA 2

Cuando a uno lo expulsan
a patadas del sueño
el amanecer es siempre una modorra
se emerge de ese ensayo de muerte
todavía sellado por la víspera
si fue de odios   con rezagos de odio
si fue de amor   con primicias de amor

pero el día empieza a convocarnos
y es distinto de todos los demás
tiene otra lluvia otro sol otra brisa
también otras terribles confidencias

así empieza el diálogo con la jornada
la discusión el trueque de rencores
y de pronto el abrazo
porque hay días repletos de soberbia
días que traen mortales enemigos
y otros que son los compinches de siempre
días hermanos que nos marcan la vida

así ocurren sabores
sinsabores
manos que son cadenas
mujeres que son labios
ojos que son paisaje

y cuando al fin lo expulsan
a uno de la vigilia
se emerge de ese ensayo de la vida
con los ojos cerrados
y despacito
como buscando el sueño o la cruz del sur
se entra a tientas en la noche anónima.

BOTELLA AL MAR

toma entre sus manos la vida bandoneón
y le sugiere que llore o regocije
uno siente el tremendo decoro de ser tango
y se deja cantar y ni se acuerda
que allá espera
el estuche

BANDONEON

Me jode confesarlo
pero la vida es también un bandoneón
hay quien sostiene que lo toca dios
pero yo estoy seguro de que es troilo
ya que dios apenas toca el arpa
y mal

fuere quien fuere lo cierto es
que nos estira en un solo ademán purísimo
y luego nos reduce de a poco a casi nada
y claro nos arranca confesiones
quejas que son clamores
vértebras de alegría
esperanzas que vuelven
como los hijos pródigos
y sobre todo como los estribillos

me jode confesarlo
porque lo cierto es que hoy en día
pocos
quieren ser tango
la natural tendencia
es a ser rumba o mambo o chachachá
o merengue o bolero o tal vez casino
en último caso valsecito o milonga
pasodoble jamás
pero cuando dios o pichuco o quien sea

129

toma entre sus manos la vida bandoneón
y le sugiere que llore o regocije
uno siente el tremendo decoro de ser tango
y se deja cantar y ni se acuerda
que allá espera
el estuche.

SUBURBIA

En el centro de mi vida
en el núcleo capital de mi vida
hay una fuente luminosa un surtidor
que alza convicciones de colores
y es lindo contemplarlas y seguirlas

en el centro de mi vida
en el núcleo capital de mi vida
hay un dolor que palmo a palmo
va ganando su tiempo
y es útil aprender su huella firme

en el centro de mi vida
en el núcleo capital de mi vida
la muerte queda lejos
la calma tiene olor a lluvia
la lluvia tiene olor a tierra

esto me lo contaron porque yo
nunca estoy en el centro de mi vida.

NO ESPANTA PAJAROS

Al espantapájaros no le importa el huerto
más bien lo hastía su obligación gratuita
y además se siente desolado
con su sombrero roto y sus andrajos

al espantapájaros no le importan los pájaros
pero aprecia que alguna mosca candorosa
recorra sus bíceps de madera

en realidad los pájaros se alejan
no porque él los intimide sino
porque viene tormenta
y ésta no es simulacro.

DISTANCIA

Pensar que en un antes neblinoso y remoto
tu adolescencia era cotidiana
y notabas en las yemas de los dedos
las variables superficies de vida
que ahora sentís a veces en las uñas

en aquel breve prólogo del duelo
te recordás empero como un náufrago
que jamás había estado en un navío
o asimismo como un reloj de arena
al que nadie se ocupó de subvertir

pero también te evocás como un presagio
con el que hoy tenés hondas diferencias.

BOTELLA AL MAR

El mar un azar
VICENTE HUIDOBRO

Pongo estos seis versos en mi botella al mar
con el secreto designio de que algún día
llegue a una playa casi desierta
y un niño la encuentre y la destape
y en lugar de versos extraiga piedritas
y socorros y alertas y caracoles.

RASTROS

Un país lejano puede estar cerca
puede quedar a la vuelta del pan
pero también puede irse despacito
y hasta borrar sus huellas

en ese caso no hay que rastrearlo
con perros de caza o con radares

la única fórmula aceptable
es excavar en uno mismo
hasta encontrar el mapa.

TIEMPO SIN TIEMPO

Preciso tiempo necesito ese tiempo·
que otros dejan abandonado
porque les sobra o ya no saben
qué hacer con él

132

tiempo
en blanco
en rojo
en verde
hasta en castaño oscuro
no me importa el color
cándido tiempo
que yo pueda abrir
y cerrar
como una puerta

tiempo para mirar un árbol un farol
para andar por el filo del descanso
para pensar qué bien hoy no es invierno
para morir un poco
y nacer enseguida
y para darme cuenta
y para darme cuerda
preciso tiempo el necesario para
chapotear unas horas en la vida
y para investigar por qué estoy triste
y acostumbrarme a mi esqueleto antiguo

tiempo para esconderme en el canto de un gallo
y para reaparecer en un relincho
y para estar al día
para estar a la noche
tiempo sin recato y sin reloj

vale decir preciso
o sea necesito
digamos me hace falta
tiempo sin tiempo.

133

DEFENSA DE LA ALEGRIA

a trini

Defender la alegría como una trinchera
defenderla del escándalo y la rutina
de la miseria y los miserables
de las ausencias transitorias
y las definitivas

defender la alegría como un principio
defenderla del pasmo y las pesadillas
de los neutrales y de los neutrones
de las dulces infamias
y los graves diagnósticos

defender la alegría como una bandera
defenderla del rayo y la melancolía
de los ingenuos y de los canallas
de la retórica y los paros cardiacos
de las endemias y las academias

defender la alegría como un destino
defenderla del fuego y de los bomberos
de los suicidas y los homicidas
de las vacaciones y del agobio
de la obligación de estar alegres

defender la alegría como una certeza
defenderla del óxido y la roña
de la famosa pátina del tiempo
del relente y del oportunismo
de los proxenetas de la risa

defender la alegría como un derecho
defenderla de dios y del invierno
de las mayúsculas y de la muerte
de los apellidos y las lástimas
del azar
   y también de la alegría

FUTURO IMPERFECTO

De poco sirve arroparlo
y menos
colgarle collares y pronósticos
brindarle metrallas de manga larga
calzarle prejuicios de siete leguas

de poquísimo sirve ponerle
profaces o antifaces
o un delantal de música
menos aún la consabida
bufanda del viento

el futuro es un niño desnudo
y en consecuencia ufano imprevisible
cuando menos lo esperas
te coloca una rosa en la oreja
o te orina inocente la calva

TESTAMENTO DE MIERCOLES

a alfredo gravina
otro de tacuarembó

Aclaro que éste no es un testamento
de esos que se usan como colofón de vida
es un testamento mucho más sencillo
tan sólo para el fin de la jornada

o sea que lego para mañana jueves
las preocupaciones que me legara el martes

135

levemente alteradas por dos digestiones
las usuales noticias del cono sur
y una nube de mosquitos casi vampiros

lego mis catorce estornudos del mediodía
una carta a mi mujer en que falta la posdata
el final de una novela que a duras penas leo
las siete sonrisas de cinco muchachas
ya que hubo una que me brindó tres
y el ceño fruncido de un señor
que no conozco ni aspiro a conocer

lego un colorido ajedrez moscovita
una computadora japonesa sin pilas
y la buena radio en que está sonando
el español grisáceo de la bibicí
ah la olivetti y el cepillo de dientes
no los lego porsiaca

lego tropos y metáforas de uso privado
que modestamente acuñé en la tarde
por ejemplo el astillero en que reparo mis sueños
el pájaro aleatorio que surge del crepúsculo
la cortina de lluvia que miro y no descorro

lego un remordimiento porque es aleccionante
y un poco de tristeza porque es inevitable
también mi soledad con la ilusión
de que el jueves resuelva no admitirla
y me sancione con presencias varias

lego los crujidos de mis viejas bisagras
también una tajada de mi sombra
no toda porque un hombre sin su sombra
no merece el respeto de la gente

lego el pescuezo recién lavado
como para un jueves de guillotina

una maceta con hierbabuena
y otra con un boniato que me hastía
ya que esta cargante convolvulácea
me está invadiendo el cuarto con sus hojas

lego los suburbios de una idea
un tríptico de espejos que me agrede
el mar allá al alcance de la mano
mis cóleras por orden alfabético
y un breve y curioso estado de ánimo
que todavía no sé si es inocencia
o estupidez malsana
o alegría

sólo ahora lo advierto
en paredes y anaqueles y venas
en glándulas y techos y optimismos
me quedan tántas cosas por legar
que mejor las incluyo
en otro testamento
digamos
el del viernes.

PAIS INOCENTE

Cerco un paese
innocente

GIUSEPPE UNGARETTI

Unos como invasores
otros como invadidos
¿qué país
no ha perdido la inocencia?
pero además
¿de qué sirve un país inocente?

137

¿qué importancia tienen
las fronteras pusilánimes
las provincias de la ingenuidad?

sólo los países
que pierdan su candor
podrán reconocer al enemigo

así es que no reclamo
un país inocente
en todo caso busco
un extraño país
capaz de declararse
culpable
            de inocencia.

INFRAGANTI

Te doy la cana
               mundo
cuando girás eterno

nosotros temerarios
afinamos la sombra
gastamos el dolor
sujetamos el cielo

y vos girás
             eterno

nosotros insolentes
zurcimos las heridas
y de los arrabales
vamos haciendo centros

y vos girás
             eterno

distintos o igualitos
pagamos el rescate
y amamos en desorden
ni flojos ni soberbios

y vos girás
             eterno

mientras nos desvivimos
o nos soñamos vivos
te doy la cana
                    mundo
te quito el mito
                    abuelo

así como al descuido
vas dejando pedazos
pedacitos de muerte
cuando girás
             eterno.

COTIDIANA 3

nuestras vidas son los ríos
que van a dar a la vida

ERNESTO CARDENAL

Esta cotidiana no se apoya en ninguna mutación trascendente
hoy es tan sólo un viernes de poca monta
sin noticias o trazos demasiado malos
ni tampoco demasiado buenos
funcionan normalmente las endocrinas y los semáforos
las pompas fúnebres y las de jabón

139

unos llegan berreando otros parten silentes
otros más se aprontan a llegar o a partir
en líneas generales el pronóstico del tiempo
acierta por fin con las turbonadas
y es justo subrayar que hoy ha logrado
truenos corroborantes
esta cotidiana es tan sólo costumbre
apenas un viernes de pobre vestimenta
pero aquí se levantan las casas del hombre
a veces existen con un ruido infernal
y otras veces duermen en silencio amoroso
sólo interrumpido por crujiditos
que pueden ser jadeos conyugales
o también calambres de la madera
sin embargo allí crecen el trabajo y la muerte
el vientre rebosante de futuro
y el viejo que no puede con sus huesos
entran por las persianas tataguas y mosquitos
y hay un latido general que es la vida
sólo rutina y sin embargo
las manos besan
los ojos palpan
los labios ven
nosotros
es decir nuestros otros
venimos
vienen
a explorar la memoria milagrosa y austera
no hay tiempo que perder
más bien hay mucho tiempo que ganar
mientras atisbo con audacia y cautela
por entre mis dedos más o menos fogueados
y veo que entre vestigios tristes y rutinarios
nacen flores de rutinario regocijo
tan sólo hábito y querencia
el enjambre adolescente se encamina a sus clásicos manantiales
pero antes de llegar se cruza con los veteranos que regresan
y los árboles ya no saben qué hacer con las preguntas

140

tan sólo práctica y costumbre
y de vez en cuando un salto de prodigio
en el que algunos se desnucan y otros cambian el mundo
y con las nucas rotas y las glorias que alumbran
con mártires de un día y visionarios de medio siglo
se va armando la historia como un sueño portátil
la rutina es después de todo una crisálida
una comarca de posibilidades e imposibles
de la costumbre puede estallar lo insólito
del hábito el deshábito
por eso este viernes de opaca textura
es casi un campamento de recuerdos
un filtro de presagios
uno de los confines del futuro
tallo ritual de lo ordinario
y también bulbo de lo extraordinario
sabemos algo de lo que está muriendo
pero muy poco de lo que empieza a ser
este viernes turbio durante el cual se gestan
sórdidas guerras frías y escaramuzas ígneas
mientras el consumismo se dedica a llenar
nuestras necesidades más innecesarias
el lujo escupe dádivas sobre la miseria
y a veces la miseria escupe metralla
esta jornada sin toque de campanas
sin titulares a ocho columnas
ni aguaceros radioactivos
sin naufragios ideológicos
ni exorcismos generacionales
lleva en sí misma el triunfo y el desastre
y la infinitesimal responsabilidad que nos toca
de una disyuntiva a nivel de universo
resulta sin embargo abrumadora
así de esta rutina vulnerable
de esta costumbre de inclemencia y cielo
de este hábito propenso a la aventura
de esta querencia con señales de humo
debemos elegir o tan sólo inventar

un largo paso desacostumbrado
una limpia e intrépida zancada
una rampa que no lleve al abismo
un envión que tumbe las derrotas
un trampolín que nos lance a mañana
aunque allí nos espere otra ruina
otra vida común
otra crisálida.

DESMITIFIQUEMOS
LA VIA LACTEA

*a efraín huerta,
desmitificador*

CRONOTERAPIA BILINGÜE

Si un muchacho lee mis poemas
me siento joven por un rato

en cambio cuando es
una muchacha quien los lee
quisiera que el tictac
se convirtiera en un tactic
o mejor dicho en *une tactique*.

DISIDENTES

Los abruptos
pueden ser violentos
tozudos
y hasta sectarios
pero los
exabruptos
son siempre
resentidos.

CALCULO DE PROBABILIDADES

Cada vez que un dueño de la tierra
proclama
    para quitarme este patrimonio
    tendrán que pasar
    sobre mi cadáver
debería tener en cuenta
que a veces
pasan.

NUEVO CANAL INTEROCEANICO

Te propongo construir
un nuevo canal
sin esclusas
ni excusas
que comunique por fin
tu mirada
atlántica
con mi natural
pacífico.

CONTRAOFENSIVA

Si a uno
le dan
palos de ciego
la única
respuesta eficaz
es dar
palos
de vidente.

SINDROME

Todavía tengo casi todos mis dientes
casi todos mis cabellos y poquísimas canas
puedo hacer y deshacer el amor
trepar una escalera de dos en dos
y correr cuarenta metros detrás del ómnibus
o sea que no debería sentirme viejo
pero el grave problema es que antes
no me fijaba en estos detalles.

COMPARANZA

Esa rata enorme repugnante y untuosa
que corre despavorida o abandonada
prodigiosamente sola entre desechos
buscadora aterrada de su pobre pitanza
cuyo menester faena misión última
es procrear y sobrevivir

si pudiera detenerse un segundo
y mirar el contorno de su pánico
¿qué pensaría del homo sapiens
cuando corre despavorido o abandonado
prodigiosamente solo entre desechos
buscador aterrado de su pobre pitanza
cuyo menester faena misión última
es procrear y sobrevivir?

pero aclaremos
no se intenta aquí denigrar al hombre
ni mucho menos es ésta una autocrítica
más bien se trata de romper una lanza
por el asqueroso mamífero roedor
en nombre de una rama (disidente)
de la sociedad protectora de animales.

147

AHORA TODO ESTA CLARO

Cuando el presidente carter
se preocupa tanto
por los derechos
                    humanos
parece evidente que en ese caso
derecho
no significa facultad
o atributo
o libre albedrío
sino diestro
o antizurdo
o flanco opuesto al corazón
lado derecho en fin

en consecuencia
¿no sería hora
de que iniciáramos
una amplia campaña internacional
por los izquierdos
                    humanos?

SEMANTICA PRACTICA

Sabemos que el alma como principio de la vida
es una caduca concepción religiosa e idealista
pero que en cambio tiene vigencia en su acepción segunda
o sea hueco del cañón de las armas de fuego

hay que reconocer empero que el lenguaje popular
        no está rigurosamente al día
y que cuando el mismo estudiante que leyó en konstantinov
        que la idea del alma es fantástica e ingenua
besa los labios ingenuos y fantásticos de la compañerita
        que no conoce la acepción segunda

y a pesar de ello le dice te quiero con toda el alma
es obvio que no intenta sugerir que la quiere
    con todo el hueco del cañón.

DESMITIFIQUEMOS LA VIA LACTEA

Tampoco hay que hacer un mito de la vía láctea
faja blanquecina dice el larousse
debida a multitud innumerable (sic) de estrellas

después de todo es un techo interior
todo lo vistoso que se quiera
aunque en definitiva un poco empalagoso

hay quienes la llaman camino de santiago
y los que miran fanáticamente el asfalto
ni siquiera se han enterado de que existe

a veces parece una burda imitación
de un planetario de provincia
quizá sea una merced del hemisferio austral
pero a esta altura no vamos a estimular mercedes

además si uno la mira con detenimiento
puede llegar a sentir vértigo o tortícolis
o un deseo inexplicable de levantar vuelo

no hay que hacer un mito de la vía láctea

ahora bien
ya que la he desmitificado a fondo
¿puedo volver a echarla de menos?

CARDINALES

Al norte
las colinas de la ira
al sur
el cráter de la esperanza
al este
la meseta de la melancolía
al oeste
la bahía del sosiego

demás está decir
que a esto le falta mucho
para ser
la rosa
            de los vientos.

EL SONETO DE RIGOR

> *Las rosas están insorportables en el*
> *florero.*

JAIME SABINES

Tal vez haya un rigor para encontrarte
el corazón de rosa rigurosa
ya que hablando en rigor no es poca cosa
que tu rigor de rosa no te harte.

Rosa que estás aquí o en cualquier parte
con tu rigor de pétalos, qué sosa
es tu fórmula intacta, tan hermosa
que ya es de rigor desprestigiarte.

Así que abandonándote en tus ramos
o dejándote al borde del camino
aplicarte el rigor es lo mejor,

150

y el rigor no permite que te hagamos
liras ni odas cual floreros, sino
apenas el soneto de rigor.

¿QUE HACER?

> *¿Qué se hace a la hora de morir?*
> ROSARIO CASTELLANOS

Luego del próximo recodo
tal vez convenga irlo pensando

sé de un viejo compatriota
terrateniente él
que en su colchón de muerte
miró uno por uno
a sus llorosos herederos
dijo
      ah farsantes
                y a continuación
crepó como un bendito

es claro que para ese gesto
los latifundios son indispensables

yo digo que más vale improvisar

porque si uno programa decir algo pujante
y después solloza como un perro apaleado

o si se propone soltar un llanto digno
y luego canturrea como un orate

o si planifica extender la mano abierta
y después es un puño y no queda claro
si es por tacaño o por comunista

puede ser tildado
de inconsecuente o frívolo

y ésa no es buena lápida
qué va a ser.

COTIDIANA 4

En esta cotidiana me falta el otoño
    con su instalada transparencia
aquel sol amarillo que rodeaba los pinos
    y hacía prestigiosa su inmovilidad
un cierto aroma a avenidas copadas
    por hojas secas y puestos de uva
y también a muchachas que exhumaban sus prendas
    de lana y naftalina

me falta el magro invierno
    con su desorden y su austeridad
las ráfagas de lluvia casi horizontales
    que humedecen los tímpanos
o las mañanas con el chispeante viento
    de la costa ceniza
que encrespa las hilachas y las tentaciones
    y desmantela la inocencia

la primavera echo de menos
    con sus nacientes telones verdes
el desenlace de la hipocondría
    y el comienzo de la calle de todos
el paisaje que se creyó olvidado
    y que de pronto va emergiendo del mar
y esa luz extraña que se instala en los patios
    junto a la madreselva y en el corazón

ahora tengo un verano de doce meses
digamos seis de lluvia y seis de seca
con un sol blanco que todo lo germina
y bajo el cual crece la palma como
la revolución y viceversa
y el calor viene desde el pasado
y sin tomarse ni un respiro
se proyecta hacia el porvenir

pero así y todo echo de menos
mi pleno estío de tres meses
no es lo mismo el calor tras el calor
que el calor que viene después del frío
de ahí que rescate las olas necesarias
para abrazar las rocas de aquella siesta
y la gaviota que me daba un aviso
que entonces no entendí y que seguramente
me hubiera convenido entender.

RETRATOS Y CANCIONES

MARIANO

Enhorabuena
como quien dice barrio y universo
o etrusco y habanero
u optimismos en rústica
que saben el color de sus razones

tus gallos satisfechos de vivir
nunca cantan adioses sino bienvenidas
se burlan de los aviones y las águilas
pero sobre todo de las mariposas y las brujas

con tu poco de chagall y tu mucho de gulliver
en el país de las piñas gigantes
la vida pasa respira predica
en las grupas frutales
en tu amor como árbol

desde antes hubo gente
y hubo tantas muchachas
en tu verde de luces pero ahora
las masas son tu diafragma de audacia
la flor se te hizo pueblo para siempre
la revolución va exprimiendo tus frutas
con destino a la sed comunitaria.

A ROQUE

Llegaste temprano al buen humor
al amor cantado
al amor decantado

llegaste temprano
al ron fraterno
a las revoluciones

cada vez que te arrancaban del mundo
no había calabozo que te viniera bien
asomabas el alma por entre los barrotes
y no bien los barrotes se aflojaban turbados
aprovechabas para librar el cuerpo

usabas la metáfora ganzúa
para abrir los cerrojos y los odios
con la urgencia inconsolable de quien quiere
regresar al asombro de los libres

le tenías ojeriza a lo prohibido
a las desgarraduras para ínfula y orquesta
al dedo admonitorio de algún colega exento
algún apócrifo buen samaritano
que desde europa te quería enseñar
a ser un buen latinoamericano

le tenías ojeriza a la pureza
porque sabías cómo somos de impuros
cómo mezclamos sueños y vigilia
cómo nos pesan la razón y el riesgo

por suerte eras impuro
evadido de cárceles y cepos
no de responsabilidades y otros goces
impuro como un poeta
que eso eras
además de tantas otras cosas

ahora recorro tramo a tramo
nuestros muchos acuerdos
y también nuestros pocos desacuerdos
y siento que nos quedan diálogos inconclusos
recíprocas preguntas nunca dichas
malentendidos y bienentendidos
que no podremos barajar de nuevo

pero todo vuelve a adquirir su sentido
si recuerdo tus ojos de muchacho
que eran casi un abrazo casi un dogma

el hecho es que llegaste
temprano al buen humor
al amor cantado
al amor decantado
al ron fraterno
a las revoluciones
pero sobre todo llegaste temprano
demasiado temprano
a una muerte que no era la tuya
y que a esta altura no sabrá qué hacer
con
      tanta
          vida.

RODOLFO CONVIRTIO LA REALIDAD

Rodolfo convirtió la realidad en su obra maestra
asedió las respuestas con preguntas durísimas
tuvo una enojosa obsesión por la verdad
cómo no iban a odiarlo si sabían que sabía
maltrecho o pertrecho con su cara de insomnio
sus ojos pálidos de testigo
sus opiniones de pedernal
su seriedad de clown en día de asueto

rodolfo convirtió la realidad en su obra maestra
averiguó hasta llegar al máximo rigor de la tristeza
se desprendió de los pretextos como de hollejos
se puso el riesgo con la mejor de sus sencilleces
desde la rabia invadió la esperanza
y bregó hasta que le secuestraron la noticia
pero tenía otras culpas todas sin atenuantes
cómo no iban a odiarlo si le mataron a la hija

rodolfo convirtió la realidad en su obra maestra
uno podía abrirla en cualquier tiroteo
y salían volando inocencias fervores
paces y guerras extraños ciudadanos
que se sabían comprendidos a la exacta medida
de su justicia visceral modestísima
cómo no iban a odiarlo si era justo
y no tuvo vergüenza de saberlo.

JOSE MARTI PREGONERO

Tu nombre es como el crisol
donde se funde la hazaña
tu nombre es como la caña
que endulza con lluvia y sol

de su destino naciente
sólo tu pueblo es el dueño
cual figuraba en tu sueño
por fin es libre tu gente

josé martí pregonero
no·moriste en tu pregón
tus versos viven y son
pregones de un pueblo entero

tu isla exporta el verano

y hay flamboyán y justicia
la buena tierra nutricia
da frutos para el cubano

    tu nombre es como el crisol
    donde se funde la hazaña
    tu nombre es como la caña
    que endulza con lluvia y sol

tan sobrio y tan desbordante
tan bueno y tan orgulloso
tan firme y tan generoso
tan pequeño y tan gigante

tan profundamente isleño
tan claramente cubano
tan latinoamericano
en tu suelo y en tu sueño

siempre nos tienes despiertos
con tu constante mirada
con tu suerte despejada
y tu fe de ojos abiertos

    tu nombre es como el crisol
    donde se funde la hazaña
    tu nombre es como la caña
    que endulza con lluvia y sol.

POR QUE CANTAMOS

Si cada hora viene con su muerte
si el tiempo es una cueva de ladrones
los aires ya no son los buenos aires
la vida es nada más que un blanco móvil

usted preguntará por qué cantamos

si nuestros bravos quedan sin abrazo
la patria se nos muere de tristeza
y el corazón del hombre se hace añicos
antes aún que explote la vergüenza

usted preguntará por qué cantamos

si estamos lejos como un horizonte
si allá quedaron árboles y cielo
si cada noche es siempre alguna ausencia
y cada despertar un desencuentro

usted preguntará por qué cantamos

cantamos porque el río está sonando
y cuando suena el río / suena el río
cantamos porque el cruel no tiene nombre
y en cambio tiene nombre su destino

cantamos por el niño y porque todo
y porque algún futuro y porque el pueblo
cantamos porque los sobrevivientes
y nuestros muertos quieren que cantemos

cantamos porque el grito no es bastante
y no es bastante el llanto ni la bronca
cantamos porque creemos en la gente
y porque venceremos la derrota

cantamos porque el sol nos reconoce
y porque el campo huele a primavera
y porque en este tallo en aquel fruto
cada pregunta tiene su respuesta

cantamos porque llueve sobre el surco
y somos militantes de la vida
y porque no podemos ni queremos
dejar que la canción se haga ceniza.

COTIDIANA 5

Hay un día en que se nace
a la gloria y a la suerte
a la suerte y a la muerte
hay un día en que se nace

y en penumbra tan temprana
que no duele ni se nombra
la luz muere con la sombra
de la vida cotidiana

hay un sol que da sentido
a la gloria y a la suerte
a la suerte y a la muerte
hay un sol que da sentido

y en mitad de la mañana
abre rumbos y salidas
en las idas y venidas
de la vida cotidiana

hay un cielo que responde
a la gloria y a la suerte
a la suerte y a la muerte
hay un cielo que responde

y en la calma soberana
de un solemne mediodía
junta penas y alegría
de la vida cotidiana

hay un sueño que se acerca
a la gloria y a la suerte
a la suerte y a la muerte
hay un sueño que se acerca

y en la siesta y resolana
ponen lágrimas y besos

los convictos y confesos
de la vida cotidiana

hay crepúsculos que invocan
a la gloria y a la suerte
a la suerte y a la muerte
hay crepúsculos que invocan

y en la cumbre más lejana
el sol muere como un toro
con la sangre y con el oro
de la vida cotidiana

siempre hay una causa digna
de la gloria y de la suerte
de la suerte y de la muerte
siempre hay una causa digna

pero no es la lucha vana
de quien busca satanases
en las guerras y en las paces
de la vida cotidiana

hay por último un letargo
de la gloria y de la suerte
de la suerte y de la muerte
hay todo eso y sin embargo

en la noche veterana
el amor que es buena gente
va dejando la simiente
de otra vida cotidiana.

LA CASA Y EL LADRILLO
(1976-1977)

a los que
adentro y afuera
viven y se desviven
mueren y se desmueren

LA CASA Y EL LADRILLO

*Me parezco al que llevaba el ladrillo consigo
para mostrar al mundo cómo era su casa.*

Cuando me confiscaron la palabra
y me quitaron hasta el horizonte
cuando salí silbando despacito
y hasta hice bromas con el funcionario
de emigración o desintegración
y hubo el adiós de siempre con la mano
a la familia firme en la baranda
a los amigos que sobrevivían
y un motor el derecho tosió fuerte
y movió la azafata sus pestañas
como diciendo a vos yo te conozco
yo tenía estudiada una teoría
del exilio mis pozos del exilio
pero el cursillo no sirvió de nada

cómo saber que las ciudades reservaban
una cuota de su amor más austero
para los que llegábamos
con el odio pisándonos la huella
cómo saber que nos harían sitio
entre sus escaseces más henchidas
y sin averiguarnos los fervores
ni mucho menos el grupo sanguíneo

167

abrirían de par en par sus gozos
y también sus catástrofes
para que nos sintiéramos
igualito que en casa

cómo saber que yo mismo iba a hallar
sábanas limpias desayunos abrazos
en pueyrredón y french
en canning y las heras
y en lince
y en barranco
y en arequipa al tres mil seiscientos
y en el vedado
y dondequiera

siempre hay calles que olvidan sus balazos
sus silencios de pizarra lunar
y eligen festejarnos recibirnos llorarnos
con sus tiernas ventanas que lo comprenden todo
e inesperados pájaros entre flores y hollines
también plazas con pinos discretísimos
que preguntan señor cómo quedaron
sus acacias sus álamos
y los ojos se nos llenan de láminas
en rigor nuestros árboles están sufriendo como
por otra parte sufren los caballos la gente
los gorriones los paraguas las nubes
en un país que ya no tiene simulacros

es increíble pero no estoy solo
a menudo me trenzo con manos o con voces
o encuentro una muchacha para ir lluvia adentro
y alfabetizarme en su áspera hermosura
quién no sabe a esta altura que el dolor
es también un ilustre apellido

con éste o con aquélla nos miramos de lejos
y nos reconocemos por el rictus paterno
o la herida materna en el espejo

el llanto o la risa como nombres de guerra
ya que el llanto o la risa legales y cabales
son apenas blasones coberturas

estamos desarmados como sueño en andrajos
pero los anfitriones nos rearman de apuro
nos quieren como aliados y no como reliquias
aunque a veces nos pidan la derrota en hilachas
para no repetirla

inermes como sueños así vamos
pero los anfitriones nos formulan preguntas
que incluyen su semilla de respuesta
y ponen sus palomas mensajeras y lemas
a nuestra tímida disposición
y claro sudamos los mismos pánicos
temblamos las mismas preocupaciones

a medida que entramos en el miedo
vamos perdiendo nuestra extranjería
el enemigo es una niebla espesa
es el común denominador o
denominador plenipotenciario

es bueno reanudar el enemigo
de lo contrario puede acontecer
que uno se ablande al verlo tan odioso
el enemigo es siempre el mismo cráter
todavía no hay volcanes apagados

cuando nos escondemos a regar
la maceta con tréboles venéreos
aceitamos bisagras filosóficas
le ponemos candado a los ex domicilios
y juntamos las viudas militancias
y desobedecemos a los meteorólogos
soñamos con axilas y grupas y caricias
despertamos oliendo a naftalina

todos los campanarios nos conmueven
aunque tan sólo duren en la tarde plomiza
y estemos abollados de trabajo

el recuerdo del mar cuando no hay mar
nos desventura la insolencia y la sangre
y cuando hay mar de un verde despiadado
la ola rompe en múltiples agüeros

uno de los problemas de esta vida accesoria
es que en cada noticia emigramos
siempre los pies alados livianísimos
del que espera la señal de largada
y claro a medida que la señal no llega
nos aplacamos y nos convertimos
en hermes apiñados y reumáticos

y bien esa maciza ingravidez
alza sus espirales de humo en el lenguaje
hablamos de botijas o gurises
y nos traducen pibe fiñe guagua
suena *ta* o *taluego*
y es como si cantáramos desvergonzadamente
do jamás se pone el sol se pone el sol

y nos aceptan siempre
nos inventan a veces
nos lustran la morriña majadera
con la nostalgia que hubieran tenido
o que tuvieron o que van a tener
pero además nos muestran ayeres y anteayeres
la película entera a fin de que aprendamos
que la tragedia es ave migratoria
que los pueblos irán a contramuerte
y el destino se labra con las uñas

habrá que agradecerlo de por vida
acaso más que el pan y la cama y el techo
y los poros alertas del amor

habrá que recordar con un exvoto
esa pedagogía solidaria y tangible

por lo pronto se sienten orgullosos
de entender que no vamos a quedarnos
porque claro hay un cielo
que nos gusta tener sobre la crisma
así uno va fundando las patrias interinas
segundas patrias siempre fueron buenas
cuando no nos padecen y no nos compadecen
simplemente nos hacen un lugar junto al fuego
y nos ayudan a mirar las llamas
porque saben que en ellas vemos nombres y bocas

es dulce y prodigiosa esta patria interina
con manos tibias que reciben dando
se aprende todo menos las ausencias
hay certidumbres y caminos rotos
besos rendidos y provisionales
brumas con barcos que parecen barcos
y lunas que reciben nuestra noche
con tangos marineras sones rumbas
y lo importante es que nos acompañan
con su futuro a cuestas y sus huesos

esta patria interina es dulce y honda
tiene la gracia de rememorarnos
de alcanzarnos noticias y dolores
como si recogiera cachorros de añoranza
y los diera a la suerte de los niños

de a poco percibimos los signos del paisaje
y nos vamos midiendo primero con sus nubes
y luego con sus rabias y sus glorias
primero con sus nubes
que unas veces son fibras filamentos
y otras veces tan redondas y plenas
como tetas de madre treinteañera
y luego con sus rabias y sus glorias
que nunca son ambiguas

171

acostumbrándonos a sus costumbres
llegamos a sentir sus ráfagas de historia
y aunque siempre habrá un nudo inaccesible
un útero de glorias que es propiedad privada
igual nuestra confianza izará sus pendones
y creeremos que un día que también que ojalá

aquí no me segrego
tampoco me segregan
hago de centinela de sus sueños
podemos ir a escote en el error
o nutrirnos de otras melancolías

algunos provenimos del durazno y la uva
otros vienen del mango y el mamey
y sin embargo vamos a encontrarnos
en la indócil naranja universal

el enemigo nos vigila acérrimo
él y sus corruptólogos husmean
nos aprenden milímetro a milímetro
estudian las estelas que deja el corazón
pero no pueden descifrar el rumbo
se les ve la soberbia desde lejos
sus llamas vuelven a lamer el cielo
chamuscando los talones de dios

su averno monopólico ha acabado
con el infierno artesanal de leviatán

es fuerte el enemigo y sin embargo
mientras la bomba eleva sus hipótesis
y todo se asimila al holocausto
una chiva tranquila una chiva de veras
prosigue masticando en el islote

ella solita derrotó al imperio
todos tendríamos que haber volado
a abrazar a esa hermana

ella sí demostró lo indemostrable
y fue excepción y regla todo junto
y gracias a esa chiva de los pueblos
ay nos quedamos sin apocalipsis

cuando sentimos el escalofrío
y los malos olores de la ruina
siempre es bueno saber que en algún meridiano
hay una chiva a lo mejor un puma
un ñandú una jutía una lombriz
un espermatozoide un feto una criatura
un hombre o dos un pueblo
una isla un archipiélago
un continente un mundo
tan firmes y tan dignos de seguir masticando
y destruir al destructor y acaso
desapocalipsarnos para siempre

es germinal y aguda esta patria interina
y nuestro desconsuelo integra su paisaje
pero también lo integra nuestro bálsamo

por supuesto sabemos desenrollar la risa
y madrugar y andar descalzos por la arena
narrar blancos prodigios a los niños
inventar minuciosos borradores de amor
y pasarlos en limpio en la alta noche
juntar pedazos de canciones viejas
decir cuentos de loros y gallegos
y de alemanes y de cocodrilos
y jugar al pingpong y a los actores
bailar el pericón y la milonga
traducir un bolero al alemán
y dos tangos a un vesre casi quechua
claro no somos una pompa fúnebre
usamos el derecho a la alegría

pero cómo ocultarnos los derrumbes
el canto se nos queda en estupor

hasta el amor es de pronto una culpa
nadie se ríe de los basiliscos
he visto a mis hermanos en mis patrias suplentes
postergar su alegría cuando muere la nuestra
y ése sí es un tributo inolvidable

por eso cuando vuelva
                          y algún día será
a mi tierra mis gentes y mi cielo
ojalá que el ladrillo que a puro riesgo traje
para mostrar al mundo cómo era mi casa
dure como mis duras devociones
a mis patrias suplentes compañeras
viva como un pedazo de mi vida
quede como ladrillo en otra casa.

junio 1976.

OTRA NOCION DE PATRIA

Vamos a ver, hombre;
cuéntame lo que me pasa,
que yo, aunque grite, estoy siempre a tus
órdenes.

CÉSAR VALLEJO

Hoy amanecí con los puños cerrados
pero no lo tomen al pie de la letra
es apenas un signo de pervivencia
declaración de guerra o de nostalgia
a lo sumo contraseña o imprecación
al cielo sordomudo y nubladísimo

sucede que ya es el tercer año
que voy de gente en pueblo
de aeropuerto en frontera
de solidaridad en solidaridad
de cerca en lejos

de apartado en casilla
de hotelito en pensión
de apartamentito casi camarote
a otro con teléfono y water-comedor

además
de tanto mirar hacià el país
se me fue desprendiendo la retina
ahora ya la prendieron de nuevo
así que miro otra vez hacia el país

llena pletórica de vacíos
mártir de su destino provisorio
patria arrollada en su congoja
puesta provisoriamente a morir
guardada por sabuesos no menos provisorios

pero los hombres de mala voluntad
no serán provisoriamente condenados
para ellos no habrá paz en la tierrita
ni de ellos será el reino de los cielos
ya que como es público y notorio
no son pobres de espíritu

los hombres de mala voluntad
no sueñan con muchachas y justicia
sino con locomotoras y elefantes
que acaban desprendiéndose de un guinche ecuánime
que casualmente pende sobre sus testas
no sueñan como nosotros con primaveras y alfabetizaciones
sino con robustas estatuas al gendarme desconocido
que a veces se quiebran como mazapán

los hombres de mala voluntad
no todos sino los verdaderamente temerarios
cuando van al analista y se confiesan
somatizan el odio y acaban vomitando

a propósito
son ellos que gobiernan

gobiernan con garrotes expedientes cenizas
con genuflexiones concertadas
y genuflexiones espontáneas
minidevaluaciones que en realidad son mezzo
mezzodevaluaciones que en realidad son macro

gobiernan con maldiciones y sin malabarismos
con malogros y malos pasos
con maltusianismo y malevaje
con malhumor y malversaciones
con maltrato y malvones
ya que aman las flores como si fueran prójimos
pero no viceversa

los hombres de pésima voluntad
todo lo postergan y pretergan
tal vez por eso no hacen casi nada
y ese poco no sirve

si por ellos fuera le pondrían
un durísimo freno a la historia
tienen pánico de que ésta se desboque
y les galope por encima pobres
tienen otras inquinas verbigracia
no les gustan los jóvenes ni el himno
los jóvenes bah no es una sorpresa
el himno porque dice tiranos temblad
y eso les repercute en el duodeno
pero sobre todo les desagrada
porque cuando lo oyen
obedecen y tiemblan
sus enemigos son cuantiosos y tercos
marxistas economistas niños sacerdotes
pueblos y más pueblos
qué lata es imposible acabar con los pueblos
y casi cien catervas internacionales
que tienen insolentes exigencias
como pan nuestro y amnistía

no se sabe por qué
los obreros y estudiantes no los aman

sus amigos entrañables tienen
algunas veces mala entraña
digamos pinochet y el apartheid
dime con quién andas y te diré go home

también existen leves contradicciones
algo así como una dialéctica de oprobio
por ejemplo un presidio se llama libertad
de modo que si dicen con orgullo
aquí el ciudadano vive en libertad
significa que tiene diez años de condena

es claro en apariencia nos hemos ampliado
ya que invadimos los cuatro cardinales
en venezuela hay como treinta mil
incluidos cuarenta futbolistas
en sidney oceanía
hay una librería de autores orientales
que para sorpresa de los australianos
no son confucio ni lin yu tang
sino onetti vilariño arregui espínola
en barcelona un café petit montevideo
y otro localcito llamado el quilombo
nombre que dice algo a los rioplatenses
pero muy poca cosa a los catalanes
en buenos aires setecientos mil o sea no caben más
y así en méxico nueva york porto alegre la habana
panamá quito argel estocolmo parís
lisboa maracaibo lima amsterdam madrid
roma xalapa pau caracas san francisco montreal
bogotá londres mérida goteburgo moscú
de todas partes llegan sobres de la nostalgia
narrando cómo hay que empezar desde cero
navegar por idiomas que apenas son afluentes
construirse algún sitio en cualquier sitio

a veces   lindas veces   con manos solidarias
y otras   amargas veces   recibiendo en la nuca
la mirada xenófoba

de todas partes llegan serenidades
de todas partes llegan desesperaciones
oscuros silencios de voz quebrada
uno de cada mil se resigna a ser otro

y sin embargo somos privilegiados

con esta rabia melancólica
este arraigo tan nómada
este coraje hervido en la tristeza
este desorden este no saber
esta ausencia a pedazos
estos huesos que reclaman su lecho
con todo este derrumbe misterioso
con todo este fichero de dolor
somos privilegiados

después de todo amamos discutimos leemos
aprendemos sueco catalán portugués
vemos documentales sobre el triunfo
en vietnam la libertad de angola
fidel a quien la historia siempre absuelve
y en una esquina de carne y hueso
miramos cómo transcurre el mundo
escuchamos coros salvacionistas y afónicos
contemplamos viajeros y laureles
aviones que escriben en el cielo
y tienen mala letra
soportamos un ciclón de trópico
o un diciembre de nieve

podemos ver la noche sin barrotes
poseer un talismán   o en su defecto un perro
bostezar escupir lagrimear

soñar suspirar confundir
quedar hambrientos o saciados
trabajar permitir maldecir
jugar descubrir acariciar
sin que el ojo cancerbero vigile

pero
        y los otros
qué pensarán los otros
si es que tienen ánimo y espacio
para pensar en algo

qué pensarán los que se encaminan
a la máquina buitre   a la tortura hiena
qué quedará a los que jadean de impotencia
qué a los que salieron semimuertos
e ignoran cuándo volverán al cepo
qué rendija de orgullo
qué gramo de vida
ciegos en su capucha
mudos de soledad
inermes en la espera

ni el recurso les queda de amanecer puteando
no sólo oyen las paredes
también escuchan los colchones si hay
las baldosas si hay
el inodoro si hay
y los barrotes que ésos siempre hay

cómo recuperarlos del suplicio y el tedio
cómo salvarlos de la muerte sucedánea
cómo rescatarlos del rencor que carcome

el exilio también tiene barrotes

sabemos dónde está cada ventana
cada plaza cada madre cada loma

179

dónde está el mejor ángulo de cielo
cómo se mueven las dunas y gaviotas
dónde está la escuelita con el hijo
del laburante que murió sellado
dónde quedaron enterrados los sueños
de los muertos y también de los vivos
dónde quedó el resto del naufragio
y dónde están los sobrevivientes

sabemos dónde rompen las olas más agudas
y dónde y cuándo empalaga la luna
y también cuándo sirve como única linterna

sabemos todo eso y sin embargo
el exilio también tiene barrotes

allí donde el pueblo a durísimas penas
sobrevive entre la espada tan fría que da asco
y la pared que dice libertad o muer
porque el adolesente ya no pudo

allí pervierte el aire una culpa innombrable
tarde horrenda de esquinas sin muchachos
bajo un sol que se desploma como buscando
el presidente ganadero y católico
es ganadero hasta en sus pupilas bueyunas
y preconciliar pero de trento
el presidente es partidario del rigor
y la exigencia en interrogatorios
hay que aclarar que cultiva el pleonasmo
ya que el rigor siempre es exigente
y la exigencia siempre es rigurosa
tal vez quiso decir algo más simple
por ejemplo que alienta la tortura

seguro el presidente no opinaría lo mismo
si una noche pasara de ganadero a perdidoso
y algún otro partidario kyrie eleison

del rigor y la exigencia kyrie eleison
le metiera las bueyunas en un balde de mierda
pleonasmo sobre el que hay jurisprudencia

parece que las calles ahora no tienen baches
y después del ángelus ni baches ni transeúntes
los jardines públicos están preciosos
las estatuas sin caca de palomas

después de todo no es tan novedoso
los gobiernos musculosos siempre se jactan
de sus virtudes municipales

es cierto que esos méritos no salvan un país
tal vez haya algún coronel que lo sepa

al pobre que quedó a solas con su hambre
no le importa que esté cortado el césped
los padres que pagaron con un hijo al contado
ignoran esos hoyos que tapó el intendente

a juana le amputaron el marido
no le atañe la poda de los plátanos

los trozos de familia no valoran
la sólida unidad de las estatuas

de modo que no vale la gloria ni la pena
que gasten tanto erario en ese brillo

aclaro que no siempre
amanezco con los puños cerrados

hay mañanas en que me desperezo
y cuando el pecho se me ensancha
y abro la boca como pez en el aire
siento que aspiro una tristeza húmeda
una tristeza que me invade entero

y que me deja absorto suspendido
y mientras ella lentamente se mezcla
con mi sangre y hasta con mi suerte
pasa por viejas y nuevas cicatrices
algo así como costuras mal cosidas
que tengo en la memoria en el estómago
en el cerebro en las coronarias
en un recodo del entusiasmo
en el fervor convaleciente
en las pistas que perdí para siempre
en las huellas que no reconozco
en el rumbo que oscila como un péndulo

y esa tristeza madrugadora y gris
pasa por los rostros de mis iguales
unos lejanos perdidos en la escarcha
otros no sé dónde   deshechos o rehechos

el viejo que aguantó y volvió a aguantar
la flaca con la boca destruida
el gordo al que castraron
y los otros los otros y los otros
otros innumerables y fraternos
mi tristeza los toca con abrupto respeto
y las otras las otras y las otras
otras esplendorosas y valientes
mi tristeza las besa una por una

no sé qué les debemos
pero eso que no sé
sé que es muchísimo

esto es una derrota
hay que decirlo
vamos a no mentirnos nunca más
a no inventar triunfos de cartón

si quiero rescatarme
si quiero iluminar esta tristeza
si quiero no doblarme de rencor
ni pudrirme de resentimiento
tengo que excavar hondo
hasta mis huesos
tengo que excavar hondo en el pasado
y hallar por fin la verdad maltrecha
con mis manos que ya no son las mismas

pero no sólo eso
tendré que excavar hondo en el futuro
y buscar otra vez la verdad
con mis manos que tendrán otras manos
que tampoco serán ya las mismas
pues tendrán otras manos

habrá que rescatar el vellocino
que tal vez era sólo de lana
rescatar la verdad más sencilla
y una vez que la hayamos aprendido
y sea tan nuestra como
las articulaciones o los tímpanos
entonces basta basta basta
de autoflagelaciones y de culpas
todos tenemos nuestra rastra
claro
pero la autocrítica
                    no es una noria
no voy a anquilosarme en el reproche
y no voy a infamar a mis hermanos
el baldón y la ira los reservo
para los hombres de mala voluntad
para los que nos matan nos expulsan
nos cubren de amenazas nos humillan
nos cortan la familia en pedacitos
nos quitan el país verde y herido
nos quieren condenar al desamor

nos queman el futuro
nos hacen escuchar cómo crepita

el baldón y la ira
que esto quede bien claro
yo los reservo para el enemigo

con mis hermanos porfiaré
es natural
sobre planes y voces
trochas atajos y veredas
pasos atrás y pasos adelante
silencios oportunos   omisiones que no
coyunturas mejores o peores
pero tendré a la vista que son eso
hermanos

si esta vez no aprendemos
será que merecemos la derrota
y sé que merecemos la victoria

el paisito está allá
                              y es una certidumbre
a lo mejor ahora está lloviendo
allá sobre la tierra

y aquí
bajo este transparente sol de libres
aquella lluvia cala hasta mis bronquios
me empapa la vislumbre
me refresca los signos
lava mi soledad

la victoria es tan sólo
un tallito que asoma
pero esta lluvia patria
le va a hacer mucho bien

creo que la victoria estará como yo
ahí nomás germinando
digamos aprendiendo a germinar

la buena tierra artigas revive con la lluvia
habrá uvas y duraznos y vino
barro para amasar
muchachas con el rostro hacia las nubes
para que el chaparrón borre por fin las lágrimas

ojalá que perdure
hace bien este riego
a vos a mí al futuro
a la patria sin más

hace bien si llovemos mi pueblo torrencial
donde estemos
                    allá
                            o en cualquier parte

sobre todo si somos la lluvia y el solar
la lluvia y las pupilas y los muros
la bóveda la lluvia y el ranchito
el río y los tejados y la lluvia

furia paciente
                    lluvia
                            iracundo silencio
allá y en todas partes

ah tierra lluvia pobre
modesto pueblo torrencial

con tan buen aguacero
la férrea dictadura
acabará oxidándose

y la victoria crecerá despacio
como siempre han crecido las victorias.

CURADOS DE ESPANTO Y SIN EMBARGO

Entonces ¿mi nombre suena todavía en mi país?

Artigas (en Asunción, 1847)

Si estaremos curados de espanto
si habremos barajado salmodias con ultrajes
sepultado alegrías conjeturas delirios
en el descalabro y en el camposanto
si habremos añorado nuestras azoteas
la cercana vía láctea apenas recorrida
por murciélagos suaves y custodios

vaya si nos habremos atiborrado
de tristezas y pisco
de amarguras y ron
de frustración y vino
de ansiedad y aguardiente

si habremos contrabandeado pesadillas
en plena aduana de la razón pura
almacenado furias en estantes
que no eran precisamente de cristal

si habremos activado y desactivado presagios
disparado contra el azar sin dar en el blanco
revuelto las cenizas sin encontrar el fénix

pucha si estaremos curados de espanto
y sin embargo presidente   so oscurísimo
aunque haya tantas cosas que no podremos
    perdonarle nunca

hoy nos hemos quedado sencillamente pasmados
nos hemos caído literalmente de culo
al enterarnos de su última ignominia
si estaremos curados de espanto

y sin embargo fíjese no creíamos que usted fuera
   tan bruto
tan desertor de la historia como para colgarle una
   medalla
a pinochet sobre el corazón de la casaca
pero sobre todo no creíamos que fuera tan bellaco
como para invocar en ese acto fecal el limpio
   nombre
de artigas protector de los pueblos libres

mire si seremos ingenuos que usted a la postre
resultó más bruto más desertor y más bellaco
que todo cuanto pensábamos de usted
que no era precisamente una dulzura

quizá la explicación esté en su bibliofobia
dudo que haya leído la historia patria de hachedé
para sólo nombrarle
considerando su extraña condición de feligrés
un manualito escrito por un cura
quizá usted ignore quién fue artigas
y eso sí ya es bastante verosímil
porque aquí entre nosotros un rasgo
que siempre lo ha distinguido de sócrates
es que usted nunca sabe que no sabe
de modo que vamos a acercarle un artigas básico
por si loado sea dios quiere usted descondecorar
   al forajido
y no se preocupe por el papelón de leso protocolo
él lo va a comprender mejor que nadie
se sabe destructor de un pueblo libre
y a esta altura ha de sentirse incómodo
llevando en la pechuga semejante sarcasmo
de dieciocho quilates

claro que ni esa salvedad lo salvaría
de otros pecados mortales y veniales
verbigracia torturas veniales y mortales

en que usted puso el cúmplase y el mátese
pues como dijo artigas y aquí arranca
precisamente el curso básico
yo deseo que triunfe la justicia
que los delitos no queden impunes
pero de cualquier modo la noche es larga
y si usted por fin borra el disparate
es probable aunque no fatalmente seguro
que el compañero gervasio no concurra
en ésta y las siguientes madrugadas
a clavarle su mirada de viejo aguilucho

con libertad no ofendo ni temo
ahora se explica
por qué sin libertad usted teme y ofende
en verdad más lo primero que lo segundo
y además además
el pueblo es su juez y acusador
ese viejo sí las sabía todas
y debe temer ser delincuente ante un juez tan
*   severo*
de modo que ya ve
comprendemos su miedo

mi autoridad emana de vosotros
y ella cesa por vuestra presencia soberana
de quién emana la suya
so oscurísimo mediocrón
no se le votó para que convirtiera
barcos en chirona   escuelas en cuarteles
    estadios en cafúa
ni para que espantara a un millón de muchachos
orientales el hambre o la tumba

y ahora póngase la garra en el cuore
y diga qué le parece el test propuesto
eso de enfrentar la presencia soberana

podrán arrancarme la vida pero no envilecerme
y usted que se envileció arrancando la vida a sus
    paisanos
usted que se envileció sin que nadie se lo pidiera
y mucho menos le arrancara nada
a no ser algunos comunicados y misivas
que si borges lo permite integrarán
la historia universal de la infamia

todo ciudadano será juzgado por jueces los más
    imparciales
para la preservación de los derechos de su vida
libertad propiedad y la felicidad de su existencia
    política
ah si hubiera sabido que don gervasio era
marxista leninista avant la lettre
seguro que no le pone ese nombre a la medalla
qué es eso de jueces imparciales
derechos de vida y otras boberías
le hago notar que omito la palabra propiedad
para que no se le hinchen corazón y estancia
pero en cambio qué es eso de libertad
y existencia política y otras subversiones
dónde se ha visto semejante relajo
ah presidente no sólo la onu
está infiltrada como usted bien lo dijo
también la historia patria
también la historia patria

sean los orientales tan ilustrados como valientes
y usted que clausuró la universidad
y prohibió tantos libros y canciones
y de paso a antonio machado ese letrista de serrat
usted que tuvo presos a quijano y a onetti
y torturó a rosencof el dramaturgo
a massera el matemático
a núñez el periodista
y metió en cana a todo el elenco de el galpón

usted que cerró quince periódicos
prohibió a china zorrilla y a viglietti
y llegó a confiscar el correo de la unesco
mire a qué barbaridades conduce
no ser ni valiente ni ilustrado

en medio de los mayores apuros no me prostituiré
    jamás
un fanático era el viejo eso era
y además un fanático apurado
en cambio usted ha sabido prostituirse
sin prisa y sin pausa
como la estrella
pero no la del cielo germánico de goethe
sino la estrella una puta prehistórica de la calle
    yerbal

yo voy a continuar mis sacrificios pero por la
    libertad
en cambio usted lo ha dejado bien clarito en la
    carta a sus jefes
está dispuesto a sacrificarse y seguir gobernando
    más allá de lo previsto
o sea a continuar sus sacrificios pero por el
    fascismo
tal vez corresponda aquí citar de artigas
la admirable alarma
y ahora pare la oreja
todo todo está pronosticando el inmediato
estrago y ruina de los tiranos
cómo quiere que pinochet se deleite con su hosanna
fíjese que no sólo le colgó la medalla
también le colgó el pronóstico agorero
es como si en el lóbrego pecho bestial
le hubiera confirmado el estrago y la ruina

por cierto habría sido mejor
que con la sacra anuencia de syracusa

190

embajador de los banqueros unidos de américa
en la ergástula oriental del uruguay
hubiera honrado al semoviente huésped
con la orden de nixon
pienso que pinochet se habría sentido ufano
con la efigie del ilustre asesino
en pleno corazón de la casaca

y atención que la última bolilla del básico
dice que artigas el veintinueve de noviembre
del año mil ochocientos dieciséis
envió esta consigna al comandante de misiones
viva la patria y mueran los tiranos

ya puede usted morirse con ese magno aval.

ZELMAR

o es que existe un territorio
donde las sangres se mezclan

(de una canción de DANIEL VIGLIETTI)

Ya van días y noches que pienso pobre flaco
y no puedo ni quiero apartar el recuerdo

no el subido al cajón a la tribuna
con su palabra de espiral velocísima
que blindaba los pregones del pueblo
o encendía el futuro con unas pocas brasas
ni el cruzado sin tregua que quería
salvar la sangre prójima aferrándose
a la justicia esa pobre lisiada

no es el rostro allá arriba el que concurre
más bien el compañero del exilio

191

el cálido el sencillo aquel buen parroquiano
del boliche de la calle maipú
fiel al churrasco y al budín de pan
rodeado de hijos hijas yernos nietos
ese flamante abuelo con cara de muchacho
hablando del paisito con la pasión ecuánime
sin olvidar heridas
y tampoco quedándose en el barro
siempre haciendo proyectos y eran viables
ya que su vocación de abrecaminos
lo llevaba a fundar optimismos atajos
cuando alguno se daba por maltrecho

y a pesar de la turbia mescolanza
que hay en el techo gris de la derrota
nadie consiguió que tildara de enemigos
a quienes bien o mal
radiantes o borrosos
faros o farolitos
eran pueblo
                    como él

y también comparece el vigilado
por esos tiras mansos con quienes conversaba
de cine libros y otras zancadillas
en el hotel o escala o nostalgiario
de la calle corrientes

sé que una vez el dueño que era amigo
lo reconvino porque había una cola
de cincuenta orientales nada menos
que venían con dudas abandonos
harapos desempleos frustraciones conatos
pavores esperanzas cábalas utopías

y él escuchaba a todos
él ayudaba comprendía a todos
lo hacía cuerdamente y si algo prometía

lo iba a cumplir después con el mismo rigor
que si fuera un contrato ante escribano
no se puede agregar   decía despacito
más angustia a la angustia
no hay derecho

y trabajaba siempre
noche y día
quizás para olvidar que la muerte miraba
de un solo manotazo espantaba sus miedos
como si fueran moscas o rumores
y pese a las calumnias las alarmas
su confianza era casi indestructible
llevaba la alegría siempre ilesa
de la gente que cumple con la gente

sólo una imagen lo vencía
y era la hija inerme
la hija en la tortura
durante quince insomnios la engañaron diciéndole
que lo habían borrado en argentina
era un viejo proyecto por lo visto
entonces sí pedía ayuda para
no caer en la desesperación
para no maldecir más de la cuenta

ya van días y noches que pienso pobre flaco
un modo de decir pobres nosotros
que nos hemos quedado
sin su fraternidad sobre la tierra

no se me borran la sonrisa el gesto
de la última vez que lo vi junto a chicho
y no le dije adiós sino cuidate
pero los dos sabíamos que no se iba a cuidar

por lo común cuando cae un verdugo
un doctor en crueldad un mitrione cualquiera

los canallas zalameros recuerdan
que deja dos tres cuatro
verduguitos en cierne

ahora qué problema este hombre legal
este hombre cabal acribillado
este muerto inmorible con las manos atadas
deja diez hijos tras de sí
diez huellas

pienso en cecilia en chicho
en isabel margarita felipe
y los otros que siempre lo rodeaban
porque también a ellos inspiraba confianza
y qué lindos gurises   ojalá
vayan poquito a poco entendiendo su duelo
resembrando a zelmar en sus diez surcos

puede que la tristeza me haga decir ahora
sin el aval de las computadoras
que era el mejor de nosotros
y era
pero nada me hará olvidar que fue
quien haciendo y rehaciendo
se purificó más en el exilio

mañana apretaremos con los dientes
este gajo de asombro
este agrio absurdo gajo
y tragaremos
                        seguirá la vida
pero hoy este horror es demasiado

que no profane el odic
a este bueno yacente este justo
que el odio quede fuera del recinto
donde están los que quiso y que lo quieren

194

sólo por esta noche
por esta pena apenas
para que nada tizne
esta vela de almas

pocos podrán como él
caer tan generosos
tan atrozmente ingenuos
tan limpiamente osados

mejor juntemos nuestras osadías
la generosidad más generosa
y además instalemos con urgencia
fieles radares en la ingenuidad

convoquemos aquí a nuestros zelmares
esos que él mismo nos dejó en custodia
él que ayudó a cada uno en su combate
en su más sola soledad
y hasta nos escuchó los pobres sueños
        él
        que siempre salía
        de alguna pesadilla
y si tendía una mano era una mano
y si daba consuelo era consuelo
y nunca un simulacro

convoquemos aquí a nuestros zelmares
en ellos no hay ceniza
ni muerte ni derrota ni tierno descalabro
nuestros zelmares siguen tan campantes
señeros renacidos
únicos y plurales
fieles y hospitalarios

convoquemos aquí a nuestros zelmares
y si aún así fraternos
así reunidos en un duro abrazo

en una limpia desesperación
cada uno de esos módicos zelmares
echa de menos a zelmar
                              será
que el horror sigue siendo demasiado
y ya que nuestro muerto
como diría roque en plena vida
es un indócil
ya que es un difunto peliagudo
que no muere en nosotros
pero muere
que cada uno llore como pueda

a lo mejor entonces
nuestro zelmar
                    ése de cada uno
ése que él mismo nos dejó en custodia
a cada uno tenderá una mano
y como en tantas otras
malas suertes y noches
nos sacará del pozo
desamortajará nuestra alegría
y empezará a blindarnos los pregones
a encender el futuro con unas pocas brasas.

mayo 1976.

TEORIA Y PRACTICA

Señoras y señores
hoy trataremos del imperialismo
tema difícil si los hay
y a veces engorroso de sitiar
en sólo media hora de pésimas noticias

en consecuencia intentaré abordarlo
tal como en un pasado alegre y misterioso
se solía abordar los bajeles piratas
quiero decir
                    de un modo irregular

digamos por ejemplo
que una campana suena lejos mansa
y purifica el diálogo y se queda
como el sol en las copas de los árboles

a pesar del calor el horizonte
se pone su bufanda
y unos pájaros sueltos y agilísimos
la recorren
                    y no son golondrinas

nada de eso es el imperialismo

digamos por ejemplo
que una muchacha quiebra la mañana
con sus caderas móviles
sus ojos perentorios
sus labios de cosecha
su paso que no pasa
y el muchacho que espera invencible y modesto
la incluye en su destino la estudia poro a poro
y así centineleándola
                    se atreve o no se atreve

tampoco eso es el imperialismo

digamos por ejemplo
que un niño escucha el mundo y decidiéndose
le echa su bocanada de candor
aprende cómo son sus pies y se los come
discute con el techo y lo convence
llora para variar y porque sabe

que a su alarido comparece el seno
con su promesa láctea y esa piel
que le gusta sentir junto a los párpados
y sabe que es feliz aunque no sepa
qué precio va a pagar o qué desprecio

tampoco eso es el imperialismo

digamos por ejemplo
que un viejo está aprendiendo el alfabeto
y clava en su memoria los diptongos
y las esdrújulas que son tan cómodas
porque llevan acento indiscutible
tiene rostro de cuáquero este viejo
pero el alma la tiene de resorte
y escribe *llubia* porque en su campito
nunca vio que lloviera con ve corta

tampoco eso es el imperialismo

digamos por ejemplo
que una máquina late en el delirio
dice ruidosamente su producto
y las manos lo ayudan lo enderezan
lo limpian lo acicalan y lo envasan
manos que se conocen hace años
y hace años se mojan y se secan
se dan la bienvenida y los adioses
se preguntan se llaman se responden
se apoyan en la máquina materna
que dice su producto y carraspea
y cuando las ve juntas veteranas
suelta dos o tres lágrimas de aceite

tampoco eso es el imperialismo

digamos por ejemplo
que en la serena noche conyugal la pareja

hizo un hijo porque le dio la gana
y le ha dado la gana porque sabe
que un hijo es el profeta cotidiano
irá anunciándolos de sol a sol
irá diciendo a todos que es un hijo
y se alimentará con insolente
apetito y probará la patria
como si fuera pan caliente y nuevo

tampoco eso es el imperialismo

digamos por ejemplo
que la frontera pierde sus aduanas
y hasta nos invadimos los unos a los otros
nos prestamos volcanes y arroyitos
y cobre y antropólogos y azúcar
y lana y proteínas y arcoiris
y alfabetizadores y durmientes
y poetas y prosistas y petróleo
y el contrabando queda para el viento
y para los amantes migratorios

tampoco eso es el imperialismo

digamos por ejemplo
que la lluvia y el sol nos pertenecen
también el sobrecielo y el subsuelo
las provincias de nuestro corazón
y el territorio de nuestro trabajo

somos iguales ante los iguales
en un mundo de pares y sin otros
una linda locura de los cuerdos
y cierta estratagema de justicia
vamos poniendo tildes a presagios
que se cumplieron o se están cumpliendo

en un comienzo fuimos sólo islas
ahora somos urgentes archipiélagos

tampoco eso es el imperialismo

y digamos por último
que tenemos la noche y nuestra casa
y un reloj que no cuenta hacia la muerte
la ciencia avanza tanto que ha logrado
aislar el virus de la xenofobia
y la patria es ahora un salado bautismo
que va de mar a mar
y los abismos siguen existiendo
aunque nadie se arroje a su silencio

siempre es duro vivir pero se vive
dentro de las esclusas de la vida

y una vez más afirmo
nada de esto es el imperialismo

confío no haber sido demasiado sectario
en el enfoque teórico del tema

señoras y señores
acaba de avisarme un compañero
que afuera nos esperan los señores gendarmes
tal vez para brindarnos alguna clase práctica

deseémonos coraje
y buena suerte

he dicho
        muchas gracias.

CIUDAD EN QUE NO EXISTO

Creo que mi ciudad ya no tiene consuelo
entre otras cosas porque me ha perdido
o acaso sea pretexto de enamorado
que amaneciendo lejos imagina
sus arboledas y sus calles blancas

seguramente ella no recuerda
mis pasos que la saben de memoria
o tal vez esté sorda y ensimismada
y entorne sus persianas como párpados
para no ver la expiación del amor

yo en cambio la recuerdo aunque me ignore
a través de la bruma la distingo
y a pesar de acechanzas y recelos
la recupero cálida y soleada
única como un mito discretísimo

recojo de anteayer su imagen persuasiva
que nos había convencido a todos
uno se acomodaba entre las rocas
y el agua mansa de río salado
venía a lamer los pies y casi se quedaba

y cuando el horizonte se encendía
y había en el aire un hilo como baba de dios
que en uno de sus cabos tenía a un negrito
y en el otro un barrilete rubio
uno no era feliz pero faltaba poco

y cuando el horizonte se apagaba
y una hebra de sol se quedaba en un pájaro
el pino verde claro y el pino verde oscuro
acababan meciéndose como las siluetas
de dos gandules que lamentaran algo

de pronto la noche se volvía perpetua
y la alegría dulce y taciturna
si la vía lechosa se volcaba
sobre nosotros reminiscentes
era lindo acampar en el insomnio

exhumo mi ciudad tal como era
con apenas tres puntos cardinales
ya que donde vendría a estar el sur
no era punto cardinal sino un río
que descaradamente presumía de mar

todas las calles conducen al río mar
de todas las terrazas se divisa el mar río
en prosa se diría que es una península
pero en verso es mejor un barco desbocado
que se aleja del norte por las dudas

para cada uno la ciudad comienza
en un sitio cualquiera pero siempre distinto
más aún hubo días en que la ciudad
para mí empezaba en la plaza matriz
y otros en velsen y santiago de anca

la ciudad arranca allí donde uno
se siente absuelto por los niños terribles
casi comprendido por los zaguanes
interrogado por la reja o el farol
urgido por el muro pedagógico

la ciudad también puede empezar
con la primera muchacha que viene
a nuestro encuentro pero pasa de largo
y de todos modos deja una fruición
en el bochorno de las once y media

qué mujeres lindas tenía mi ciudad
hasta que las pusieron entre cuatro paredes

202

y las humillaron con delectación
qué mujeres lindas tienen los calabozos
qué hermanas silenciosas corajudas

luego que el mediodía acumula propuestas
y es tiempo de una siesta que no duermo
hay una verde comunión de rumores
tengo ganas de besar pero los labios
complementarios faltan sin aviso

la calle es la espina dorsal del barrio
es también el penthouse del linyera
un bostezo en la acera de sombra
garabato a destiempo
yuyito entre adoquines

la calle es por supuesto una pareja
una puerta cancel con vaticinios
la calle es un incendio y una estatua
y sobre todo una panadería
la calle es el ombú y el aguacero

todo eso era antes porque ahora
la calle es líber y es ibero
es hugo y heber y susana
los ocho obreros del paso molino
y nuestras marchas a los cementerios

la calle es la sirena horripilante
de un presidente que respira blindado
es una fila de hombres contra el muro
la sangre de sendic en las paredes
gente que corre huyendo de la gente

todo eso es ahora porque antes
la calle era un muestrario de balcones
la calle era estudiantes más obreros
a veces un tordillo vagabundo
o apenitas un chau de vereda a vereda

todo eso era antes porque ahora
la calle es una pinza omnipresente
es el toba y zelmar que vuelven a la tierra
peleando ya cadáveres por la misma bandera
que sus asesinos no pueden soportar

antes ahora antes ahora antes
cumplo con la absurda ceremonia
de escindir mi ciudad en dos mitades
en un rostro ritual y otro crispado
en dos rumbos contrarios en dos tiempos

y sin embargo es útil recordar
que el ahora estaba germinando en el antes
que el ahora integral sólo pudo formarse
con pedazos de antes
y de antes de antes

por eso mi ciudad diezmada y fuerte
llora desde los ojos del impar derrotado
desde los viejos ojos de curuguaty
que habían aprendido a ver visiones
en treinta años de un exilio infalible

ciudad donde dormimos demasiado
sin velar en lo oscuro lo mejor de nosotros
y sin creer ni aceptar que los crueles
siempre vuelven al lugar de su crimen
para acabar con los sobrevivientes

tuvo esperanzas mi ciudad
y no fueron delirios petrificados
ni profecías en alta voz
eran tan sólo sueños razonables
robustos como axiomas o albañiles

tuvo razones mi ciudad
para pasar del fósforo a la antorcha

y que el pueblo se mirara y dijera
carajo somos pueblo
y de inmediato empezara a crecer

tuvo vislumbres mi ciudad
por ejemplo admitió que ella no era el país
sino la cabezota de un paisito
y la vislumbre la dejó temblando
como de culpa o desperdicio

tuvo falacias mi ciudad
palabras enredadas en palabras
ojos que no enfrentaban a los ojos
tramposos que caían en su trampa
oscuros deslumbrantes

tuvo clamores mi ciudad
nuevos instántaneos justicieros
que discutían con los oráculos
con las mareas del azar
y con las muertes de la vida

tuvo un presagio mi ciudad
por cierto menos agrio de lo que vino luego
pero lo tuvo y decidió enfrentarlo
y luchó con denuedo y fervor y no obstante
acabó derrotada por el mismo presagio

tuvo tormentas mi ciudad
cada uno tenía su rayito privado
nos quedábamos sordos con los propios truenos
mientras el enemigo en su cámara hermética
anotaba los márgenes de mein kampf

hoy mi ciudad escucha su silencio
y no puede creer en tanta ausencia
y no puede creer en tanta muerte
y menos aún que no haya semáforos
en las avenidas del camposanto

pero sigue existiendo mi indeleble ciudad
abandonada en su tumba de calles
el chorro de su fuente no llega hasta la nube
la cruz y la campana confundidas
y nobles y autocríticas disuaden de lo eterno

los mediadores entre vida y sombra
ya no prometen y se deshabitan
de esperanzas que embriagan
la fogata genera su ceniza
la penúltima rosa está fané

los buitres planean como siempre
sobre prometedoras agonías
hay alaridos que imitan el susurro
hay susurros que imitan el silencio
hay silencios que van a ser la muerte

ya ni los niños sueñan despiertos y benignos
en los ojos abiertos llevan el alfabeto
la *a* de ansiedad la *b* de bronca
la *c* de caos la *d* de descalabro
la *e* de esperanza la *f* de futuro

si jugaban al fóbal en los campitos
ahora juegan a seguir siendo niños
para que nadie advierta cómo han madurado
con las ausencias y las malas noticias
y la falta absoluta de noticias

antes memorizaban las tablas y las fórmulas
honduras capital tegucigalpa
ahora se muerden los labios y se entrenan
para olvidar los nombres y los rostros
de los amigos de amigos de sus padres

así aunque las estatuas sepan hacer la venia
y las chicharras callen pero no otorguen

206

cómo no voy a reconocer mi ciudad
si el guiño cómplice de la farola
me comunica con el porvenir

mi ciudad vive pero en sus entrelíneas
todo chamuyo es un sobrentendido
cada jerigonza va en busca de su tímpano
hay contraseñas hasta en las bocinas
la sístole y la diástole aprendieron su morse

la consigna es vivir a pesar de ellos
al margen de ellos o en medio de ellos
convivir revivir sobrevivir vivir
con la paciencia que no tienen los flojos
pero que siempre han tenido los pueblos

la consigna es joderles el proyecto
seguir siendo nosotros y además formar parte
de esa linda tribu que es la humanidad
qué proeza si arruináramos nuestra ruina y de paso
liberáramos nuestra liberación

a veces mi ciudad se anunciaba lluviosa
cumplía su promesa con gotas importadas
después venía el chaparrón de paz
y era una lluvia mansa de esas que empiezan pero
nunca se sabe cuando terminan

a veces mi ciudad era un golfo de sol
con arenas doradas y sombrillas azules
los cuerpos aprendían a descifrarse
se elegían de un vistazo y para siempre
aunque el siempre durara dos veranos

cuando escribo estos rápidos indicios
algo en mí se estremece se sonríe
juro sobre el decamerón que en este instante
se me ha extraviado la computadora
aquella que extraía raíces ideológicas

soy apenas un hombre de mi ciudad
que quisiera tenerla bajo sus plantas
y si me encono no es un simple achaque
también se debe a que me la quitaron
sin consultarme como viviente

la cosa no es golpearse el pecho
ni regodearse en el desconsuelo
ni aprontarse para el derrumbe
este capítulo no es de tango
ergo a inscribirse en el futuro

quizá eso signifique que para los mejores
el futuro va a ser una victoria plena
para algunos otros la ocasión de encontrarse
y para muchos más una franja de vida
ergo a inscribirse en el futuro

por eso he decidido ayudarte a existir
aunque sea llamándote ciudad en que no existo
así sencillamente ya que existís en mí
he decidido que me esperes viva
y he resuelto vivir para habitarte.

BODAS DE PERLAS

a luz

C'est quand même beau de rajeunir.

<small>Rony Lescouflair</small>

Después de todo qué complicado es el amor breve
y en cambio qué sencillo el largo amor
digamos que éste no precisa barricadas
contra el tiempo ni contra el destiempo
ni se enreda en fervores a plazo fijo

el amor breve aun en aquellos tramos
en que ignora su proverbial urgencia
siempre guarda o esconde o disimula
semidioses que anuncian la invasión del olvido
en cambio el largo amor no tiene cismas
ni soluciones de continuidad
más bien continuidad de soluciones

esto viene ligado a una historia la nuestra
quiero decir de mi mujer y mía
historia que hizo escala en treinta marzos
que a esta altura son como treinta puentes
como treinta provincias de la misma memoria
porque cada época de un largo amor
cada capítulo de una consecuente pareja
·es una región con sus propios árboles y ecos
sus propios descampados sus tibias contraseñas

he aquí que mi mujer y yo somos lo que se llama
una pareja corriente y por tanto despareja
treinta años incluidos los ocho bisiestos
de vida en común y en extraordinario

alguien me informa que son bodas de perlas
y acaso lo sean ya que perla es secreto
y es brillo llanto fiesta hondura
y otras alegorías que aquí vienen de perlas

cuando la conocí
tenía apenas doce años y negras trenzas
y un perro atorrante
que a todos nos servía de felpudo
yo tenía catorce y ni siquiera perro
calculé mentalmente futuro y arrecifes
y supe que me estaba destinada
mejor dicho que yo era el destinado
todavía no sé cuál es la diferencia

así y todo tardé seis años en decírselo
y ella un minuto y medio en aceptarlo

pasé una temporada en buenos aires
y le escribía poemas o pancartas de amor
que ella ni siquiera comentaba en contra
y yo sin advertir la grave situación
cada vez escribía más poemas más pancartas
realmente fue una época difícil

menos mal que decidí regresar
como un novio pródigo cualquiera
el hermano tenía bicicleta
claro me la prestó y en rapto de coraje
salí en bajada por la calle almería
ah lamentablemente el regreso era en repecho

ella me estaba esperando muy atenta

cansado como un perro aunque enhiesto y altivo
bajé de aquel siniestro rodado y de pronto
me desmayé en sus brazos providenciales
y aunque no se ha repuesto aún de la sorpresa
juro que no lo hice con premeditación

por entonces su madre nos vigilaba
desde las más increíbles atalayas
yo me sentía cancerbado y miserable
delincuente casi delicuescente

claro eran otros tiempos y montevideo
era una linda ciudad provinciana
sin capital a la que referirse
y con ese trauma no hay terapia posible
eso deja huellas en las plazoletas

era tan provinciana que el presidente
andaba sin capangas y hasta sin ministros

210

uno podía encontrarlo en un café
o comprándose corbatas en una tienda
la prensa extranjera destacaba ese rasgo
comparándonos con suiza y costa rica

siempre estábamos llenos de exilados
así se escribía en tiempos suaves
ahora en cambio somos exiliados
pero la diferencia no reside en la i

eran bolivianos paraguayos cariocas
y sobre todo eran porteños
a nosotros nos daba mucha pena
verlos en la calle nostalgiosos y pobres
vendiéndonos recuerdos y empanadas

es claro son antiguas coyunturas
sin embargo señalo a lectores muy jóvenes
que graham bell ya había inventado el teléfono
de ahí que yo me instalara puntualmente a las seis
en la cervecería de la calle yatay
y desde allí hacía mi llamada de novio
que me llevaba como media hora

a tal punto era insólito mi lungo metraje
que ciertos parroquianos rompebolas
me gritaban cachándome al unísono
dale anclao en parís

como ven el amor era dura faena
y en algunas vergüenzas
casi industria insalubre

para colmo comí abundantísima lechuga
que nadie había desinfectado con carrel
en resumidas cuentas contraje el tifus
no exactamente el exantemático
pero igual de alarmante y podrido

211

me daban agua de apio y jugo de sandía
yo por las dudas me dejé la barba
e impresionaba mucho a las visitas

una tarde ella vino hasta mi casa
y tuvo un proceder no tradicional
casi diría prohibido y antihigiénico
que a mí me pareció conmovedor
besó mis labios tíficos y cuarteados
conquistándome entonces para siempre
ya que hasta ese momento no creía
que ella fuese tan tierna inconsciente y osada

de modo que no bien logré recuperar
los catorce kilos perdidos en la fiebre
me afeité la barba que no era de apóstol
sino de bichicome o de ciruja
me dediqué a ahorrar y junté dos mil mangos
cuando el dólar estaba me parece a uno ochenta

además decidimos nuestras vocaciones
quiero decir vocaciones rentables
ella se hizo aduanera y yo taquígrafo

íbamos a casarnos por la iglesia
y no tanto por dios padre y mayúsculo
como por el minúsculo jesús entre ladrones
con quien siempre me sentí solidario
pero el cura además de católico apostólico
era también romano y algo tronco
de ahí que exigiera no sé qué boleta
de bautismo o tal vez de nacimiento

si de algo estoy seguro es que he nacido
por lo tanto nos mudamos a otra iglesia
donde un simpático pastor luterano
que no jodía con los documentos
sucintamente nos casó y nosotros

dijimos sí como dándonos ánimo
y en la foto salimos espantosos

nuestra luna y su miel se llevaron a cabo
con una praxis semejante a la de hoy
ya que la humanidad ha innovado poco
en este punto realmente cardinal

fue allá por marzo del cuarenta y seis
meses después que daddy truman
conmovido generoso sensible expeditivo
convirtiera a hiroshima en ciudad cadáver
en inmóvil guiñapo en no ciudad

muy poco antes o muy poco después
en brasil adolphe berk embajador de usa
apoyaba qué raro el golpe contra vargas
en honduras las inversiones yanquis
ascendían a trescientos millones de dólares
paraguay y uruguay en intrépido ay
declaraban la guerra a alemania
sin provocar por cierto grandes conmociones
en chile allende era elegido senador
y en haití los estudiantes iban a la huelga
en martinica aimé cesaire el poeta
pasaba a ser alcalde en fort de france
en santo domingo el PCD
se transformaba en PSP
y en méxico el PRM
se transformaba en PRI
en bolivia no hubo cambios de siglas
pero faltaban tres meses solamente
para que lo colgaran a villarroel
argentina empezaba a generalizar
y casi de inmediato a coronelizar

nosotros dos nos fuimos a colonia suiza
ajenos al destino que se incubaba

ella con un chaleco verde que siempre me gustó
y yo con tres camisas blancas

en fin después hubo que trabajar
y trabajamos treinta años
al principio éramos jóvenes pero no lo sabíamos
cuando nos dimos cuenta ya no éramos jóvenes
si ahora todo parece tan remoto será
porque allí una familia era algo importante
y hoy es de una importancia reventada

cuando quisimos acordar el paisito
que había vivido una paz no ganada
empezó lentamente a trepidar
pero antes anduvimos muy campantes
por otras paces y trepidaciones
combinábamos las idas y las vueltas
la rutina nacional con la morriña allá lejos
viajamos tanto y con tantos rumbos
que nos cruzábamos con nosotros mismos
unos eran viajes de imaginación qué baratos
y otros qué lata con pasaporte y vacuna

miro nuestras fotos de venecia de innsbruck
y también de malvín
del balneario solís o el philosophenweg
estábamos estamos estaremos juntos
pero cómo ha cambiado el alrededor
no me refiero al fondo con mugrientos canales
ni al de dunas limpias y solitarias
ni al hotel chajá ni al balcón de goethe
ni al contorno de muros y enredaderas
sino a los ojos crueles que nos miran ahora

algo ocurrió en nuestra partícula de mundo
que hizo de algunos hombres maquinarias de horror
estábamos estamos estaremos juntos
pero qué rodeados de ausencias y mutaciones

214

qué malheridos de sangre hermana
qué enceguecidos por la hoguera maldita

ahora nuestro amor tiene como el de todos
inevitables zonas de tristeza y presagios
paréntesis de miedo incorregibles lejanías
culpas que quisiéramos inventar de una vez
para liquidarlas definitivamente

la conocida sombra de nuestros cuerpos
ya no acaba en nosotros
sigue por cualquier suelo cualquier orilla
hasta alcanzar lo real escandaloso
y lamer con lealtad los restos de silencio
que también integran nuestro largo amor

hasta las menudencias cotidianas
se vuelven gigantescos promontorios
la suma de corazón y corazón
es una suasoria paz que quema
los labios empiezan a moverse
detrás del doble cristal sordomudo
por eso estoy obligado a imaginar
lo que ella imagina y viceversa

estábamos estamos estaremos juntos
a pedazos a ratos a párpados a sueños
soledad norte más soledad sur
para tomarle una mano nada más
ese primario gesto de la pareja
debí extender mi brazo por encima
de un continente intrincado y vastísimo
y es difícil no sólo porque mi brazo es corto
siempre tienen que ajustarme las mangas
sino porque debo pasar estirándome
sobre las torres de petróleo en maracaibo
los inocentes cocodrilos del amazonas
los tiras orientales de livramento

es cierto que treinta años de oleaje
nos dan un inconfundible aire salitroso
y gracias a él nos reconocemos
por encima de acechanzas y destrucciones

la vida íntima de dos
esa historia mundial en livre de poche
es tal vez un cantar de los cantares
más el eclesiastés y sin apocalipsis
una extraña geografía con torrentes
ensenadas praderas y calmas chichas

no podemos quejarnos
en treinta años la vida
nos ha llevado recio y traído suave
nos ha tenido tan pero tan ocupados
que siempre nos deja algo para descubrirnos
a veces nos separa y nos necesitamos
cuando uno necesita se siente vivo
entonces nos acerca y nos necesitamos

es bueno tener a mi mujer aquí
aunque estemos silenciosos y sin mirarnos
ella leyendo su séptimo círculo
y adivinando siempre quién es el asesino
yo escuchando noticias de onda corta
con el auricular para no molestarla
y sabiendo también quién es el asesino

la vida de pareja en treinta años
es una colección inimitable
de tangos diccionarios angustias mejorías
aeropuertos camas recompensas condenas
pero siempre hay un llanto finísimo
casi un hilo que nos atraviesa
y va enhebrando una estación con otra
borda aplazamientos y triunfos
le cose los botones al desorden
y hasta remienda melancolías

siempre hay un finísimo llanto un placer
que a veces ni siquiera tiene lágrimas
y es la parábola de esta historia mixta
la vida a cuatro manos el desvelo
o la alegría en que nos apoyamos
cada vez más seguros casi como
dos equilibristas sobre su alambre
de otro modo no habríamos llegado a saber
qué significa el brindis que ahora sigue
y que lógicamente no vamos a hacer público.

23 de marzo 1976.

HOMBRE DE MALA VOLUNTAD

Cuando volvés a la tarde como a un oasis
y tu mujer te espera linda y ávida
y cree en la provincia de tu silencio
que hace tiempo vendiste al enemigo

cuando volvés de tarde como un padre mágico
y el gurí te salpica de inocencia
y te mira como mira un gorrión a ese cielo
del que hace tiempo te descolgaste

cuando te arrellanás en la dulzura
y la seguridad te envuelve como un aliento
y ves en las ventanas el otoño
esa reflexiva estación de lealtades

cuando una paz tan expugnable
trata de instalarse nada menos que en vos
y te das cuenta de que algo no marcha
porque ya no sabés qué hacer con ella

cuando el calorcito del hogar te acepta
y tu vieja entorna los ojos para oír
eine kleine nachtmusik o la última curda
o los cierra con modorra octogenaria

cuando toda la jornada se resume
en la gran disculpa que te enceniza
y preferís no abrir el diario de la noche
porque sabés todo lo que se calla

cuando metés el índice en el vaso de bohemia
para mover el hielo en el old smuggler
y el frío te sube de la yema al corazón
y después te baja del cuore a las tripas

cuando tu hijo diga buenas noches
y te bese el mentón y se pinche
y comprendas que sos para él
más o menos la bienaventuranza

cuando tu madre diga buenas noches
y se retire con tu infancia a cuestas
y la veas moverse paso a paso
como si no pudiera con la carga

cuando tu mujer diga buenas noches
y no vaya a dormir sino a esperarte
bajo las sábanas almidonadas
que cambió en tu homenaje

cuando todos te dejen en el living
a solas con tu húmedo bigote
y la mirada opaca como nunca
y el tocadiscos que se detiene solo

mejor lo pasarías si no tuvieras
en la retina y en los tímpanos
el rostro el puño el alarido
del muchachito de ojos claros

218

de mejillas pecosas
de bien marcado costillar
de rodillas casi puntiagudas
de piernas que saltaban como peces

cuánto mejor lo pasarías
si la memoria no fuese tan cabrona
como para mostrarte y volverte a mostrar
aquella desnudez indoblegable

y sobre todo aquellos ojos clarísimos
que te miraban como no creyendo
que vos el de corbata fueras
tan sólo una palanca de patíbulo

cuánto mejor lo estarías pasando
si te olvidaras para siempre
de ese recuerdo tan fresquito
tan acabado de nacer

tan intacto que es como si vieras
la boca que llegaba hasta el mismísimo
borde de la derrota y se mordía
y empezaba a morirse de victoria

cómo será la cosa que no te odiamos
fijate vos cómo será la cosa
que no te hacemos ese amargo honor
hombre de mala voluntad pobre hombre

quizá te alcance con que los ojos
de tu botija macanudo y frágil
mañana o pasadomañana te miren
porque estas cosas siempre se propagan

o el mes que viene o el año próximo
te miren esos ojos como no creyendo
claros también y no creyendo pero
ya no será mirada de gorrión

ojos claros te miren como no creyendo
pero creyendo al fin y al cabo
no con mirada de gorrión
pero creyendo al fin y al cabo

entonces pobre hombre de mala voluntad
ni siquiera juntando todo el odio
que quede disponible en el mercado
ninguno de nosotros podrá odiarte

como vos mismo te odiarás.

LOS ESPEJOS LAS SOMBRAS

Y las sombras que cruzan los espejos

VICENTE HUIDOBRO

Es tan fácil nacer en sitios que no existen
y sin embargo fueron brumosos y reales
por ejemplo mi sitio mi marmita de vida
mi suelta de palomas conservaba
una niebla capaz de confundir las brújulas
y atravesar de tarde los postigos
todo en el territorio de aquella infancia breve
con la casa en la loma cuyo dueño
era un tal valentín del escobar
y el nombre era sonoro me atraían
las paredes tan blancas y rugosas
ahí descubrí el lápiz como colón su américa
sin saber que era lápiz y mientras lo empuñaba
alguien hacía muecas al costado de un biombo
para que yo comiera pero yo no comía

después es la estación y es el ferrocarril
me envuelven en la manta de viaje y de calor

y había unas mangueras largas ágiles
que lavaban la noche en los andenes

las imágenes quedan como en un incunable
que sólo yo podría descifrar
puesto que soy el único especialista en mí
y sin embargo cuando regresé
apenas treinta y dos años más tarde
no había andén ni manta ni paredes rugosas
ya nadie recordaba la casa en la lomita
tampoco a valentín del escobar
quizá sea por eso que no puedo creer
en pueblo tan ceñido tan variable
sin bruma que atraviese los postigos
y confunda las brújulas
un paso de los toros enmendado
que no tiene ni biombo ni mangueras

el espejo tampoco sabe nada
con torpeza y herrumbre ese necio repite
mi pescuezo mi nuez y mis arrugas
debe haber pocas cosas en el mundo
con menos osadía que un espejo

en mis ojos amén de cataratas
y lentes de contacto con su neblina propia
hay rehenes y brujas
espesas telarañas sin arañas
hay fiscales y jueces
disculpen me quedé sin defensores
hay fiscales que tiemblan frente a los acusados
y jueces majaderos como tías
o deshumanizados como atentos verdugos
hay rostros arduos y fugaces
otros triviales pero permanentes
hay criaturas y perros y gorriones
que van garúa arriba ensimismados
y un sosías de dios que pone cielos
sobre nuestra mejor abolladura

y tampoco el espejo sabe nada
de por qué lo contemplo sin rencor y aburrido

y así de noche en noche
así de nacimiento en nacimiento
de espanto en espantajo
van o vamos o voy con las uñas partidas
de arañar y arañar la infinita corteza

más allá del orgullo los árboles quedaron
quedaron los presagios las fogatas
allá atrás allá atrás
quién es tan memorioso
ah pero la inocencia ese búfalo herido
interrumpe o reanuda
la fuga o cacería
de oscuro desenlace

todos mis domicilios me abandonan
y el botín que he ganado con esas deserciones
es un largo monólogo en hilachas
turbado, peregrino garrafal
contrito y al final desmesurado
para mi humilde aguante

me desquito clavándole mi agüero
me vengo espolvoreándolo de culpas
pero la soledad
                        esa guitarra
esa botella al mar
esa pancarta sin muchedumbrita
esa efemérides para el olvido
oasis que ha perdido su desierto
flojo tormento en espiral
cúpula rota y que se llueve
ese engendro del prójimo que soy
tierno rebuzno de la angustia
farola miope

tímpano
ceniza
nido de águila para torcazas
escobajo sin uvas
borde de algo importante que se ignora
esa insignificante libertad de gemir
ese carnal vacío
ese naipe sin mazo
ese adiós a ninguna
esa espiga de suerte
ese hueco en la almohada
esa impericia
ese sabor grisáceo
esa tapa sin libro
ese ombligo inservible
la soledad en fin
                        esa guitarra
de pronto un día suena repentina y flamante
inventa prójimas de mi costilla
y hasta asombra la sombra
qué me cuentan

en verdad en verdad os digo que
nada existe en el mundo como la soledad
para buscarnos tierna compañía
cohorte escolta gente caravana

y el espejo ese apático supone
que uno está solo sólo porque rumia
en cambio una mujer cuando nos mira sabe
que uno nunca está solo aunque lo crea
ah por eso hijos míos si debéis elegir
entre una muchacha y un espejo
elegid la muchacha

cómo cambian los tiempos y el azogue
los espejos ahora vienen antinarcisos
hace cuarenta años la gente los compraba

223

para sentirse hermosa para saberse joven
eran lindos testigos ovalados
hoy en cambio son duros enemigos
cuadrados de rencor bruñidos por la inquina
nos agravian mortifican zahieren
y como si tal cosa pronuncian su chispazo
mencionan lustros y colesterol
pero no las silvestres bondades de estraperlo
la lenta madurez esa sabiduría
la colección completa de delirios
nada de eso   solamente exhuman
las averías del pellejo añejo
el desconsuelo y sus ojeras verdes
la calvicie que empieza o que concluye
los párpados vencidos siniestrados
las orejas mollejas la chatura nasal
las vacantes molares las islas del eczema

pero no hay que huir despavorido
ni llevarle el apunte a ese reflejo
nadie mejor que yo
para saber qué miente

no caben en su estanque vertical
los que fui los que soy los que seré
siempre soy varios en parejos rumbos
el que quiere asomarse al precipicio
el que quiere vibrar inmóvil como un trompo
el que quiere respirar simplemente

será que nada de eso está en mis ojos
nadie sale a pedir el vistobueno
de los otros que acaso y sin acaso
también son otros y en diversos rumbos
el que aspira a encontrarse con su euforia
el que intenta ser flecha sin el arco
el que quiere respirar simplemente

será que nada de eso está en mi ceño
en mis hombros mi boca mis orejas
será que ya no exporto dudas ni minerales
no genera divisas mi conducta
tiene desequilibrios mi balanza de pagos
la caridad me cobra intereses leoninos
y acaparo dolor para el mercado interno

será que nada de eso llega al prójimo
pero yo estoy hablando del y con el espejo
y en su luna no hay prójima y si hay
será una entrometida que mira sobre mi hombro

los prójimos y prójimas no están en el luciente
sencillamente son habitantes de mí
y bueno se establecen en mí como pamperos
o como arroyos o como burbujas

por ejemplo las dudas no están en el espejo
las dudas que son meras preconfianzas
por ejemplo los miércoles no están
ya que el espejo es un profesional
de noches sabatinas y tardes domingueras
los miércoles de miércoles quién se le va a arrimar
pedestre o jadeante
inhumano y cansado
con la semana a medio resolver
las tardes gordas de preocupaciones
el ómnibus oliendo a axila de campeón

los insomnios no caben por ejemplo
no son frecuentes pero sí poblados
de canciones a trozos
de miradas que no eran para uno
y alguna que otra bronca no del todo prevista
de ésas que consumen la bilis del trimestre

tampoco aquellos tangos en los que uno sujeta
en suave diagonal la humanidad contigua

225

y un magnetismo cálido y a la vez transitorio
consterna los gametos sus ene cromosomas
y entre corte y cortina se esparcen monosílabos
y tanto las pavadas aleluya
como las intuiciones aleluya aleluya
derriban las fronteras ideológicas

verbigracia qué puede rescatar el espejo
de una ausencia tajante
una de esas ausencias que concurren
que numeran sus cartas
y escriben besos ay de amor remoto

qué puede qué podría reconocer carajo
de las vidas y vidas que ya se me murieron
esos acribillados esos acriborrados
del abrazo y el mapa y los boliches
o los que obedecieron a su corazonada
hasta que el corazón les explotó en la mano
sea en el supermarket de la mala noticia
o en algún pobre rancho de un paisaje sin chau

poco puede conocer de los rostros
que no fueron mi rostro y sin embargo
siguen estando en mí
y menos todavía
de los desesperantes terraplenes
que traté de subir o de bajar·
esos riesgos minúsculos que parecen montañas
y los otros los graves que salvé como un sordo
así hasta que la vida quedó sin intervalos
y la muerte quedó sin vacaciones
y mi piel se quedó sin otras pieles
y mis brazos vacíos como mangas
declamaron socorro para el mundo

en la esquina del triste no hay espejo
y lo que es
                    más austero
                              no hay auxilio

por qué será que cunden las alarmas
y no hay manera ya de descundirlas

el país tiene heridas grandes como provincias
y hay que aprender a andar sobre sus bordes
sin vomitar en ellas ni caer como bolos
ni volverse suicida o miserable
ni decir no va más
porque está yendo
y exportamos los huérfanos y viudas
como antes la lana o el tasajo

en el muelle del pobre no hay espejo
y lo que es
            más sencillo
                   no hay adioses

los fraternos que estaban en el límite
las muchachas que estaban en los poemas
asaltaron de pronto el minuto perdido
y se desparramaron como tinta escarlata
sobre las ínfulas y los sobornos
metieron sus urgencias que eran gatos
en bolsas de arpillera
y cuando las abrieron aquello fue un escándalo
la fiesta prematura
igual que si se abre una alcancía

hacía tanto que éramos comedidos y cuerdos
que no nos vino mal este asedio a la suerte

los obreros en cambio no estaban en los poemas
estaban en sus manos nada más
que animan estructuras telas fibras
y cuidan de su máquina oh madre inoxidable
y velan su garganta buje a buje
y le toman el pulso
y le vigilan la temperatura

y le controlan la respiración
y aquí atornillan y desatornillan
y allí mitigan ayes y chirridos y ecos
o escuchan sus maltrechas confidencias
y por fin cuando suena el pito de las cinco
la atienden la consuelan y la apagan

los obreros no estaban en los poemas
pero a menudo estaban en las calles
con su rojo proyecto y con su puño
sus alpargatas y su humor de lija
y su beligerancia su paz y su paciencia
sus cojones de clase
qué clase de cojones
sus ollas populares
su modestia y su orgullo
que son casi lo mismo

las muchachas que estaban en los poemas
los obreros que estaban en las manos
hoy están duros en la cárcel firmes
como las cuatro barras que interrumpen el cielo

pero habrá otro tiempo
es claro que habrá otro
habrá otro tiempo porque el tiempo vuela
no importa que ellas y ellos no estén en el espejo
el tiempo volará
                    no como el cóndor
ni como el buitre ni como el albatros
ni como el churrinche ni como el venteveo
el tiempo volará como la historia
esa ave migratoria de alas fuertes
que cuando llega es para quedarse

y por fin las muchachas estarán en las manos
y por fin los obreros estarán en los poemas

ay espejo ignorás tanta vida posible
tenés mi soledad
vaya conquista
en qué magro atolón te obligaste a varar
hay un mundo de amor que te es ajeno
así que no te quedes mirando mi mirada
la modorra no escucha campanas ni promesas
tras de mí sigue habiendo un pedazo de historia
y yo tengo la llave de ese cofre barato
pero atrás más atrás
o adelante mucho más adelante
hay una historia plena
una patria en andamios con banderas posibles
y todo sin oráculo y sin ritos
y sin cofre y sin llave
simplemente una patria

ay espejo las sombras que te cruzan
son mucho más corpóreas que mi cuerpo depósito
el tiempo inagotable hace sus propios cálculos
y yo tengo pulmones y recuerdos y nuca
y otras abreviaturas de lo frágil
quizá una vez te quiebres
dicen que es mala suerte
pero ningún espejo pudo con el destino
o yo mismo me rompa sin que vos te destruyas
y sea así otra sombra que te cruce

pero espejo ya tuve como dieciocho camas
en los tres años últimos de este gran desparramo
como todas las sombras pasadas o futuras
soy nómada y testigo y mirasol
dentro de tres semanas tal vez me vaya y duerma
en mi cama vacía número diecinueve
no estarás para verlo
no estaré para verte

en otro cuarto neutro mengano y transitorio

también habrá un espejo que empezará a
    escrutarme
tan desprolijamente como vos
y aquí en este rincón duramente tranquilo
se instalará otro huésped temporal como yo
o acaso dos amantes recién homologados
absortos en su canje de vergüenzas
con fragores de amor e isócronos vaivenes

no podrás ignorarlos
ellos te ignorarán
no lograrás desprestigiar su piel
porque será de estreno y maravilla
ni siquiera podrás vituperar mi rostro
porque ya estaré fuera de tu alcance
diciéndole a otra luna de impersonal herrumbre
lo que una vez te dije con jactancia y recelo

he venido con todos mis enigmas
he venido con todos mis fantasmas
he venido con todos mis amores

y antes de que me mire
como vos me miraste
con ojos que eran sólo parodia de mis ojos
soltaré de una vez el desafío

ay espejo cuadrado
nuevo espejo de hotel y lejanía
aquí estoy
                    ya podés
empezar a ignorarme.

agosto 1976.

CROQUIS PARA ALGUN DIA

Yo mismo temo a veces
que nada haya existido.
que mi memoria mienta.
que cada vez y siempre
—puesto que yo he cambiado—
cambie lo que he perdido.

LÍBER FALCO

Este es mi asfalto que respira
estas baldosas son las que no invento
ésta es mi gente como espejo
éste es mi azar sin molde

pensé que iba a ponerme melancólico
o débil como un convaleciente
o que fuera a brotarme alguna euforia
ante estos árboles que recupero
con su bendita sombra y con su cielo

la dimensión es otra
sin embargo

volver por una rambla que antes era
y ahora es la mañana transparente
linda excusa este aire salitroso
sentirlo en la mejilla como una biografía
y que los terraplenes y los caballos sueltos
carros de verduleros y persianas
vuelvan a acomodarse en mi desorden
sin tomar represalias mansamente

no creí que la arena fuera a conservarse
tan pulcra tan genuina tan rebote de sol
claro otras playas del mundo nos derrotan
en olas en corales en malaguas
tiburones garotas esquí acuático
pero en arena somos invencibles

231

como seguramente habrán notado
éste es un modo de no entrar en materia
de posponer el fondo del reencuentro

es bravo regresar de semejante ausencia
hallarse a quemarropa con el país que es otro
oír sus siembras íntimas sus contraseñas
su silencio con ladridos y magia
y uno que otro clamorcito y gaviotas

algo está sucediendo en mi tango interior
como si la ceniza me velara la sangre
y me toma indefenso   yo esperaba
que una lluvia con sol lavara mis certezas
y mi culpa y mi saldo de inocencia
y sin embargo no era lluvia   era ceniza
cayéndome por dentro como verdad en polvo

aquí están mi mujer mi hermano mi madre
no está mi padre   se exilió en la muerte
quizá por eso el país no es el mismo
por cierto tenía una bondad tan dulce
como anacrónica   en los últimos tiempos
se ponía a llorar sin vanagloria
no siempre se sabía por qué o por quiénes
ahora se sabe   lloraba los pronósticos
los agüeros las nubes que hacen sombra
a los que son rastreados por la muerte

mi padre no entendía la crueldad
y eran los inicios de los crueles
fumaba el cigarrito que le habían prohibido
y hacía lo posible por mantenerse incrédulo
con los ojos modestos y agobiados
por setenta años de vida a contramano
pero cuando el aire se volvió irrespirable
entonces ya no quiso respirar

quizá por eso el país no es el mismo
mi padre era un vicario del paisaje
los pinos que veía eran siempre distintos
de los que veíamos nosotros y no están
el país que buscaba no era el mismo
que el que hallamos nosotros y no está

bueno también mi casa existe
qué dato inesperado usar mi cama
no despertarme a solas con mi cuerpo y el techo
y conciliar el sueño inconciliable
con mi mujer al lado   ese albedrío

nos pasaron los años cerca y lejos
el tiempo nos hirió por separado
uno hacía la prueba de pensar despacito
ahora qué estará haciendo allá en el cuarto
leyendo o extrañándome o tejiendo
pero además bregaba por sobrevivir
y cuidaba a mi vieja y a su vieja
y les hacía almácigos con las manías
y laboraba inconteniblemente
para desconocer lo conocido

hablamos   es la larga puesta al día
no obstante es imposible a estas alturas
sintetizar así nomás la rabia
el desaliento y la fatiga
fe versus decepción
los abrazos que no
el tiempo evanescente

siempre una zona quedará
irremediablemente abandonada
devorada olvidada en el olvido
y en adelante la efusión
deberá concretarse a exactas remembranzas
a documentos del amor y el júbilo

nadie tuvo la culpa o su sinónimo
la tuvimos nosotros los malvivientes
porque vivimos mal la ocasión para el salto
nadie tuvo la culpa o su sinónimo
la tuvimos nosotros los malhechores
porque fueron mal hechos los cálculos y sueños
y también la tuvimos los bienvivientes
porque vivimos bien la justicia o el riesgo
y también la tuvimos los bienhechores
porque fueron bien hechos los esbozos de mundo

aquí está la ciudad de par en par
como una herida que ya no supura
pero aún es herida   lo será largamente
voy de abrazo en abrazo con prisa y parsimonia
cuento lo que no está   no paro de contar
y no me da vergüenza estremecerme
voy abrazando ausencias y no puedo
siento que me equivoco
errar es inhumano
voy de abrazo en abrazo con paciencia de ombú
de acacia de álamo de enredadera
una paciencia vegetal y antigua
mi abrazo viene desde mis raíces
savia que circuló en la infancia angosta
transcurrió perezosa por un barrio o destino
humedeció mi amor despenó mi penuria
dio frutos hojas profecías
me sintió sacudido por vientos y amenazas
volvió para infundirme su lógica nocturna
y enseñarme los trámites de su aplomo

luego por muchos años renuncié a ser árbol
por largas estaciones perdí ramas y savia
y hojas y raíces y paciencia
el exilio es un páramo a veces
otras veces es un huerto fraterno
y los otros nosotros comparten compartimos
calorías y pan suyo nuestro

234

pero aun así es difícil ser árbol
o arbusto o matorral o simple yuyo
donde la tierra es roja o menos negra
en fin sólo otro árbol así sea
del trópico o de alaska
podrá entender un tema tan frondoso

voy de abrazo en abrazo con preguntas remotas
en los otros hay párpados y ceños
que vienen de rescates o de ráfagas
nos encontramos como sobre un puente
y va desde el suplicio a la nostalgia
que es también un suplicio pero suave

algo nos ha marcado para toda la zafra
el estar aquí de unos
el no estar de los otros
y aunque todo se comprende y se sabe
un puente es siempre un puente

hay quienes llevan consigo su escombro
y esta gris felicidad llega tarde
cada viviente es un sobreviviente
la pared que quedó después del sismo
con la foto en el marco el almanaque
detenido en su hoja chamuscada
hay quienes miran en los ojos son
los optimistas que renovaron su cábala
la ajustaron enmendaron tacharon
remediaron limaron mejoraron rehicieron
pero hasta en ellos existe una cautela obligatoria
y como no hay glándulas que segregan cordura
a nadie le queda un santiamén de delirio

es hermoso es durísimo es un lujo
volver a los afectos de carne y hueso
no a las constelaciones afectuosas
todos tenemos más años más arrugas más canas

235

cicatrices estelas salpicaduras huellas
moralejas reliquias vestigios sedimentos
es tanto lo aprendido y lo desaprendido
lo domesticado y por suerte lo indócil
somos otros   habrá que serenarse
habrá que escucharnos latir
y empezar otra vez a conocernos
arrancando de lo previsto y verosímil
siguiendo con los acasos y el quién sabe
y así hasta la taumatúrgica conciencia
saber que estamos vivos y agitar esa vida
aunque sea temprano para tasar
qué sortilegio o qué maravilla
pudieron extraer de nuestros pobres fastos
la consternación y la añoranza

mi pregunta oficiosa es la siguiente
dónde están los verdugos

te advierto que no se habla de tortura
sino más bien de los torturadores
lo otro es un pantano
habrá que transformarlo en campo roturado
no para olvidarlo sino para acordarse
que se trata de una sangre ubérrima
lo feroz trasmutado en lo feraz

ya entiendo pero
dónde están los verdugos

mirá muchos alcanzaron a irse
quizá estén remordidos o repantigados
en oakland en miami en dallas texas
o tal vez en fort gulick   canal zone
enseñando o ayudando a enseñar
a cada vez más oficiales
de cada vez menos paisitos
que la letra con sangre entra
o por lo menos debería entrar

se trata de cursillos sobre el suplicio básico
como forma superior de democracia

claro que algunos quedan
están ahora en la etapa del pánico
uno se suicidó con alkaseltzer
lo acomodó en la amígdala y bebió
qué se va a hacer   ése por lo menos
tuvo un rasgo supremo de autocrítica

uno de los detalles que más los desconcierta
es precisamente que no los torturemos
uno llegó a hablar de crueldad sicológica
y que iba a reclamar a naciones unidas
casi lo fusilamos por imbécil

no pueden entender que exista otra justicia
distinta de la que ellos manejaron
no creen que nos neguemos a ser monstruos
y que no sea por lástima hacia ellos
sino por respeto a nuestros muertos y vivos

por supuesto habrá que fusilar a algunos
no como venganza que es un trasto inútil
más bien como profilaxis de la historia

eso lo habría comprendido hasta nixon
que ahora yace a la diestra de monroe

qué suerte ya no somos la suiza de américa
suena un poco inmodesto pero somos
el uruguay de américa

por fin junto coraje y asumo la prevista
hostilidad de mi biblioteca
los libros son por naturaleza rencorosos
recuerdo que a proust le vino el asma

237

cuando abrí el primer fanon `
joyce se volvió realmente esotérico
cuando me enfrasqué en gramsci
faulkner jamás perdonará
mi apego por rulfo su legatario
borges se puso necio y laberíntico
cuando volví a quiroga
sarmiento se alunó durante un siglo
cuando aprendí las claves de martí
los libros son por naturaleza rencorosos
absorbentes posesivos y sin embargo
se parecen a mi historia privada

allí están los amores o mejor dicho
los libros que uno lee cuando está enamorado
allí están los deslumbramientos y las fobias
las caducidades y permanencias
seis mil o siete mil odios y afectos
novelas-ríos   poemas-lagunas   ensayos-bahías
filatélicamente juntados en treinta años
siempre pensé que
aunque no lo admitiéramos en público
mi biblioteca y yo éramos uña y carne
así hasta que la muerte famosa analfabeta
nos pusiera en distintas madrigueras

cuando la radio y el cantor cantaban
vivir sin ella nunca podré
ah yo pensaba en mi biblioteca

después supe que los tangos mentían
pero era inapelablemente tarde
uno puede llevar al exilio sus agravios
sus deudas sus problemas sus desesperaciones
pero no puede llevar su biblioteca
así que de a poco me vine a enterar
que realmente puedo vivir sin ella
ni siquiera eché de menos los estantes

238

con estas traducciones y ediciones
de mis libros
                    es decir la egoteca

seguro las nostalgias cambian de sitio pero
qué menos va a pedirse a un escritor de pedigree
que un poco de morriña hacia su biblioteca
ergo no soy de pedigree
ni tengo epígonos mas si tuviera
les podría colgar este bochorno
hubiera sido un lindo sambenito

caramba mis morriñas no eran profesionales
además del amor y otros nudos gordianos
cómo extrañé las calles en especial las feas
y en ellas las muchachas en especial las lindas
y uno que otro café   mejor si llovía a cántaros
los árboles los quioscos la dura militancia
los domingos de estadio y los viernes de *marcha*

por un atardecer en malvín habría dado
dos shakespeare tres balzac
y todo toynbee que no es verdurita
por un solo vistazo a mi vía láctea
y ahora me enfrento a ellos tan adustos
con su soberbia encuadernada
su desapego en rústica
desde lomos inhóspitos me juzgan
con manchas de humedad o con letras a fuego

decido ser brutalmente sincero
no los necesité ah pero igual me gustan
pude vivir sin ellos es la pura verdad
tendré que acostumbrarme sólo eso
su silencio es de pasta
callan pero no otorgan
quizá voltaire o twain aguanten la risa
pero claudel y carlos reyles me odian

los recorro uno a uno
los palpo los hojeo están más viejos
tienen arrugas y verrugas
páginas sueltas tapas descascaradas
por ellos pasó el tiempo y el plumero
de vez en cuando mi mujer los limpiaba
pero tienen atávicas manías
sólo rejuvenecen cuando los consultan
cuando los rayan y subrayan
cuando les agregan dibujitos y estrellas
cuando alguien los convence
de que son necesarios

esa inocencia me conmueve
la encuentro más humana que libresca
será por eso que intento dialogar
y además es sabido que leyendo
la gente se entiende
o se entendía

para empezar tengo a raimundo lulio
que por lo menos no es contemporáneo
lo abro en su doctrina pueril y no era tanto
amable hijo qué te conviene más
o morir una vez
o morir siempre en fuego perdurable
lo que se llama un golpe bajo
ni lo uno ni lo otro amable padre
por suerte uno es agnóstico
ahora entiendo por qué lo lapidaron

llevará tiempo
ya lo veo

siguen tan pero tan resentidos
volveré mañana y pasado y después
les iré explicando en breves dosis
que efectivamente son muy importantes
ah pero no lo único importante

chau raimundo padre amable
cuidate o te lapido

no sólo ellos están hoscos
quizá haya aquí   tres o cuatro países
y uno por lo menos crepita de rencor
no se tortura y sataniza en vano
ni en vano se enloquece a los inermes
la juventud acribillada odia
odia de todo corazón
odió en el cepo por años infinitos
nutrió con odio su larguísimo insomnio
lamió con odio sus heridas
construyó odio por odio un porvenir
odió para vivir para no delatar
odió para afirmarse en los presagios
para sentir su sangre sus músculos sus dientes
odió para elegir a qué escupía a quiénes
para recuperar su amor odió
para salvarse del naufragio
para sembrarse noche a noche
para no hundirse en la flojera odió
hizo flamear el odio como una patria
o lo ocultó como un fervor secreto
en el terror fue buen cómplice el odio
uno más a vaciarla de congojas
odió para creer para rehacerse
trozo a trozo después de destrozada
para mentir odió y tapar la verdad
con un amor dulcísimo

y aunque parezca increíble
ese odio se respira también en la alegría

abrazo a los galeotes y mis manos
reconocen las espaldas de odio
las cicatrices los rescoldos de odio
y si me miran en los ojos adivino
que me piden un odio solidario

y si en la plaza ibero
o en la avenida líber arce
suben los puños y los vivas
sólo los mueras llegan hasta las nubes
y siempre hay algún crápula que tiembla

pero aunque el odio sea buen centinela
el futuro no se hace
sólo con los guardianes del pasado
también con fundadores del presente

confieso que a esta niebla a estos azoros
sólo traigo una propuesta insegura
casi diría una gran perplejidad
cómo alzar un país de la ruina a la justicia
desde el desahucio hasta la bienvenida
desde la miseria hasta la plenitud
con el odio como única herramienta
como dura palanca

la conmiseración está vedada
este odio es la inclemencia que buscaron
así que no se quejen si lo encuentran
eterno e implacable
pero el odio está bien si está en su sitio
y su sitio no es el del desquite
el odio está bien si despeja la ruta
si de alguna manera nos permite la hazaña
de liberarnos y de liberar
de interrumpir el miedo
y dar vuelta el azar como una media
pero el odio está mal si nos excede
si puede más que nuestro tranco de hombres

ni una uña más acá de la justicia
ni tampoco una uña más allá
aunque no nos falten ganas de meterles la calva
en el bidón escatológico

y la trompa de eustaquio y las meninges
duramadre aracnoides y piamadre
y los colmillos y la putamadre

ni una uña más allá de la justicia
nuestra ventaja y nuestra desventaja
es que vivos o muertos
jodidos o triunfantes
nos hemos prohibido ser inmundos

y encuentro a otros galeotes
en éstos la alegría es prioritaria
por lo menos su instantánea es de gozo
como si no creyeran el ganado milagro
el reencuentro con su franja de vida
proyectos
proyectos
proyectos
proyectos
y aunque de pronto el rostro se carga de sombras
y algo concurre del pasado y oprime
la alegría vuelve como una pleamar
la alegría vuelve y todo lo inaugura

qué será de nosotros ahora
claro habrá que empezar
desde cero o desde menos cinco
recién salidos del terror alucinógeno
todavía no podemos desempañar el cielo
y hacerlo transparente como una ideología

aún es la hora de la exaltación
del llanto sin esclusas
del corazón borracho
del buen amor que intenta
recuperar su latitud perdida
del augurio y la caja de sorpresas
que es cada rostro sin capucha
pero también cada rostro sin máscara

243

habrá que convencer a las viudas del hombre
que todavía sueñan y despiertan
a los que se quedaron sin hijos y sin rumbo
en un fatal único parpadeo
habrá que convencer a huérfanos de asombro
uno por uno habrá que convencerlos
con una verdad pobre irrefutable
que todos somos deudos de sus muertos

y habrá que esperar que se vayan calmando
los sollozos los gritos las saudades
la pródiga cascada de señales
de vislumbres de atisbos de recobros

para saber qué será de nosotros
habrá que mirarnos cara a cara
y eso será difícil para todos
para los desollados en el cráter
para los calcinados en la ladera
para los que la lava les pasó al ladito
para los que quedaron a salvar la muerte
para los que se fueron obligados y grises

todo es legítimo o es nulo   todo
es según el dolor con que se mira
no hay fórmulas globales que descifren
cómo se integra o desintegra un pueblo

a todos nos desvela algún pasado
nos enciende un presente
nos conmina un futuro

seremos de aquí en más la tribu despareja
por un tiempo asimétrica y descompasada
un poco rengas la voluntad y la delicia
lacónico el coraje cuando no tartamudo
breves la decisión y la melancolía
pobre de proteínas el discurso

nos jugará malas pasadas la memoria
empezaremos a olvidar lo inolvidable
hablaremos a veces de bueyes perdidos
y callaremos los toros encontrados

haremos capote en el letargo de los tímidos
porque jugaremos con sueños marcados
los hastíos empezarán a divertirnos
acaso desmantelemos los manteles
cortaremos en rebanadas la ansiedad
haremos cometas con los pagarés
y así iremos eliminando a los momios
mediante un plan quinquenal del infarto

no sólo somos hombres de transición
también somos fantasmas transitivos
y cuando nuestras sombras empiezan a cantar
hasta los cardenales se santiguan

mi barricada es frágil contra batman
pero batman no existe   la fuente es fidedigna
sin embargo hay angustias infiltradas
hartos prejuicios contra algún prejuicio
y eso no siempre es útil

es bueno hacerse de uno o dos alertas
de ejecución artesanal segura
por ejemplo el dolor no es trinchera es un pozo
del que debe salirse urgentemente
otro ejemplo la alegría no estorba
la amargura sí es torva y además
nos recluye y segrega
una pena que no vale la pena

pero la gloria sí vale la gloria
me refiero a la cálida y modesta
de entrar golosamente en el amor
y de sobrevivirse como pueblo

y no bajomorirse como pueblo
y esto que quede alguna vez escrito
si uno pronuncia libertad o muerte
no es una ecuación apocalíptica
sino un voto feroz contra la muerte

la gloria de sufrir vale la pena
cuando los vientos soplan iracundos gustosos
hacia los arrecifes de la vida

demás está decirlo
conviene no estrellarse

de tanto pueblo y pueblo hecho pedazos
seguro va a nacer un pueblo entero
pero nosotros somos los pedazos

tenemos que encontrarnos
cada uno somos el contiguo de otro
en las junturas quedará la historia
de una buena esperanza remendada

tengo un pálpito nuevo
la unidad
esta vez no se hará a grito pelado
sino de labio adentro como si convocara
en un acierto garrafal flamante
los estados de ánimo
de una mersa gloriosa

para esta hazaña no valdrán retóricas
no hay poxipol ni habrá cabildo abierto
capaces de hermanar los vituperios
señores
la metralla no es rocío

un ibero premártir escribía
vamos uruguay tú tienes más de un pampero

pero también *soy yo con todos los otros todos*
    juntos
tuvo razón ibero que no está
por separado somos un soplido
un soplidito acaso meritorio
ah pero con los otros todos juntos
somos más de un pampero

ahora ya somos una tarde otoño
o tal vez una noche primavera
esto no lo hago adrede
pido excusas
siempre me cuesta un poco
recordar el futuro

a no preguntar más
qué será de nosotros
se acabó la derrota

en un surco cualquiera de la patria confiable
allí donde esparcimos nostalgias germinales
algo empieza a ocurrir está ocurriendo
inevitable pero lentamente

en la calma con gallos lejanísimos
si se alerta el oído se descubre
cómo alumbra o germina
no el país en pedazos que así éramos
sino este pueblo entero que así somos.

POEMAS DE OTROS
(1973-1974)

Para que pueda ser he de ser otro,
salir de mí, buscarme entre los otros,
los otros que no son si yo no existo,
los otros que me dan plena existencia.

OCTAVIO PAZ

TRECE HOMBRES
QUE MIRAN

Mire la calle.
¿Cómo puede usted ser
indiferente a ese gran río
de huesos, a ese gran río
de sueños, a ese gran río
de sangre, a ese gran río?

NICOLÁS GUILLÉN

HOMBRE QUE MIRA EL CIELO

Mientras pasa la estrella fugaz
acopio en este deseo instantáneo
montones de deseos hondos y prioritarios
por ejemplo que el dolor no me apague la rabia
que la alegría no desarme mi amor
que los asesinos del pueblo se traguen
  sus molares caninos e incisivos
  y se muerdan juiciosamente el hígado
que los barrotes de las celdas
  se vuelvan de azúcar o se curven de piedad
  y mis hermanos puedan hacer de nuevo
  el amor y la revolución
que cuando enfrentemos el implacable espejo
  no maldigamos ni nos maldigamos
que los justos avancen
  aunque estén imperfectos y heridos
que avancen porfiados como castores
  solidarios como abejas
  aguerridos como jaguares
  y empuñen todos sus noes
  para instalar la gran afirmación
que la muerte pierda su asquerosa puntualidad
que cuando el corazón se salga del pecho
  pueda encontrar el camino de regreso
que la muerte pierda su asquerosa
  y brutal puntualidad

pero si llega puntual no nos agarre
muertos de vergüenza
que el aire vuelva a ser respirable y de todos
y que vos muchachita sigas alegre y dolorida
poniendo en tus ojos el alma
y tu mano en mi mano

y nada más
porque el cielo ya está de nuevo torvo
y sin estrellas
con helicóptero y sin dios.

HOMBRE QUE MIRA LA TIERRA

Cómo querría otra suerte para esta pobre reseca
que lleva todas las artes y los oficios
en cada uno de sus terrones
y ofrece su matriz reveladora
para las semillas que quizá nunca lleguen

cómo querría que un desborde caudal
viniera a redimirla
y la empapara con su sol en hervor
o sus lunas ondeadas
y la recorriera palmo a palmo
y la entendiera palma a palma

o que descendiera la lluvia inaugurándola
y le dejara cicatrices como zanjones
y un barro oscuro y dulce
con ojos como charcos

o que en su biografía
pobre madre reseca

254

irrumpiera de pronto el pueblo fértil
con azadones y argumentos
y arados y sudor y buenas nuevas
y las semillas de estreno recogieran
el legado de las viejas raíces

cómo querría que se escucharan
su verde gratitud y su orgasmo nutricio
y que el alambrado recogiera sus púas
ya que por fin sería nuestra y una

cómo querría esa suerte de tierra
y que vos muchachita
entre brotes o espigas
o aliento vegetal o abejas mensajeras
te extendieras allí
mirando por primera vez las nubes
y yo tapara lentamente el cielo.

HOMBRE QUE MIRA A TRAVES
DE LA NIEBLA

Me cuesta como nunca
        nombrar los árboles y las ventanas
        y también el futuro y el dolor
el campanario está invisible y mudo
        pero si se expresara
        sus tañidos
        serían de un fantasma melancólico

la esquina pierde su ángulo filoso
nadie diría que la crueldad existe

la sangre mártir es apenas
        una pálida mancha de rencor

cómo cambian las cosas
        en la niebla

los voraces no son
        más que pobres seguros de sí mismos
los sádicos son colmos de ironía
los soberbios son proas
        de algún coraje ajeno
los humildes en cambio no se ven

pero yo sé quién es quién
        detrás de ese telón de incertidumbre
sé dónde está el abismo
        sé dónde no está dios
sé dónde está la muerte
        sé dónde no estás tú

la niebla no es olvido
        sino postergación anticipada

ojalá que la espera
        no desgaste mis sueños
ojalá que la niebla
        no llegue a mis pulmones
y que vos muchachita
        emerjas de ella
como un lindo recuerdo
        que se convierte en rostro

y yo sepa por fin
        que dejas para siempre
        la espesura de ese aire maldito
cuando tus ojos encuentren y celebren
        mi bienvenida que no tiene pausas.

HOMBRE QUE MIRA A UNA MUCHACHA

Para que nunca haya malentendidos
para que nada se interponga
voy a explicarte lo que mi amor convoca

tus ojos que se caen de desconcierto
y otras veces se alzan penetrantes y tibios
tienen tanta importancia que yo mismo me asombro

tus lindas manos mágicas
que te expresan a veces mejor que las palabras
tan importantes son que no oso tocarlas
y si un día las toco es solamente
para retrasmitirte ciertas claves

tu cuerpo pendular
que duda en recibirse o entregarse
y es tan joven que enseña a pesar tuyo
es un dato del cual me faltan datos
y sin embargo ayudo a conocerlo

tus labios puestos en el entusiasmo
que dibuja palabras y promete promesas
son en tu imagen para mí los héroes
y son también el ángel enemigo

en mi amor estás toda o casi toda
me faltan cifras pero las calculo
faltan indicios pero los descubro

sin embargo en mi amor hay otras cosas
por ejemplo los sueños con que muevo la tierra
la pobre lucha que libré y libramos
los buenos odios esos que ennoblecen
el diálogo constante con mi gente
la pregunta punzante que me hicieron
las respuestas veraces que no di

257

en mi amor hay también corajes varios
y un miedo que a menudo los resume
hay hombres como yo que miran tras las reja;
a una muchacha que podrías ser vos

en mi amor hay faena y hay descanso
sencillas recompensas y complejos castigos
hay dos o tres mujeres que forman tu prehisto
y hay muchos años demasiados años
de inventar alegrías y creerlas
después a pie juntillas

querría que en mi amor vieras todo eso
y que vos muchachita
con paciencia y cautela
sin herirme ni herirte
rescataras de allí la luna el río
los emblemas rituales
los proyectos de besos o de adioses
el corazón que aguarda pese a todo.

HOMBRE QUE MIRA EL TECHO

Siempre hay una jornada fuera de serie
en que uno logra sentirse sereno
pero está lejos de ser una canonjía
ya que la serenidad no es el mejor
de los estados posibles e imposibles

hoy por ejemplo tomo distancia
con respecto a las cosas y a mí mismo
y no por eso echo al olvido
qué joda era   qué bueno era
estar adentro del entrevero

después de todo la famosa
serenidad es una isla
autorizada comonó
          y legal
aunque rodeada inexorablemente
por emociones clandestinas

todavía me siento un poco incómodo
en mis primicias de sereno
como quien entra en un traje nuevo
que tiene bajas las hombreras

pero el cuerpo y el alma son
animalitos de costumbres
mañana la incomodidad
será menor y en pocos días
me habré habituado a estar sereno

eso me llena a veces de alegría
es claro que se trata de una alegría serena
y en consecuencia uno no sale a dar abrazos
ni pega gritos ni le canta al cielo
a lo sumo archiva caricias y otros prólogos
por estricto orden cronológico

también llega a invadirme el desconsuelo
pero se trata de un sereno desconsuelo
y por lo tanto nadie solloza
ni dice mierda
ni putea

sencillamente
como un modesto mago
de rojo circo de domingo
               o de feria
tomo los naipes del amor
los barajo con parsimonia
y en las narices del viejo público

que es como hacerlo en mis narices
mágicamente los transformo
en nuevos naipes de amistad

lo único extraño viene a la noche
pues se presume que un sereno
ha de dormir serenamente
pero yo paso horas y horas
mirando el techo

o sea que
no sé hasta cuando estaré sereno
porque la calma ya no da abasto

hay que confiar y yo confío
no hay mal que dure
                        cien años.

HOMBRE QUE MIRA SIN SUS ANTEOJOS

En este instante el mundo es apenas
        un vitral confuso
los colores se invaden unos a otros
y las fronteras entre cosa y cosa
        entre tierra y cielo
        entre árbol y pájaro
están deshilachadas e indecisas

el futuro es así un caleidoscopio de dudas
y al menor movimiento el lindo pronóstico
        se vuelve mal agüero
los verdugos se agrandan hasta parecer
        invencibles y sólidos
y para mí que no soy lázaro
        la derrota oprime como un sudario

260

las buenas mujeres de esta vida
    se yuxtaponen se solapan se entremezclan
la que apostó su corazón a quererme
    con una fidelidad abrumadora
la que me marcó a fuego
    en la cavernamparo de su sexo
la que fue cómplice de mi silencio
    y comprendía como los ángeles
la que imprevistamente me dio una mano
    en la sombra y después la otra mano
la que me rindió con un solo argumento de sus ojos
    pero se replegó sincera en la amistad
la que descubrió en mí lo mejor de mí mismo
    y linda y tierna y buena amó mi amor

los paisajes y las esquinas
los horizontes y las catedrales
    que fui coleccionando
    a través de los años y los engaños
se confunden en una guía de turismo presuntuoso
de fábula a narrar a los amigos
y en ese delirio de vanidades y nostalgias
es difícil saber qué es monasterio y qué blasfemia
    qué es van gogh y qué arenques ahumados
    qué es mosaico y qué agua sucia veneciana
    qué es aconcagua y qué es callampa

también los prójimos se arraciman
    crápulas y benditos
    santos e indiferentes y traidores
e inscriben en mi infancia personal
tantas frustraciones y rencores
que no puedo distinguir claramente
    la luna del río
    ni la paja del grano

pero llega el momento en que uno recupera
    al fin sus anteojos

y de inmediato el mundo adquiere
      una tolerable nitidez

el futuro luce entonces arduo
      pero también radiante

los verdugos se empequeñecen hasta
      recuperar su condición de cucarachas
de todas las mujeres una de ellas
      da un paso al frente
      y se desprende de las otras
      que sin embargo no se esfuman
de las ciudades viajadas surgen
      con fervor y claridad
      cuatro o cinco rostros decisivos
      que casi nunca son grandilocuentes

cierta niña jugando con su perro
      en una calle desierta de ginebra
un sabio negro de alabama que explicaba
      por qué su piel era absolutamente blanca
ella fitzgerald cantando
      ante una platea casi vacía
      en un teatro malamuerte de florencia

y el guajiro de oriente
      que dijo tener un portocarrero
      y era una lata de galletitas
      diseñada por el pintor

del racimo de prójimos puedo extraer
      sin dificultades
una larga noche paterna una postrera charla
      síntesis de vida
      con la muerte rondando en el pasillo
el veterano que trasmitía
      sin egoísmo y sin fruición
      algunas de sus claves de sensible

el compañero que pensó largamente en la celda
    y sufrió largamente en el cepo
    y no delató a nadie
el hombre político que en un acto
    de incalculable amor
    dijo a un millón de pueblo la culpa es mía
    y el pueblo empezó a susurrar fidel fidel
    y el susurro se convirtió en ola clamorosa
    que lo abrazó y lo sigue abrazando todavía
la gente   la pura gente
    la cojonuda gente a la orientala
    que en la avenida gritó   tiranos temblad
    hasta que llegó al mismísimo
    temblor del tirano
y la muchacha y el muchacho desconocidos
    que se desprendieron un poco de sí mismos
    para tender sus manos y decirme
    adelante y valor

decididamente
no voy a perder más mis anteojos

por un imperdonable desenfoque
puede uno cometer gravísimos errores.

HOMBRE QUE MIRA MAS ALLA
DE SUS NARICES

Hoy me despierto tosco y solitario
no tengo a nadie para dar mis quejas
nadie a quien echar mis culpas de quietud

sé que hoy me van a cerrar todas las puertas
que no llegará cierta carta que espero
que habrá malas noticias en los diarios
que la que quiero no pensará en mí

y lo que es muchísimo peor
que pensarán en mí los coroneles
que el mundo será un oscuro
       paquete de angustias
que muchos otros   aquí o en cualquier parte
       se sentirán también toscos y solos
que el cielo se derrumbará
       como un techo podrido
y hasta mi sombra
       se burlará de mis confianzas

menos mal
que me conozco

menos mal que mañana
o a más tardar pasado
sé que despertaré alegre y solidario
con mi culpita bien lavada y planchada
y no sólo se me abrirán las puertas
       sino también las ventanas y las vidas
y la carta que espero llegará
       y la leeré seis o siete veces
y las malas noticias de los diarios
       no alcanzarán a cubrir las buenas nuevas
y la que quiero
       pensará en mí hasta conmoverse
y lo que es muchísimo mejor
       los coroneles me echarán al olvido
y no sólo yo   muchos otros también
       se sentirán solidarios y alegres
y a nadie le importará
       que el cielo se derrumbe
       y más de uno dirá que ya era hora
y mi sombra empezará a mirarme con respeto

será buena
tan buena la jornada
que desde ya
mi soledad se espanta.

HOMBRE QUE MIRA UN ROSTRO
EN UN ALBUM

Hacía mucho que no encontraba a esta mujer
de la que conozco detalladamente el cuerpo
y creía conocer aproximadamente el alma

pasado no es presente
eso está claro
pero de cualquier manera hay conmemoraciones
que es bueno revivir

donde hubo fuego
caricias quedan

de pronto ella emerge del susurro evocante
y en voz alta sostiene
que los obreros entienden muy poco
que el pueblo en el fondo es más bien cobarde
que los jóvenes no van a cambiar el mundo
que la violencia bah
que la violencia ufa
que el confort lo alcanza quien lo busca

sólo entonces lo advierto
no me importa que hable en voz alta
mejor dicho no quiero que regrese al susurro

es apenas un rostro en un álbum
y ahora es fácil
                    dar vuelta la hoja.

HOMBRE QUE MIRA LA LUNA

Es decir la miraba   porque ella
se ocultó tras el biombo de nubes

y todo porque muchos amantes de este mundo
le dieron sutilmente el olivo

con su brillo reticente la luna
durante siglos consiguió transformar
el vientre amor en garufa cursilínea
la injusticia terrestre en dolor lapizlázuli

cuando los amantes ricos la miraban
desde sus tedios y sus pabellones
satelizaba de lo lindo y oía
que la luna era un fenómeno cultural

pero si los amantes pobres la contemplaban
desde su ansiedad o desde sus hambrunas
entonces la menguante entornaba los ojos
porque tanta miseria no era para ella

hasta que una noche casualmente de luna
con murciélagos suaves   con fantasmas y todo
esos amantes pobres se miraron y a dúo
dijeron   no va más   al carajo selene

se fueron a su cama de sábanas gastadas
con acre olor a sexo deslunado
su camanido de crujiente vaivén

y libres para siempre de la luna lunática
fornicaron al fin como dios manda
o mejor dicho como dios sugiere.

HOMBRE QUE MIRA AL TIRA
QUE LO SIGUE

Well, old spy
looks like I
led you down some pretty
blind alleys.

RAY DUREM

Señor molusco   caballero lapa
ya sabés en qué malos pasos ando
conocés mis esquinas y mis fobias
mis bares mis amores mi bufanda

conocés las puteadas que rezo despacito
cuando pasan los verdes apuntando
conocés cómo escupo al cielo ajeno
cuando me hace sombra el helicóptero

conocés bien a qué mujeres miro
y vos también mirás   degenerado
es el único acuerdo entre nosotros
y dura lo que un lirio   o una ráfaga

conocés qué porfiada dulzura me atraganta
cuando caen los mejores   los más tiernos
los que podrían levantar de poco a poco
la feroz inocencia que nos salve

conocés que conozco que hay algunos
que cayeron por vos hijo de puta
quiero decir molusco   pobre lapa
ya ves que andás en pasos mucho peores

conocés a qué juego y a qué apuesto
sabés que apuesto a que desaparezcas
no el fulano que sos sino el mohoso
herrumbrado tornillo de cadalso

267

me seguís por mis calles por mis tangos
por mis lluvias y mis noches de arena
vigilás mis gaviotas y mi cédula
mi casilla postal y mi resfrío

conocés mis abrazos y mis postres
mi bigote mi vino mi teléfono
mi libretita con las direcciones
mi mujer mi paraguas mis bolsillos

es decir me sabés todo de afuera
todo de superficie   de exteriores
delatarás mi sombra y mi pellejo
y eso no alcanza para hacer la ficha

donde no podés ver   donde no llegan
tus antenas   en la aurícula izquierda
tengo mi berretín inexpugnable
a pruebas de derrotas y de olvido

allí el destino o no sé quién carajo
armó el amor y almacenó los odios
pero es ahí donde perdés la pista
es ahí donde vamos a joderte

señor molusco   caballero lapa.

HOMBRE PRESO QUE MIRA A SU HIJO

al «viejo» hache

Cuando era como vos me enseñaron los viejos
y también las maestras bondadosas y miopes
que libertad o muerte era una redundancia
a quién se le ocurría en un país
donde los presidentes andaban sin capangas

268

que la patria o la tumba era otro pleonasmo
ya que la patria funcionaba bien
en las canchas y en los pastoreos

realmente botija no sabían un corno
pobrecitos creían que libertad
era tan sólo una palabra aguda
que muerte era tan sólo grave o llana
y cárceles por suerte una palabra esdrújula

olvidaban poner el acento en el hombre

la culpa no era exactamente de ellos
sino de otros más duros y siniestros
y éstos sí
cómo nos ensartaron
en la limpia república verbal
cómo idealizaron
la vidurria de vacas y estancieros

y cómo nos vendieron un ejército
que tomaba su mate en los cuarteles

uno no siempre hace lo que quiere
uno no siempre puede
por eso estoy aquí
mirándote y echándote
                    de menos

por eso es que no puedo despeinarte el jopo
ni ayudarte con la tabla del nueve
ni acribillarte a pelotazos

vos ya sabés que tuve que elegir otros juegos
y que los jugué en serio

y jugué por ejemplo a los ladrones
y los ladrones eran policías

y jugué por ejemplo a la escondida
y si te descubrían te mataban
y jugué a la mancha
y era de sangre

botija aunque tengas pocos años
creo que hay que decirte la verdad
para que no la olvides

por eso no te oculto que me dieron picana
que casi me revientan los riñones

todas estas llagas hinchazones y heridas
que tus ojos redondos
miran hipnotizados
son durísimos golpes
son botas en la cara
demasiado dolor para que te lo oculte
demasiado suplicio para que se me borre

pero también es bueno que conozcas
que tu viejo calló
o puteó como un loco
que es una linda forma de callar

que tu viejo olvidó todos los números
(por eso no podría ayudarte en las tablas)
y por lo tanto todos los teléfonos

y las calles y el color de los ojos
y los cabellos y las cicatrices
y en qué esquina
en qué bar
qué parada
qué casa

y acordarse de vos
de tu carita
lo ayudaba a callar

una cosa es morirse de dolor
y otra cosa morirse de vergüenza

por eso ahora
me podés preguntar
y sobre todo
puedo yo responder

uno no siempre hace lo que quiere
pero tiene el derecho de no hacer
lo que no quiere

llorá nomás botija
                        son macanas
que los hombres no lloran
aquí lloramos todos

gritamos berreamos moqueamos chillamos
        maldecimos
porque es mejor llorar que traicionar
porque es mejor llorar que traicionarse

llorá
        pero no olvides.

HOMBRE QUE MIRA SU PAIS DESDE
EL EXILIO

a fleur

País verde y herido
    comarquita de veras
        patria pobre

país ronco y vacío
    tumba muchacha
        sangre sobre sangre

271

país lejos y cerca
ocasión del verdugo
los mejores al cepo

país violín en bolsa
o silencio hospital
o pobre artigas

país estremecido
puño y letra
calabozo y praderas

país ya te armarás
pedazo por pedazo
pueblo mi pueblo

país que no te tengo
vida y muerte
cómo te necesito

país verde y herido
comarquita de veras
patria pobre.

HOMBRE QUE MIRA A OTRO HOMBRE QUE MIRA

Vos también estás asombrado
no querés admitir la salvación por el infierno
o acaso no podés creer que haya
cualesquiera hijos de vecino
que metan la vida prójima en el cepo

que un tipo pueda respirar
y buscar el amor

y faenar el tiempo
y besar a sus hijos
y decir oraciones
y hasta cantar bajito
después de haberse traicionado
corrompido
          enmerdado
metiendo la vida prójima en el cepo

vos
como yo
estás asombrado

en realidad no hay fogata para ese humo
ni siquiera hay sed para ese cántaro
tal vez no haya pájaros para ese viento
para ese inmune no haya después

las venganzas yacen calmas y feroces
la paciencia se arruga de tanta espera
vos te preguntás dónde está la cosecha
y sin embargo tu estupor intacto
demuestra por lo pronto que algo cosechaste

vos mirás como inmóvil y te miro mirar
somos dos conjeturas incómodas fraternas
no entendemos un pito de esta infame justicia
de esa fábrica de odios que propone el olvido

a lo mejor te vino la infancia en un destello
sentiste la sesera   esa insensible
pensaste el corazón   ese impensable
pero ni así te acostumbraste a esa saña piadosa
a esa masacre tan emputecida
así que no aflojaste ni un suspiro
y te seguiste asombrando te seguiste

yo te miro mirar como inmóvil
pero claro la cosa no se arregla

con miradas
                    ojeadas
                              o vistazos

qué tal si nos arremangamos vos y yo.

LOS PERSONAJES

MARTIN SANTOME

i

TODO LO CONTRARIO

Colecciono pronósticos
anuncios y matices
y signos
        y sospechas
                y señales

imagino proyectos de promesas
quisiera no perderme
un solo indicio

ayer
sin ir más lejos
ese ayer que empezó siendo aciago
se convirtió en buen día
a las nueve y catorce
cuando vos
inocente
dijiste así al pasar
que no hallabas factible
la pareja
la pareja de amor
naturalmente

no vacilé un segundo
me aferré a ese dictamen

porque vos y yo somos
                              la despareja.

ii

TACTICA Y ESTRATEGIA

Mi táctica es
                    mirarte
aprender como sos
quererte como sos

mi táctica es
                    hablarte
y escucharte
construir con palabras
un puente indestructible

mi táctica es
quedarme en tu recuerdo
no sé cómo   ni sé
con qué pretexto
pero quedarme en vos

mi táctica es
                    ser franco
y saber que sos franca
y que no nos vendamos
simulacros
para que entre los dos
no haya telón
                    ni abismos

mi estrategia es

278

en cambio
más profunda y más
                    simple
mi estrategia es
que un día cualquiera
no sé cómo   ni sé
con qué pretexto
por fin   me necesites.

iii

TODO VERDOR

Todo verdor perecerá
dijo la voz de la escritura
como siempre
                    implacable

pero también es cierto
que cualquier verdor nuevo
no podría existir
si no hubiera cumplido su ciclo
el verdor perecido

de ahí que nuestro verdor
esa conjunción un poco extraña
de tu primavera
                    y de mi otoño
seguramente repercute en otros
enseña a otros
ayuda a que otros
rescaten su verdor

por eso
aunque las escrituras
no lo digan
todo verdor
                    renacerá.

iv

VICEVERSA

Tengo miedo de verte
necesidad de verte
esperanza de verte
desazones de verte

tengo ganas de hallarte
preocupación de hallarte
certidumbre de hallarte
pobres dudas de hallarte

tengo urgencia de oírte
alegría de oírte
buena suerte de oírte
y temores de oírte

o sea
resumiendo
estoy jodido
    y radiante
quizá más lo primero
que lo segundo
y también
    viceversa.

v

MUCHO MAS GRAVE

Todas las parcelas de mi vida tienen algo tuyo
y eso en verdad no es nada extraordinario
vos lo sabés tan objetivamente como yo

sin embargo hay algo que quisiera aclararte
cuando digo todas las parcelas

no me refiero sólo a esto de ahora
a esto de esperarte y aleluya encontrarte
        y carajo perderte
        y volverte a encontrar
        y ojalá nada más

no me refiero sólo a que de pronto digas
        voy a llorar
y yo con un discreto nudo en la garganta
        bueno llorá
y que un lindo aguacero invisible nos ampare
y quizá por eso salga enseguida el sol

ni me refiero sólo a que día tras día
aumente el stock de nuestras pequeñas
        y decisivas complicidades
o que yo pueda   o creerme que puedo
        convertir mis reveses en victorias
o me hagas el tierno regalo
        de tu más reciente desesperación

no
la cosa es muchísimo más grave

cuando digo todas las parcelas
quiero decir que además de ese dulce cataclismo
también estás reescribiendo mi infancia
esa edad en que uno dice cosas adultas y solemnes
y los solemnes adultos las celebran
y vos en cambio sabés que eso no sirve
quiero decir que estás rearmando mi adolescencia
ese tiempo en que fui un viejo cargado de recelos
y vos sabés en cambio extraer de ese páramo
mi germen de alegría   y regarlo mirándolo

quiero decir que estás sacudiendo mi juventud
ese cántaro que nadie tomó nunca en sus manos
esa sombra que nadie arrimó a su sombra
y vos en cambio sabés estremecerla

hasta que empiecen a caer las hojas secas
y quede la armazón de mi verdad sin proezas

quiero decir que estás abrazando mi madurez
esta mezcla de estupor y experiencia
este extraño confín de angustia y nieve
esta bujía que ilumina la muerte
este precipicio de la pobre vida

como ves es más grave
muchísimo más grave
porque con éstas o con otras palabras
quiero decir que no sos   tan sólo
la querida muchacha que sos
sino también las espléndidas
        o cautelosas mujeres
        que quise o quiero

porque gracias a vos he descubierto
(dirás que ya era hora
                        y con razón)
que el amor es una bahía linda y generosa
que se ilumina y se oscurece
        según venga la vida

una bahía donde los barcos
        llegan y se van

llegan con pájaros y augurios
y se van con sirenas y nubarrones
una bahía linda y generosa
donde los barcos llegan
                        y se van
pero vos
por favor
        no te vayas.

LAURA AVELLANEDA

ULTIMA NOCION DE LAURA

a ana maría picchio

Usted martín santomé no sabe
cómo querría tener yo ahora
todo el tiempo del mundo para quererlo
pero no voy a convocarlo junto a mí
ya que aun en el caso de que no estuviera
todavía   muriéndome
entonces moriría
sólo de aproximarme a su tristeza

usted martín santomé no sabe
cuánto he luchado por seguir viviendo
cómo he querido vivir para vivirlo
pero debo ser floja incitadora de vida
porque me estoy muriendo   santomé

usted claro no sabe
ya que nunca lo he dicho
ni siquiera
esas noches en que usted me descubre
con sus manos incrédulas y libres
usted no sabe cómo yo valoro
su sencillo coraje de quererme

usted martín santomé no sabe
      y sé que no lo sabe
      porque he visto sus ojos
      despejando
      la incógnita del miedo

no sabe que no es viejo
que no podría serlo
en todo caso allá usted con sus años
yo estoy segura de quererlo así

283

usted martín santomé no sabe
qué bien qué lindo dice
                                avellaneda
de algún modo ha inventado
mi nombre con su amor

usted es la respuesta que yo esperaba
a una pregunta que nunca he formulado
usted es mi hombre
        y yo la que abandono
usted es mi hombre
        y yo la que flaqueo

usted martín santomé no sabe
al menos no lo sabe en esta espera
qué triste es ver cerrarse la alegría
sin previo aviso
                        de un brutal portazo

es raro
pero siento
                que me voy alejando
de usted y de mí
que estábamos tan cerca
de mí y de usted

quizá porque vivir es eso
es estar cerca
y yo me estoy muriendo
                                santomé
no sabe usted
qué oscura
                qué lejos
                        qué callada

usted
martín
martín cómo era

los nombres se me caen
yo misma estoy cayendo

usted de todos modos
no sabe ni imagina
qué sola va a quedar
mi muerte
sin
su
vi
da.

RAMON BUDIÑO

i

PAUSA

De vez en cuando hay que hacer
    una pausa

contemplarse a sí mismo
    sin la fruición cotidiana

examinar el pasado
    rubro por rubro
    etapa por etapa
    baldosa por baldosa

y no llorarse las mentiras
sino cantarse las verdades.

LA CULPA ES DE UNO

Quizá fue una hecatombe de esperanzas
un derrumbe de algún modo previsto
ah pero mi tristeza sólo tuvo un sentido

todas mis intuiciones se asomaron
para verme sufrir
y por cierto me vieron

hasta aquí había hecho y rehecho
        mis trayectos contigo
hasta aquí había apostado
a inventar la verdad
pero vos encontraste la manera
        una manera tierna
        y a la vez implacable
        de desahuciar mi amor

con un solo pronóstico lo quitaste
        de los suburbios de tu vida posible
lo envolviste en nostalgias
lo cargaste por cuadras y cuadras
y despacito
sin que el aire nocturno lo advirtiera
ahí nomás lo dejaste
a solas con su suerte
        que no es mucha

creo que tenés razón
la culpa es de uno cuando no enamora
        y no de los pretextos
        ni del tiempo

hace mucho   muchísimo
que yo no me enfrentaba
como anoche al espejo

y fue implacable como vos
        mas no fue tierno

ahora estoy solo
francamente
                solo

siempre cuesta un poquito
empezar a sentirse desgraciado

antes de regresar
a mis lóbregos cuarteles de invierno

con los ojos bien secos
por si acaso

miro como te vas adentrando en la niebla
y empiezo a recordarte.

DE OTROS DILUVIOS

D'altri diluvi una colomba ascolto
GIUSEPPE UNGARETTI

CREDO

De pronto uno se aleja
        de las imágenes queridas
amiga
quedás frágil en el horizonte
te he dejado pensando en muchas cosas
pero ojalá pienses un poco en mí

vos sabés
en esta excursión a la muerte
        que es la vida
me siento bien acompañado
me siento casi con respuestas
cuando puedo imaginar que allá lejos
quizá creas en mi credo antes de dormirte
o te cruces conmigo en los pasillos del sueño

está demás decirte que a esta altura
no creo en predicadores ni en generales
ni en las nalgas de miss universo
ni en el arrepentimiento de los verdugos
ni en el catecismo del confort
ni en el flaco perdón de dios

a esta altura del partido
creo en los ojos y las manos del pueblo
en general
y en tus ojos y tus manos
en particular.

VAYA UNO A SABER

Amiga
la calle de sol tempranero
    se transforma de pronto
    en atajo bordeado de muros vegetales
el rascacielos da la visión despiadada
    de un acantilado de poder
los colectivos pasan raudos
    como benignos rinocerontes
y en un remoto bastidor de cielo
    las nubes son sencillamente nubes

la muchacha cargada de paquetes
    es una hormiga demasiado obvia
    y en consecuencia la descarto
pero el lisiado de noble rostro
    ése sí avanza como un cangrejo
la monjita joven de mejillas ardientes
    crece como un hongo sin permiso
el hollín va siendo lentamente rocío
y el olor a petróleo se convierte en jazmín

y todo eso por qué
sencillamente porque
en la primera línea
pensé en vos
            amiga.

LOVERS GO HOME

Ahora que empecé el día
volviendo a tu mirada
y me encontraste bien
y te encontré más linda
ahora que por fin

está bastante claro
dónde estás y dónde
                    estoy

sé por primera vez
que tendré fuerzas
para construir contigo
una amistad tan piola
que del vecino
territorio del amor
ese desesperado
empezarán a mirarnos
con envidia
y acabarán organizando
excursiones
para venir a preguntarnos
cómo hicimos.

COMO SIEMPRE

Aunque hoy cumplas
        trescientos treinta y seis meses
la matusalénica edad no se te nota cuando
en el instante en que vencen los crueles
entrás a averiguar la alegría del mundo
y mucho menos todavía se te nota
cuando volás gaviotamente sobre las fobias
o desarbolás los nudosos rencores

buena edad para cambiar estatutos y horóscopos
para que tu manantial mane amor sin miseria
para que te enfrentes al espejo que exige
y pienses que estás linda
                    y estés linda

293

casi no vale la pena desearte júbilos
       y lealtades
ya que te van a rodear como ángeles o veleros

es obvio y comprensible
         que las manzanas y los jazmines
y los cuidadores de autos y los ciclistas
y las hijas de los villeros
y los cachorros extraviados
y los bichitos de san antonio
y las cajas de fósforo
te consideren una de los suyos

de modo que desearte un feliz cumpleaños
podría ser injusto con tus felices
                              cumpledías

acordate de esta ley de tu vida

si hace algún tiempo fuiste desgraciada
eso también ayuda a que hoy se afirme
tu bienaventuranza

de todos modos para vos no es novedad
que el mundo
                y yo
                      te queremos de veras

pero yo siempre un poquito más que el mundo.

BIENVENIDA

Se me ocurre que vas a llegar distinta
no exactamente más linda

294

ni más fuerte
        ni más dócil
                ni más cauta
tan sólo que vas a llegar distinta
como si esta temporada de no verme
te hubiera sorprendido a vos también
quizá porque sabés
cómo te pienso y te enumero

después de todo la nostalgia existe
aunque no lloremos en los andenes fantasmales
ni sobre las almohadas de candor
ni bajo el cielo opaco

yo nostalgio
tú nostalgias
y cómo me revienta que él nostalgie

tu rostro es la vanguardia
tal vez llega primero
porque lo pinto en las paredes
con trazos invisibles y seguros

no olvides que tu rostro
me mira como pueblo
sonríe y rabia y canta
como pueblo
y eso te da una lumbre
                inapagable

ahora no tengo dudas
vas a llegar distinta y con señales
con nuevas
        con hondura
                con franqueza

sé que voy a quererte   sin preguntas
sé que vas a quererme   sin respuestas.

LOS FORMALES Y EL FRIO

Quién iba a prever que el amor   ese informal
se dedicara a ellos   tan formales

mientras almorzaban por primera vez
ella muy lenta y él no tanto
y hablaban con sospechosa objetividad
de grandes temas en dos volúmenes
su sonrisa   la de ella
era como un augurio o una fábula
su mirada   la de él   tomaba nota
de cómo eran sus ojos   los de ella
pero sus palabras   las de él
no se enteraban de esa dulce encuesta

como siempre   o como casi siempre
la política condujo a la cultura
así que por la noche concurrieron al teatro
sin tocarse una uña o un ojal
ni siquiera una hebilla o una manga
y como a la salida hacía bastante frío
y ella no tenía medias
sólo sandalias por las que asomaban
unos dedos muy blancos e indefensos
fue preciso meterse en un boliche

y ya que el mozo demoraba tanto
ellos optaron por la confidencia
extra seca y sin hielo por favor

cuando llegaron a su casa   la de ella
ya el frío estaba en sus labios   los de él
de modo que ella   fábula y augurio
le dio refugio y café instantáneos

una hora apenas de biografía y nostalgias
hasta que al fin sobrevino un silencio

como se sabe en estos casos es bravo
decir algo que realmente no sobre

él probó   sólo falta que me quede a dormir
y ella probó   por qué no te quedás
y él   no me lo digas dos veces
y ella   bueno por qué no te quedás

de manera que él se quedó   en principio
a besar sin usura sus pies fríos   los de ella
después ella besó sus labios   los de él
que a esa altura ya no estaban tan fríos
y sucesivamente así
                        mientras los grandes temas
dormían el sueño que ellos no durmieron.

LA OTRA COPA DEL BRINDIS

Al principio ella fue una serena conflagración
un rostro que no fingía ni siquiera su belleza
unas manos que de a poco inventaban un lenguaje
una piel memorable y convicta
una mirada limpia   sin traiciones
una voz que caldeaba la risa
unos labios nupciales
un brindis

es increíble pero a pesar de todo
él tuvo tiempo para decirse
qué sencillo   y también
no importa que el futuro
        sea una oscura maleza

la manera tan poco suntuaria
que escogieron sus mutuas tentaciones

fue un estupor alegre
sin culpa ni disculpa

él se sintió optimista
                              nutrido
                                        renovado
tan lejos del sollozo y la nostalgia
tan cómodo en su sangre y en la de ella
tan vivo sobre el vértice de musgo
tan hallado en la espera
que después del amor salió a la noche
sin luna y no importaba
sin gente y no importaba
sin dios y no importaba
a desmontar la anécdota
a comprender la euforia
a recoger su parte del botín

mas su mitad de amor
                              se negó a ser mitad
y de pronto él sintió
que sin ella sus brazos estaban tan vacíos
que sin ella sus ojos no tenían qué mirar
que sin ella su cuerpo de ningún modo era
        la otra copa del brindis

y de nuevo se dijo
qué sencillo
                    pero ahora
lamentó que el futuro fuera oscura maleza

sólo entonces pensó en ella
                                        eligiéndola
y sin dolor   sin desesperaciones
sin angustia y sin miedo
dócilmente empezó
                              como otras noches
                                        a necesitarla.

APENAS Y A PENAS

Pensó
      ojalá que no
pero esta vez acaso sea la última

con el deseo más tierno que otras noches
tentó las piernas de la mujer nueva
      que afortunadamente no eran de carrara
posó toda su palma sobre la hierbabuena
      y sintió que su mano agradecía
viajó moroso y sabio por el vientre
      se conmovió con valles y colinas
se demoró en el flanco y su hondonada
      que siempre era su premio bienvenido
anduvo por los pechos eligiendo al azar
      y allí se quedó un rato descifrando
con el pulgar y el índice reconoció los labios
      que afortunadamente no eran de coral
y deslizó una mano por debajo del cuello
      que afortunadamente no era de alabastro

pensó
      ojalá que no
pero puede ser la última

y si después de todo
es la última vez

entonces cómo   cómo haré mañana
de dónde sacaré la fuerza y el olvido
para tomar distancia de esta orografía
de esta comarca en paz
de esta patria ganada
              apenas y a penas
              a tiempo y a dulzura
              a ráfagas de amor.

CUERPO DOCENTE

Bien sabía él que la iba a echar de menos
pero no hasta qué punto iba a sentirse deshabitado
no ya como un veterano de la nostalgia
sino como un mero aprendiz de la soledad

es claro que la civilizada preventiva cordura
todo lo entiende y sabe que un holocausto
puede ser ardua pero real prueba de amor
si no hay permiso para lo imposible

en cambio al cuerpo
como no es razonable sino delirante
al pobrecito cuerpo
que no es circunspecto sino imprudente
no le van ni le vienen esos vaivenes
no le importa lo meritorio de su tristeza
sino sencillamente su tristeza

al despoblado desértico desvalido cuerpo
le importa el cuerpo ausente   o sea le importa
el despoblado desértico desvalido cuerpo ausente
y si bien el recuerdo enumera con fidelidad
los datos más recientes o más nobles
no por eso los suple o los reemplaza
más bien le nutre el desconsuelo

bien sabía él que la iba a echar de menos
lo que no sabía era hasta qué punto
su propio cuerpo iba a renegar de la cordura

y sin embargo cuando fue capaz
de entender esa dulce blasfemia
supo también que su cuerpo era
su único y genuino portavoz.

SOLEDADES

Ellos tienen razón
esa felicidad
al menos con mayúscula
                          no existe
ah pero si existiera con minúscula
sería semejante a nuestra breve
                          presoledad

después de la alegría viene la soledad
después de la plenitud viene la soledad
después del amor viene la soledad

ya sé que es una pobre deformación
pero lo cierto es que en ese durable minuto
uno se siente
                  solo en el mundo
sin asideros
sin pretextos
sin abrazos
sin rencores
sin las cosas que unen o separan

y en esa sola manera de estar solo
ni siquiera uno se apiada de uno mismo

los datos objetivos son como sigue

hay diez centímetros de silencio
        entre tus manos y mis manos
una frontera de palabras no dichas
        entre tus labios y mis labios
y algo que brilla así de triste
        entre tus ojos y mis ojos

claro que la soledad no viene sola

si se mira por sobre el hombro mustio

de nuestras soledades
se verá un largo y compacto imposible
un sencillo respeto por terceros o cuartos
ese percance de ser buenagente

después de la alegría
después de la plenitud
después del amor
                    viene la soledad

conforme
          pero
qué vendrá después
de la soledad

a veces no me siento
                    tan solo
si imagino
mejor dicho si sé
que más allá de mi soledad
                    y de la tuya
otra vez estás vos
aunque sea preguntándote a solas
qué vendrá después
          de la soledad.

PERRO CONVALECIENTE

Estaba a duras penas comprendiendo
y me encontré en la calle como perdido
los gritos y bocinas se colaban
insolentes en mi áspera congoja

palpé las cicatrices que dejó tu mirada
ignoraba si era azul o castaño o verdosa
pero la sabía fatalmente buena

de algún modo notaba que aún estaba vivo
que no había sucumbido a una endémica angustia
así que empezaron de nuevo a funcionar
mis articulaciones y mis candores

fue sólo entonces que olfateé el mundo
como un perro convaleciente
y sentí que a ese aire concurrían
rostros y móviles y sombras y manos
que aquí y allá empezaban a sonar
rebeldías como vientos armándose
y también que muchísimas piernas se apoyaban
sobre las muertes y los sacrificios
y empezaban a andar y caminábamos

y aunque estaba en la calle como perdido
perro convaleciente que lame sus heridas
de pronto supe que tu ausencia y yo
estábamos rodeados por un abrazo prójimo
y sin pensarlo dos veces me fui
con tu ausencia y con ellos
a faenar desconsuelos
a bregar otra vez por el hombre.

FUNDACION DEL RECUERDO

No es exactamente como fundar una ciudad
sino más bien como fundar una dinastía

el recuerdo tiene manos nubes estribillos
calles y labios   árboles y pasos
no se planifica con paz ni compás
sino con una sarta de esperanzas y delirios

un recuerdo bien fundado
un recuerdo con cimientos de solo

que con todo su asombro busca el amor
y lo encuentra de a ratos o de a lustros
puede durar un rumbo   o por lo menos
volver algunas noches a cavar su dulzura

en realidad no es como fundar una dinastía
sino más bien como fundar un estilo

un recuerdo puede tener mejillas
      y canciones y bálsamos
ser una fantasía que de pronto
      se vuelve vientre o pueblo
quizá una lluvia verde
      tras la ventana compartida
o una plaza de sol
      con puños en el aire

un recuerdo sólidamente fundado
fatalmente se acaba si no se lo renueva
es decir es tan frágil que dura para siempre
porque al cumplirse el plazo lo rescatan
los viejos reflectores del insomnio

bueno tampoco es como fundar un estilo
sino más bien como fundar una doctrina

un recuerdo amorosamente fundado
nos limpia los pulmones   nos aviva la sangre
nos sacude el otoño   nos renueva la piel
y a veces convoca lo mejor que tenemos
el trocito de hazaña que nos toca cumplir

y es claro un recuerdo puede ser un escándalo
que a veces nos recorre como un sol de franqueza
como un alud de savia   como un poco de magia
como una palma de todos los días
que de repente se transforma en única

pensándolo mejor
quizá no sea como fundar una doctrina
sino más bien como fundar un sueño.

CANCIONES DE AMOR
Y DESAMOR

ESTADOS DE ANIMO

A veces me siento
como un águila en el aire

(de una canción de PABLO MILANÉS)

Unas veces me siento
como pobre colina
y otras como montaña
de cumbres repetidas

unas veces me siento
como un acantilado
y en otras como un cielo
azul pero lejano

a veces uno es
manantial entre rocas
y otras veces un árbol
con las últimas hojas

pero hoy me siento apenas
como laguna insomne
con un embarcadero
ya sin embarcaciones

una laguna verde
inmóvil y paciente

conforme con sus algas
sus musgos y sus peces

sereno en mi confianza
confiado en que una tarde
te acerques y te mires
te mires al mirarme.

CHAU NUMERO TRES

Te dejo con tu vida
tu trabajo
tu gente
con tus puestas de sol
y tus amaneceres

sembrando tu confianza
te dejo junto al mundo
derrotando imposibles
segura sin seguro

te dejo frente al mar
descifrándote a solas
sin mi pregunta a ciegas
sin mi respuesta rota

te dejo sin mis dudas
pobres y malheridas
sin mis inmadureces
sin mi veteranía

pero tampoco creas
a pie juntillas todo
no creas nunca creas
este falso abandono

estaré donde menos
lo esperes
por ejemplo
en un árbol añoso
de oscuros cabeceos

estaré en un lejano
horizonte sin horas
en la huella del tacto
en tu sombra y mi sombra

estaré repartido
en cuatro o cinco pibes
de esos que vos mirás
y enseguida te siguen

y ojalá pueda estar
de tu sueño en la red
esperando tus ojos
y mirandoté.

HAGAMOS UN TRATO

Cuando sientas tu herida sangrar
cuando sientas tu voz sollozar
cuenta conmigo

(de una canción de CARLOS PUEBLA)

Compañera
usted sabe
que puede contar
conmigo
no hasta dos
o hasta diez
sino contar
conmigo

si alguna vez
advierte
que la miro a los ojos
y una veta de amor
reconoce en los míos
no alerte sus fusiles
ni piense qué delirio
a pesar de la veta
o tal vez porque existe
usted puede contar
conmigo

si otras veces
me encuentra
huraño sin motivo
no piense qué flojera
igual puede contar
conmigo

pero hagamos un trato
yo quisiera contar
con usted
          es tan lindo
saber que usted existe
uno se siente vivo
y cuando digo esto
quiero decir contar
aunque sea hasta dos
aunque sea hasta cinco
no ya para que acuda
presurosa en mi auxilio
sino para saber
a ciencia cierta
que usted sabe que puede
contar conmigo.

SABERTE AQUI

Podés querer el alba
cuando quieras
he conservado intacto
tu paisaje
podés querer el alba
cuando ames
venir a reclamarte
como eras

aunque ya no seas vos
aunque mi amor te espere
quemándose en tu azar
y tu sueño sea eso
y mucho más

esta noche otra noche
aquí estarás
y cuando gima el tiempo
giratorio
en esta paz ahora
dirás
quiero esta paz

ahora podés
venir a reclamarte
penetrar en tu noche
de alegre angustia
reconocer tu tibio
corazón sin excusas
los cuadros
las paredes
saberte aquí

he conservado intacto
tu paisaje
pero no sé hasta dónde
está intacto sin vos

311

podés querer el alba
cuando quieras
venir a reclamarte
como eras
aunque el pasado sea
despiadado
y hostil

aunque contigo traigas
dolor y otros milagros
aunque seas otro rostro
de tu cielo hacia mí.

INTIMIDAD

Soñamos juntos
juntos despertamos
el tiempo hace o deshace
mientras tanto

no le importan tu sueño
ni mi sueño
somos torpes
o demasiado cautos

pensamos que no cae
esa gaviota
creemos que es eterno
este conjuro
que la batalla es nuestra
o de ninguno

juntos vivimos
sucumbimos juntos

pero esa destrucción
es una broma
un detalle una ráfaga
un vestigio
un abrirse y cerrarse
el paraíso

ya nuestra intimidad
es tan inmensa
que la muerte la esconde
en su vacío

quiero que me relates
el duelo que te callas

por mi parte te ofrezco
mi última confianza

estás sola
estoy solo
pero a veces
puede la soledad
ser
     una llama.

NO TE SALVES

No te quedes inmóvil
al borde del camino
no congeles el júbilo
no quieras con desgana
no te salves ahora
ni nunca
       no te salves
no te llenes de calma
no reserves del mundo

sólo un rincón tranquilo
no dejes caer los párpados
pesados como juicios
no te quedes sin labios
no te duermas sin sueño
no te pienses sin sangre
no te juzgues sin tiempo

pero si
           pese a todo
no puedes evitarlo
y congelas el júbilo
y quieres con desgana
y te salvas ahora
y te llenas de calma
y reservas del mundo
sólo un rincón tranquilo
y dejas caer los párpados
pesados como juicios
y te secas sin labios
y te duermes sin sueño
y te piensas sin sangre
y te juzgas sin tiempo
y te quedas inmóvil
al borde del camino
y te salvas
               entonces
no te quedes conmigo.

ROSTRO DE VOS

Tengo una soledad
tan concurrida
tan llena de nostalgias
y de rostros de vos
de adioses hace tiempo

314

y besos bienvenidos
de primeras de cambio
y de último vagón

tengo una soledad
tan concurrida
que puedo organizarla
como una procesión
por colores
tamaños
y promesas
por época
por tacto
y por sabor

sin un temblor de más
me abrazo a tus ausencias
que asisten y me asisten
con mi rostro de vos

estoy lleno de sombras
de noches y deseos
de risas y de alguna
maldición

mis huéspedes concurren
concurren como sueños
con sus rencores nuevos
su falta de candor
yo les pongo una escoba
tras la puerta
porque quiero estar solo
con mi rostro de vos

pero el rostro de vos
mira a otra parte
con sus ojos de amor
que ya no aman

como víveres
que buscan a su hambre
miran y miran
y apagan mi jornada

las paredes se van
queda la noche
las nostalgias se van
no queda nada

ya mi rostro de vos
cierra los ojos

y es una soledad
tan desolada.

TE QUIERO

Tus manos son mi caricia
mis acordes cotidianos
te quiero porque tus manos
trabajan por la justicia

si te quiero es porque sos
mi amor mi cómplice y todo
y en la calle codo a codo
somos mucho más que dos

tus ojos son mi conjuro
contra la mala jornada
te quiero por tu mirada
que mira y siembra futuro

tu boca que es tuya y mía
tu boca no se equivoca
te quiero porque tu boca
sabe gritar rebeldía

si te quiero es porque sos
mi amor mi cómplice y todo
y en la calle codo a codo
somos mucho más que dos

y por tu rostro sincero
y tu paso vagabundo
y tu llanto por el mundo
porque sos pueblo te quiero

y porque amor no es aureola
ni cándida moraleja
y porque somos pareja
que sabe que no está sola

te quiero en mi paraíso
es decir que en mi país
la gente viva feliz
aunque no tenga permiso

si te quiero es porque sos
mi amor mi cómplice y todo
y en la calle codo a codo
somos mucho más que dos.

TODAVIA

No lo creo todavía
estás llegando a mi lado
y la noche es un puñado
de estrellas y de alegría

palpo gusto escucho y veo
tu rostro tu paso largo
tus manos y sin embargo
todavía no lo creo

tu regreso tiene tanto
que ver contigo y conmigo
que por cábala lo digo
y por las dudas lo canto

nadie nunca te reemplaza
y las cosas más triviales
se vuelven fundamentales
porque estás llegando a casa

sin embargo todavía
dudo de esta buena suerte
porque el cielo de tenerte
me parece fantasía

pero venís y es seguro
y venís con tu mirada
y por eso tu llegada
hace mágico el futuro

y aunque no siempre he entendido
mis culpas y mis fracasos
en cambio sé que en tus brazos
el mundo tiene sentido

y si beso la osadía
y el misterio de tus labios
no habrá dudas ni resabios
te querré más
                    todavía.

USTEDES Y NOSOTROS

Ustedes cuando aman
exigen bienestar
una cama de cedro
y un colchón especial

nosotros cuando amamos
es fácil de arreglar
con sábanas qué bueno
sin sábanas da igual

ustedes cuando aman
calculan interés
y cuando se desaman
calculan otra vez

nosotros cuando amamos
es como renacer
y si nos desamamos
no la pasamos bien

ustedes cuando aman
son de otra magnitud
hay fotos chismes prensa
y el amor es un boom

nosotros cuando amamos
es un amor común
tan simple y tan sabroso
como tener salud

ustedes cuando aman
consultan el reloj
porque el tiempo que pierden
vale medio millón

nosotros cuando amamos
sin prisa y con fervor
gozamos y nos sale
barata la función

ustedes cuando aman
al analista van
él es quien dictamina
si lo hacen bien o mal

nosotros cuando amamos
sin tanta cortedad
el subconsciente piola
se pone a disfrutar

ustedes cuando aman
exigen bienestar
una cama de cedro
y un colchón especial

nosotros cuando amamos
es fácil de arreglar
con sábanas qué bueno
sin sábanas da igual.

EPILOGOS MIOS

de todos modos, yo soy otro
JUAN GELMAN

VAS Y VENIS

a luz

De carrasco a aeroparque y viceversa
vas y venís con libros y bufandas
y encargos y propósitos y besos

tenés gusto a paisito en las mejillas
y una fe contagiosa en el augurio

vas y venís como un péndulo cuerdo
como un comisionista de esperanzas
o como una azafata voluntaria
tan habituada estás a los arribos
y a las partidas un poquito menos

quién iba a imaginar cuando empezábamos
la buena historia hace veintiocho años
que en un apartamento camarote
donde no llega el sol pero vos sí
íbamos a canjear noticia por noticia
sin impaciencia ya   como quien suma

y cuando te dormís y yo sigo leyendo
entre cuatro paredes algo ocurre

estás aquí dormida y sin embargo
me siento acompañado como nunca.

COMO ARBOLES

Quién hubiera dicho
que estos poemas de otros
iban a ser
          míos

después de todo hay hombres que no fui
        y sin embargo quise ser
si no por una vida   al menos por un rato
        o por un parpadeo

en cambio hay hombres que fui
        y ya no soy ni puedo ser
y esto no siempre es un avance
        a veces es una tristeza

hay deseos profundos y nonatos
        que prolongué como coordenadas
hay fantasías que me prometí
        y desgraciadamente no he cumplido
y otras que me cumplí sin prometérmelas

hay rostros de verdad
que alumbraron mis fábulas
rostros que no vi más pero siguieron
        vigilándome desde
        la letra en que los puse

hay fantasmas de carne   otros de hueso
también los hay de lumbre y corazón
o sea cuerpos en pena   almas en júbilo
que vi o toqué o simplemente puse
a secar
                a vivir
                        a gozar
                                a morirse
pero además está lo que advertí de lejos

yo también escuché una paloma
        que era de otros diluvios
yo también destrocé un paraíso
        que era de otras infancias
yo también gemí un sueño
        que era de otros amores

así pues
desde este misterioso confín de la existencia
los otros me ampararon como árboles
con nidos o sin nidos
                    poco importa
no me dieron envidia sino frutos

esos otros están
                    aquí

sus poemas
son mentiras de a puño
son verdades piadosas

están aquí
            rodeándome
            juzgándome
con las pobres palabras que les di

hombres que miran tierra y cielo
y a través de la niebla
o sin sus anteojos
también a mí me miran
con la pobre mirada que les di

son otros que están fuera de mi reino
claro
        pero además
                    estoy en ellos

a veces tienen lo que nunca tuve
a veces aman lo que quise amar
a veces odian lo que estoy odiando

de pronto me parecen lejanos
                            tan remotos
que me dan vértigo y melancolía
y los veo minados por un duelo sin llanto

y otras veces   en cambio
        los presiento tan cerca
que miro por sus ojos
        y toco por sus manos
y cuando odian me agrego a su rencor
y cuando aman me arrimo a su alegría

quién hubiera dicho
que estos poemas míos
iban a ser
                de otros.

RESPUESTA CON SEGUNDA

Y una pregunta de cajón

por qué será que mis Otros
escriben casi siempre
        poemas de amor
con esperanza o desolación
con plenitud o soledad pero
        poemas de amor
a una muchacha o a mujeres varias
al hijo o al paisito pero
        poemas de amor
por qué será

una respuesta podría ser

ya que existen tantos Otros verdaderos
que viven enredados atrapados
        por el pago al contado de sus odios
        por el cheque cruzado de sus odios
        por la loca carrera de sus odios
bueno   entonces yo   en el trance
de sentirme una vez poderoso

algo así como un vicediós
     en ejercicio de la diosencia
en ese trance   digo
de fabricar modestos y desprolijos Otros míos
Otros artesanales   Otros casi caseros
con los nudos y sueños a la vista
no se me dio en el forro etc. etc.
o sea no quise
crear nuevos seres odiantes y odiables
sino hombres y mujeres queribles y querientes

bueno
una respuesta podría ser ésa

pero
como es natural
hay muchas
        otras

a vos
lector mi prójimo
qué te parece.

POR SUERTE SOMOS OTROS

Por el desfiladero inclemente y reseco
avanzamos a pobres estallidos
a opacos y alunados madrugones
a otoños inhibidos por un cielo grisáceo

a veces penetramos sin querer en la fiebre
como en una falsa vacación o delirio
pero si intentamos levantar un brazo
las bisagras crujen como antiguos rencores
y sudamos blasfemias y melancolías

327

somos en realidad otro desconocido
un tipo más que ignora cuándo va a tocar fondo
si en el breve mayo de las hojas secas
o en el laxo febrero de nostalgia soleada

un desconocido   un pájaro que emigra
de su propio corazón   un signo
que de a poco se va desdibujando
se va olvidando de su propio trazo

un desconocido   un pañuelo blanco
que dice adiós a nadie a nadie a nadie
como si nadie hubiera para juntar recuerdos
para llegar a despedir al solo

un desconocido de quien no se sabe
por qué y con quién puede aún asombrarse
un resto de naufragio   un capricho
de pedernal   miedo que esparce a veces
semillas de coraje   silencios   alaridos

sólo un desconocido   somos eso
algún remoto de nosotros mismos
un morral de prejuicios   una bomba de tiempo
que nos explota en medio
de la aleluya o del bostezo

quizá esté ahí la clave

si nos sabemos magros
y ausentes y un poco traicionados
por cautelas y pautas y grandes plataformas
si adquirimos en cómodas cuotas el desastre
y empuñamos la angustia como un hacha de piedra
y además si en las duras transacciones
de cerebro a conciencia y viceversa
vacilamos y después vacilamos
y cuando el cielo escupe fuego y mierda

nos refugiamos bajo el mosquitero
y además si en el páramo ancho del insomnio
sobrevivimos a nuestro egoísmo
y nos desayudamos a vivir
y no reorganizamos la verdad
como un plan quinquenal o un orgasmo

cómo entonces   si estamos tan ajenos
en nuestro traje y en nuestro esqueleto
si lo que pudimos haber sido nos vela
como un guardián de mirada implacable
memorioso guardián   faro en lo abstracto
cómo entonces no cambiarnos en Otros

cómo no introducir de contrabando en ellos
las tempestades que no desatamos
los datos del amor inaccesible
los odios nobles y descomunales
ese acompañamiento del amor
que no nos atrevimos a sangrar

libres para ser Otros   ni ángel ni desángel
sólo nuestra verdad imperfecta y radiante
la verdad aventura que nunca se repite
y sin embargo puede atravesarnos
como una flecha o una ideología

y no es tarea vana
                    inventar Otros
que tienen por supuesto rasgos nuestros
textura nuestra   cicatrices nuestras
más dos o tres barbaridades llanas
y más amor que nuestro más amor
esa caricatura de nuestros imposibles
a veces nos contagia   contamina
de vida nuestros pasos malmurientes

nos da confianza júbilo certezas

sinceridad hasta decirnos basta
punto final al miedo   miedo a punto

y una noche sin mar ni pesadillas
los Otros
              esos Otros que inventamos
los Otros nos inventan   nos recrean
a su imagen y a su semejanza
nos convencen de que al fin somos Otros
y somos Otros   claro
por suerte somos Otros.

ANGELUS PORTEÑO

a raúl y tona

Me he quedado junto al árbol
veterano y cordial en su sabiduría

un pibe alegre y andrajoso
corre y recorre el sendero sin nadie

en la gramilla blanda y celestina
dos adolescentes aprenden a besarse
y ya casi lo saben

abajo pasan autos
rojos   verdes   azules

en la tarde hay un pozo de silencios
y uno espera que hable el campanario

de pronto entre los grandes edificios
la bomba estalla como una desmentida

claro el pibe en andrajos se detiene
con un pie sorprendido en el aire

la pareja se desbesa de a poco
un auto verde frena como quejándose

al árbol
no se le mueve ni una hoja.

SALUTACION DEL OPTIMISTA

A instancias de mis amigos cuerdos y cautelosos
que ya no saben si diagnosticarme
prematuro candor o simple chifladura
abro el expediente de mi optimismo
y uno por uno repaso los datos

allá en el paisito quedó mi casa
con mi gente mis libros y mi aire
desde sus ventanas grandes conmovedoras
se ven otras ventanas y otras gentes
se oye cómo pasa aullando la muerte
son los mismos aullidos verdes y azules son
los que acribillaron a mis hermanos

los cementerios están lejos pero
los hemos acercado con graves excursiones
detrás de primaveras y ataúdes
y de sueños quebrados
y de miradas fijas

los calabozos están lejos pero
los hemos acercado a nuestro invierno

sobre un lecho de odios duermen sin pesadillas
muchachos y muchachas que arribaron juntos
a la tortura y a la madurez
pero hay que aclarar que otras otros los sueñan
noche a noche en las casas oscuras y a la espera

la gente
la vulgar y la silvestre
no los filatélicos de hectáreas y vaquitas
va al exilio a cavar despacio su nostalgia
y en las calles vacías y furiosas
queda apenas uno que otro mendigo
para v.er como pasa el presidente

en la cola del hambre nadie habla
de fútbol ni de ovnis
hay que ahorrar argumentos y saliva
y las criaturas que iban a nacer
regresan con espanto al confort de la nada

ésta es la absurda foja de mi duro optimismo
prematuro candor o simple chifladura
lo cierto es que debajo de estas calamidades
descubro una sencilla descomunal ausencia

cuando los diez tarados mesiánicos de turno
tratan de congregar la obediente asamblea
el pueblo no hace quorum

por eso
porque falta sin aviso
a la convocatoria de los viejos blasfemos
porque toma partido por la historia
y no tiene vergüenza de sus odios
por eso aprendo y dicto mi lección de optimismo
y ocupo mi lugar en la esperanza.

LETRAS DE
EMERGENCIA
(1969-1973)

VERSOS PARA CANTAR

*a nacha guevara
y alberto favero*

NOTA

Con una sola excepción («Las ocho viudas»), estos «Versos para cantar» han sido incorporados al repertorio de uno u otro de los siguientes cantantes populares: Nacha Guevara, Daniel Viglietti, Los Olimareños, Numa Moraes, Gianfranco Pagliaro, Soledad Bravo, Carlos Fasano, Dianne Denoir y Washington Carrasco.

Integran el repertorio de Nacha Guevara las siguientes canciones: «Alguien», «Seré curioso» (con el título «¿De qué se ríe?»), «Tu quebranto», «Tango para un fin de siesta» (con el título: «Fin de siesta»); «La secretaria ideal» (con el título: «Yo soy la secretaria»), «Allá enfrente», «Me sirve y no me sirve», «Vamos juntos», «Las palabras», «Cielito de los muchachos» (con el título: «Triunfo de los muchachos»), «Orientalito» (con el título: «Argentinito») y «Vidalita por las dudas». Con excepción de las dos últimas, todas estas canciones tienen música de Alberto Favero. La partitura de «Argentinito» es de Valentín F. Favero. La de «Vidalita por las dudas» se basa en un tema popular. Las cinco primeras canciones arriba mencionadas, más la vidalita, integran (juntamente con varias otras, creadas a partir de mis *Poemas de la oficina*, escritos en 1956 y no incluidos en este volumen porque evidentemente no eran temas de emergencia) el espectáculo, el long-play y la casette *Nacha canta Benedetti*. «Argentinito» fue incluido en el long-play *Canciones para mis hijos*, también de Nacha. «Me sirve y no me sirve» y «Vamos juntos» integran un disco, y además fueron incluidos en el álbum *Las mil y una Nachas*, grabado en vivo del espectáculo del mismo nombre.

«Orientalito», con música de Numa Moraes, integra asimismo el repertorio de este cantante uruguayo, quien también canta o puso música a: «Cielito del 26», «Pobre señor», «Milonga del Oriental» y «Cielo del 69». Esta última es cantada por Los Olimareños, e integra el long-play de este título. «Cielito de los muchachos», con música de Daniel Viglietti, es cantada por este artista y figura en su long-play *Canciones chuecas*. «Seré curioso» o «¿De qué se ríe?» también es interpretada por el cantante ítalo-argentino Gianfranco Pagliaro y por la venezolana Soledad Bravo. Carlos Fasano interpreta «Balada de los helicópteros» y «Chau». Washington Carrasco canta «Seré curioso», con música propia. «No me pongas la capucha» fue compuesta para la cantante Dianne Denoir. «Las viejitas democráticas», con música de Manolo Guardia, integró la comedia musical *Mónica pone el hombro*, de Elina Berro, por Club de Teatro.

M. B.

CIELO DEL 69

Cielito cielo que sí
cielo del sesenta y nueve
con el arriba nervioso
y el abajo que se mueve

que vengan o que no vengan
al pueblo nadie lo asfixia
que acabe la caridad
y que empiece la justicia

que la luna llena brille
que acabe la cuenta llena
que empiece el cuarto menguante
y que mengüe por las buenas

o por las malas sinó
o por las peores también
el mango vayan soltando
ya no existe la sartén

cielito cielo que sí
cielo del sesenta y nueve
con el arriba nervioso
y el abajo que se mueve

que vengan o que no vengan
sabrán igual la noticia
se acabó la caridad
ya va a empezar la justicia

Cuando hacen fuego me dicen
que están contra la violencia
me dicen cuando dan muerte
que sientan jurisprudencia

cielito cielo que no
cielito qué le parece
borrar y empezar de nuevo
y empezar pese a quien pese

mejor se ponen sombrero
que el aire viene de gloria
si no los despeina el viento
los va a despeinar la historia

cielito cielo que sí
cielo del sesenta y nueve
con el arriba nervioso
y el abajo que se mueve

cielito cielo que sí
cielo lindo linda nube
con el arriba que baja
y el abajo que se sube.

MILONGA DEL ORIENTAL

Cuando el presente castigas
cuando el pasado te nombra
para algunos sos la sombra
para nosotros
Artigas

estuviste con el pobre
te alzaste contra los amos
lo que es nuestro reclamamos
no queremos lo que sobre

fuiste y serás la conciencia
para el tiempo que se viene
verás el sabor que tiene
la segunda independencia

el gringo y el oligarca
con su dólar y sus ocios
que se vayan como socios
y nos dejen la comarca

como es público y notorio
sueñan un sueño de susto
su pesadilla es tu justo
Reglamento Provisorio

te nombran de mala gana
el oligarca y el gringo
un Artigas de domingo
no el de toda la semana

pero el Artigas de veras
señor de los cimarrones
con banderas en girones
y acciones como banderas

ahora que en la patria herida
la libertad está trunca
a ése no lo nombran nunca
porque es reguero de vida

cuando el presente castigas
cuando el pasado te nombra
para algunos sos la sombra
para nosotros
Artigas

no el Artigas oficial
sino el que en su pueblo oficia
el que trazó la justicia
Artigas el Oriental.

VIDALITA POR LAS DUDAS

Las voces de abajo
  vidalitá
están casi mudas
pero los gendarmes
  vidalitá
matan por las dudas

no saben en dónde
  vidalitá
se enredó el enredo
por las dudas llevan
  vidalitá
chalecos de miedo

dudan los dudosos
  vidalitá
duda poca gente
dudan los esbirros
  vidalitá
duda el presidente

pero si supieran
  vidalitá
lo que el pueblo sabe
ya no dudarían
  vidalitá
qué duda te cabe

conseguir lo justo
  vidalitá
cuesta dios y ayuda
pero se consigue
  vidalitá
no te quepa duda

yo tan sólo dudo
  vidalitá

cuándo es más barato
si para mañana
   vidalitá
o dentro de un rato.

ALGUIEN

Alguien limpia la celda
de la tortura
que no quede la sangre
ni la amargura

alguien pone en los muros
el nombre de ella
ya no cabe en la noche
ninguna estrella

alguien limpia su rabia
con un consejo
y la deja brillante
como un espejo

alguien piensa hasta cuándo
alguien camina
suenan lejos las risas
una bocina

y un gallo que propone
su canto en hora
mientras sube la angustia
la voladora

alguien piensa en afuera
que allá no hay plazo
piensa en niños de vida
y en un abrazo

alguien quiso ser justo
no tuvo suerte
es difícil la lucha
contra la muerte

alguien limpia la celda
de la tortura
lava la sangre pero
no la amargura.

SERE CURIOSO

En una exacta
foto del diario
señor ministro
del imposible

vi en pleno gozo
y en plena euforia
y en plena risa
su rostro simple

seré curioso
señor ministro
de qué se ríe
de qué se ríe

de su ventana
se ve la playa
pero se ignoran
los cantegriles

tienen sus hijos
ojos de mando
pero otros tienen
mirada triste

aquí en la calle
suceden cosas
que ni siquiera
pueden decirse

los estudiantes
y los obreros
ponen los puntos
sobre las íes

por eso digo
señor ministro
de qué se ríe
de qué se ríe

usté conoce
mejor que nadie
la ley amarga
de estos países

ustedes duros
con nuestra gente
por qué con otros
son tan serviles

cómo traicionan
el patrimonio
mientras el gringo
nos cobra el triple

cómo traicionan
usté y los otros
los adulones
y los seniles

por eso digo
señor ministro
de qué se ríe
de qué se ríe

aquí en la calle
sus guardias matan
y los que mueren
son gente humilde

y los que quedan
llorando rabia
seguro piensan
en el desquite

allá en la celda
sus hombres hacen
sufrir al hombre
y eso no sirve

después de todo
usté es el palo
mayor de un barco
que se va a pique

seré curioso
señor ministro
de qué se ríe
de qué se ríe.

LAS OCHO VIUDAS

El senador murió y sus viudas
lloran por orden de alfabeto
es la emulsión de muchas dudas
de buen humor y de respeto

llora Alejandra sin empaque
pero su llanto en demasía
no vale demasiado ya que
lloraba así cuando él vivía

Amalia llora y echa el resto
dicen que era la favorita
es Amalita por supuesto
la que se ha puesto más malita

el senador murió y sus viudas
lloran por orden de alfabeto
es la emulsión de muchas dudas
de buen humor y de respeto

llora asomada en su ventana
la veterana Blanca Antonia
es claro que por veterana
llora con cierta parsimonia

el llanto cuarto es Federica
siente un dolor aquí en el plexo
y mientras llora se dedica
a las labores de su sexo

el senador murió y sus viudas
lloran por orden de alfabeto
es la emulsión de muchas dudas
de buen humor y de respeto

con una lágrima cuadrada
lloran los ojos de Gregoria
se acuerda de una bofetada
su lágrima es tan meritoria

el sexto llanto se hace fuerte
porque son lágrimas de Hortensia
su llanto es grito mas por suerte
llora con cierta intermitencia

el senador murió y sus viudas
lloran por orden de alfabeto
es la emulsión de muchas dudas
de buen humor y de respeto

347

bien instalada en su quebranto
llora su pena Magdalena
Magdalena no llores tanto
mientras comés a boca llena

llora por fin Olga y se afloja
y antes de que llegue al escote
el llanto púdico le moja
la parte izquierda del bigote

por fin se acaba tanto duelo
duró veinticinco minutos
cada nariz en su pañuelo
qué lindos son los ocho lutos

el senador murió y no se halla
quien llore ya por la noticia
ha comenzado la batalla
por la pensión alimenticia.

BALADA DE LOS HELICOPTEROS

Tu mano en mi mano
tu todo en mi poco

y en el cielo ajeno
buitres helicópteros

mi hermano que huye
por todo el otoño

y en el cielo ajeno
buitres helicópteros

los abuelos callan
sus bodas de oro

y en el cielo ajeno
buitres helicópteros

falta con aviso
el ángel custodio

y en el cielo ajeno
buitres helicópteros

instrucción primera
no cerrar los ojos

y en el cielo ajeno
buitres helicópteros

instrucción segunda
no cerrar el odio

y en el cielo ajeno
buitres helicópteros

repasar nostalgias
para hacer acopio

y en el cielo ajeno
buitres helicópteros

no decir maldito
no pensar socorro

y en el cielo ajeno
buitres helicópteros

apretar los dientes
respirar de incógnito

y en el cielo ajeno
buitres helicópteros

somos mil arrugas
de un sagrado rostro

y en el cielo ajeno
buitres helicópteros

somos nadie y somos
tan sólo nosotros

y en el cielo ajeno
buitres helicópteros

somos viva el aire
todos sospechosos

y en el cielo ajeno
buitres helicópteros

todos sospechables
ellos y nosotros

una tarde de éstas
cambiará el piloto.

TU QUEBRANTO

Tu voz no quiere cantar
tu voz se esconde en el llanto
si pregunto tu quebranto
es sólo por preguntar

desde que tu pena existe
como un ileso sentido
todo está triste y cumplido
todo está cumplido y triste

no tiene melancolía
el limpio dolor que tienes
ya no te quedan rehenes
para obtener la alegría

tu voz no quiere cantar
tu voz se esconde en el llanto
si pregunto tu quebranto
es sólo por preguntar

tu pena no es tu tortura
tu pena es tu peregrina
quién sabe cómo termina
si termina tu aventura

tu pena es un cautiverio
sin mar sin cielo y sin rosas
por sobre todas las cosas
tu pena es como misterio

tu voz no quiere cantar
tu voz se esconde en el llanto
si pregunto tu quebranto
es sólo por preguntar

tu voz se calla por sabia
y ese silencio es mejor
si tu dolor no es dolor
es que tu dolor es rabia

tu dolor es una espada
que hiere o corta o libera
tu pena es una manera
de vencer la madrugada

tu voz no quiere cantar
tu voz se esconde en el llanto
si pregunto tu quebranto
no me vas a contestar.

TANGO PARA UN FIN DE SIESTA

El sol pesa menos
que una sombra en pena
la nube se esconde
la tarde se enmienda

el sol pesa menos
pero igual se queda
pasa algo sencillo
se acabó la siesta

el viento nuevito
pide santo y seña
las hojas se mueven
pero con cautela

los muros rebeldes
entran en sospecha
pasa algo sencillo
se acabó la siesta

la paz era breve
breve la paciencia
ya lo saben todos
sálvese quien pueda

regalo del hambre
don de la miseria
pasa algo sencillo
se acabó la siesta

el cielo está en duda
la ley está en quiebra
los futuros libres
nacen dondequiera

nacen como nunca
crecen con urgencia

pasa algo sencillo
se acabó la siesta

el sol pesa menos
que una calma en pena
y no obstante ahora
todo aquí se incendia

en la tarde herida
y en la vida abierta
pasa algo sencillo
se acabó la siesta.

CIELITO DE LOS MUCHACHOS

Están cambiando los tiempos
para bien o para mal
para mal o para bien
nada va a quedar igual

cielito cielo que sí
con muchachos dondequiera
mientras no haya libertad
se aplaza la primavera

se posterga para cuando
lleguen los años frutales
y del podrido poder
se bajen los carcamales

cielito cielo cielito
cielito a la descubierta
las botas del miedo pasan
por una calle desierta

viejos están y qué solos
qué ministros y qué viejos
tienen los pesos aquí
pero los dólares lejos

cielito cielo no importa
tienen miedo y es bastante
conocen que ya hace mucho
la historia sigue adelante

los tiempos están cambiando
están cambiando qué bueno
siempre el mundo será ancho
pero ya no será ajeno

cielito cielo qué joven
está el cielo en rebeldía
qué verde viene la lluvia
qué joven la puntería

se pone joven el tiempo
y acepta del tiempo el reto
qué suerte que el tiempo joven
le falte al tiempo el respeto

cielito del ganapán
cielito del ganavinos
cielito del cierrapuños
cielo del abrecaminos

están cambiando los tiempos
para bien o para mal
para mal o para bien
nada va a quedar igual

nada va a quedar igual
cielito pero qué suerte
dejennós la pobre vida
guardensé la rica muerte.

LA SECRETARIA IDEAL

Yo soy la secretaria
ideal.

Mi jefe es elegante,
mi jefe es tan discreto,
es alto, distinguido,
es un jefe completo.

Cuando viene y me ordena:
«una copia textual»,
yo soy la secretaria
ideal.

Mi jefe tiene esposa,
dos hijos y tres criadas.
La esposa por lo menos
no lo comprende nada.

Cuando él viene y me dice:
«somos tal para cual»,
yo soy la secretaria
ideal.

Mi jefe tiene un mustang
y algún apartamento
donde vamos a veces
yo y su remordimiento.

Entonces lo conformo:
«es pecado venial»,
yo soy la secretaria
ideal.

Mi jefe se comporta
como un tipo maduro,
la panza disimula
cuando viste de oscuro.

Y si bosteza y dice:
«hoy no, me siento mal»,
yo soy la secretaria
ideal.

Cuando se va mi jefe,
mi jefe ese hombre viejo,
yo me desarmo y quedo
sola frente al espejo.

Y a mí misma me digo
el cansado ritual:
«Yo soy la secretaria
ideal.»

POBRE SEÑOR

Pobre señor presidente
ya no hay nadie que lo aguante
nunca hubo aquí gobernante
con menos dedos de frente

pobre tirano casero
tan pacheco y tan porfiado
mandón pero bienmandado
si el que manda es un banquero

pobre jerarca aprendiz
tan terco ensoberbecido
tan solo y desentendido
de la gente y del país

pobre y grave mandamás
tan llenador y tan hueco
tan púgil y tan pacheco
y tan sin pueblo detrás

pobre jorge que termina
y ya rumia su condena
en la estancia de anchorena
o en la paz de su piscina

pobre terco que especula
no aflojar cueste a quien cueste
pero no es garra celeste
sino técnica de mula

cuando lo dejan sus fieles
o le pegan revolcones
visita los batallones
y añora sus reverbeles

pobre dictador perdido
tras los miedos de su quinta
presidente pura pinta
tan violento y repetido

pobre primer mandatario
tan joven y tan reseco
tan tozudo y tan areco
tan pedante y tan otario

pobre señor cuando luce
tan mediocre en su tarea
uno comprende que sea
primo hermano de lanusse

y ya que todo le falla
y no hay que tener rencor
yo opino que lo mejor
lo mejor es que se vaya.

CIELITO DEL 26

Cielito cielo que sí
cielito del 26
las nubes van allá arriba
la tierra bajo los pies

que haya espesos nubarrones
en el fondo poco importa
esto se va a despejar
a la larga o a la corta

a la corta comonó
porque el viento no se frena
el viento viento de pueblo
pueblo trae enhorabuena

la rosca con sus rosqueros
siempre nos dan mala espina
se llevan lo mejorcito
nacionalizan la ruina

cielito cielo que sí
cielito del 26
ya no se puede dejarlo
dejarlo para después

cielito cielo que no
cielito qué me comenta
no quiero ver en mi cielo
tantos pájaros de cuenta

aquí va pueblo y más pueblo
a luchar codo con codo
mientras la rosca temblando
le reza a San Acomodo

también a San Privilegio
y a la Santa Represión

sigan rezando que viene
la Santa Revolución

cielito cielo cielito
cielito del hombre nuevo
cuando no estemos nosotros
estará pronto el relevo

cielito cielo que no
se nos termina el aguante
y esto no lo dice el cielo
lo dicen los militantes

ya no pedimos socorro
ahora apretamos los dientes
cielito del 26
también es cielo del Frente

ahora apretamos los puños
porque es nuestra la pelea
vamos a ganar la paz
con paz o con lo que sea

cielito cielo ya basta
de ladrones de levita
no nos asustan los chanchos
ni tampoco las chanchitas

cielito cielo que sí
cielito del 26
ya no se puede dejarlo
dejarlo para después

la gente ya se cansó
de quedarse con las ganas
las bases son en el Frente
la presencia soberana

cielito cielo cielito
como era de suponer
somos modestos queremos
sólo pueblo en el poder.

CHAU

Ché banquero gobernante
mirá que la historia es terca
y está vez sí se te acerca
la obligación del espiante

andá haciendo el equipaje
ligerito te conviene
mirá que el incendio viene
aprontate para el raje

alejate de estas llamas
total te morís de risa
tenés dólares en Suiza
Nueva York y Las Bahamas

vos que sos de clase alta
cachá las pilchas y andate
tenés avión tenés yate
locomoción no te falta

vos que tenés buena estampa
y vestís a lo peirano
andá buscando escribano
que legalice tu trampa

pero eso sí hacelo pronto
no te tirés al senado
mirá que el pueblo estafado
no tiene pelo de tonto

y a lo mejor se calienta
y te obliga a que te quedes
mirá que a todos ustedes
habrá que pedirles cuenta

y a vos y a tu comandita
especialista en calote
si los pescan del cogote
les van a chapar la guita

chupamedias del Imperio
andate si te incomoda
que aquí se acabó la joda
y empieza la cosa en serio.

LAS VIEJITAS DEMOCRATICAS

Nosotras las viejitas democráticas
ni huesos conseguimos para el caldo
pero como escuchamos Radio Carve
nosotras le tenemos miedo al cambio.

Esa pensión que nos brinda el gobierno
no alcanza en realidad para un carajo
pero como escuchamos Radio Carve
nosotras le tenemos miedo al cambio.

El hospital, si nos ponemos graves,
no tiene nunca camas para tantos,
pero como escuchamos Radio Carve
nosotras le tenemos miedo al cambio.

Para ver si hay pagos a pensionistas
compramos una vez al mes el diario

pero como escuchamos Radio Carve
nosotras le tenemos miedo al cambio.

Si el comunismo nos quita la tierra
será la que se junta en los zapatos
pero como escuchamos Radio Carve
nosotras le tenemos miedo al cambio.

Sólo comemos una vez al día
pues todo cada vez está más caro
pero como escuchamos Radio Carve
nosotras le tenemos miedo al cambio.

Nosotras las viejitas democráticas
ni huesos conseguimos para el caldo
pero como escuchamos Radio Carve
nosotras le tenemos miedo al cambio.

ALLA ENFRENTE

Aquí
en esta vereda
impecables
lujosos
los Grandes Almacenes
el Banco y sus Billetes
el Diario y sus Pizarras
dos galgos
un Impala

allá enfrente
distintos
el farol
una escuela
dos hombres en campera
ciruelas y duraznos

las muchachas
su risa
un frente con balcones
tres negritos que miran

te ofrezco el brazo
crucemos la Avenida

aquí
en esta vereda
indiferentes
gordos
un general de fierro
un coronel de apuro
un capitán de palo
pero ningún soldado

allá enfrente
distintos
un árbol
con su sombra
una bandera rota
ciruelas y duraznos
en el andamio arriba
recortados del cielo
los obreros que pintan

te ofrezco el brazo
crucemos la Avenida

aquí
en esta vereda
triunfantes
inseguros
el Oro y sus Gerentes
el Odio y sus Ministros
mucho mucho Gobierno
pero poquito
pueblo

allá enfrente
distintos
un niño
que pregunta
con un montón de dudas
ciruelas y duraznos
el sol que pone y quita
un muro con verdades
y una buena noticia

te ofrezco el brazo
crucemos la Avenida.

ORIENTALITO

Orientalito que naces
en tu jornada sin horas
y que todo lo deshaces
y que todo lo devoras

orientalito que llegas
con preguntas y estupores
y lloras porque te niegas
a meterte en tus dolores

es cierto que no te ries
pero nacer no es tan triste
lo mejor es que te fíes
del país en que naciste

este país este suelo
te espera pobre y te espera
con un antiguo desvelo
con nobleza de madera

este país este mapa
puño nuevo y patria vieja
es un país que te atrapa
y así nomás no te deja

ya que naciste al orgullo
acordate orientalito
que este país es murmullo
pero también es un grito

y si te espera en pobreza
y no hay quien lo desconozca
es porque nuestra riqueza
se la ha llevado la rosca

y si te espera en prisiones
con la verdad malherida
es porque ha habido razones
para jugarse la vida

y si te abriga en su pena
orientalito acordate
es porque la patria es buena
y es buena porque combate

orientalito te estamos
pidiendo lo que ya sos
este país lo cambiamos
sobre todo para vos.

NO ME PONGAS LA CAPUCHA

Siento que mi pueblo escucha
cuando canto lo que siento.
Ganapán del escarmiento,
no me pongas la capucha.

No vas a conseguir nada:
no claudico ni me entrego
debajo del trapo ciego
no está ciega mi mirada.

Andá haciéndote a la idea
de que pese a tus sanciones,
tu miedo y tus precauciones,
te miro aunque no te vea.

Mientras tiembla tu victoria
que es de barro y es de Pirro,
tu rostro de pobre esbirro
lo he aprendido de memoria.

Siento que mi pueblo escucha
cuando canto lo que siento.
Ganapán del escarmiento,
no me pongas la capucha.

Hay algunas leyes viejas
que son casi permanentes:
en tu voz están tus dientes,
tu nariz y tus orejas,

y en tu rencor asustado
y en tu alarido del día
están tu mirada fría
y hasta tu ceño arrugado.

Te miro aunque no es lo mismo,
te miro aunque no te escupa.
Mi memoria es una lupa
que repasa tu sadismo.

Mirá que sigue la lucha
y sigue el pueblo despierto.
No te suplico. Te advierto:
no me pongas la capucha.

ME SIRVE Y NO ME SIRVE

La esperanza tan dulce
tan pulida tan triste
la promesa tan leve
no me sirve

no me sirve tan mansa
la esperanza

la rabia tan sumisa
tan débil tan humilde
el furor tan prudente
no me sirve

no me sirve tan sabia
tanta rabia

el grito tan exacto
si el tiempo lo permite
alarido tan pulcro
no me sirve

no me sirve tan bueno
tanto trueno

el coraje tan dócil
la bravura tan chirle
la intrepidez tan lenta
no me sirve

no me sirve tan fría
la osadía

sí me sirve la vida
que es vida hasta morirse
el corazón alerta
sí me sirve

me sirve cuando avanza
la confianza

me sirve tu mirada
que es generosa y firme
y tu silencio franco
sí me sirve

me sirve la medida
de tu vida

me sirve tu futuro
que es un presente libre
y tu lucha de siempre
sí me sirve

me sirve tu batalla
sin medalla

me sirve la modestia
de tu orgullo posible
y tu mano segura
sí me sirve

me sirve tu sendero
compañero.

VAMOS JUNTOS

Con tu puedo y con mi quiero
vamos juntos compañero

compañero te desvela
la misma suerte que a mí
prometiste y prometí
encender esta candela

con tu puedo y con mi quiero
vamos juntos compañero

la muerte mata y escucha
la vida viene después
la unidad que sirve es
la que nos une en la lucha

con tu puedo y con mi quiero
vamos juntos compañero

la historia tañe sonora
su lección como campana
para gozar el mañana
hay que pelear el ahora

con tu puedo y con mi quiero
vamos juntos compañero

ya no somos inocentes
ni en la mala ni en la buena
cada cual en su faena
porque en esto no hay suplentes

con tu puedo y con mi quiero
vamos juntos compañero

algunos cantan victoria
porque el pueblo paga vidas
pero esas muertes queridas
van escribiendo la historia

con tu puedo y con mi quiero
vamos juntos compañero.

LAS PALABRAS

No me gaste las palabras
no cambie el significado
mire que lo que yo quiero
lo tengo bastante claro

si usted habla de progreso
nada más que por hablar
mire que todos sabemos
que adelante no es atrás

si está contra la violencia
pero nos apunta bien
si la violencia va y vuelve
no se me queje después

si usted pide garantías
sólo para su corral
mire que el pueblo conoce
lo que hay que garantizar

no me gaste las palabras
no cambie el significado
mire que lo que yo quiero
lo tengo bastante claro

si habla de paz pero tiene
costumbre de torturar
mire que hay para ese vicio
una cura radical

si escribe reforma agraria
pero sólo en el papel
mire que si el pueblo avanza
la tierra viene con él

si está entregando el país
y habla de soberanía

quién va a dudar que usted es
soberana porquería

no me gaste las palabras
no cambie el significado
mire que lo que yo quiero
lo tengo bastante claro

no me ensucie las palabras
no les quite su sabor
y límpiese bien la boca
si dice revolución.

VERSOS PARA RUMIAR

NOCHE DE SABADO

No sé por qué este sábado veintisiete
toda la democracia salió a la calle
democracia la buena
la dulce troglodita
la melosa del crimen
la humilde del garrote

con todos sus odios salió

con sus cóleras y coleritas
con la carraspera de sus mustangs
con el escote que huele a chanel
y la almita que huele a podrido

con todas sus certezas salió

fuerte de hallarse debilucha
linda de encontrarse monstruosa
inerme de saberse armada
desde el esfinter hasta los dientes

con sus mejores armas salió

con su calumnia calibre 38
sus soplones de mira telescópica
su padrenuestro de repetición
sus vituperios de aire comprimido

con sus miedos blindados salió

con su frágil coraje del carajo
su temblor hecho lata
su mirada de fugitivo asomándose
su alarido de poder o perpetuo socorro

toda la democracia salió a la calle

hasta dónde dónde irán
hasta la mitad de la muerte en que se mata
o hasta la otra mitad en que se muere
hasta el fin hasta el vértigo hasta el fin
o reculando traicionados
reculando traidores
policías sí tupamaros no
reculando hasta yí y san josé
reculando hasta allí

de dónde dónde vienen
será acaso de inteligencia
y enlace
será acaso de panamá
será tal vez de la embajada
de dónde vienen tan encantadoramente foráneos
de dónde vienen tan inquisidoramente foráneos
de dónde con ese fascismo triste
policías sí tupamaros no
de dónde midiós con ese pánico agresivo
de dónde midiós con esa mueca
de dónde mierda

toda la democracia salió a la calle
los verdugos salieron
policías sí tupamaros no
con su cadalso de bolsillo
su guillotina de acero inoxidable
su carabina de ambrosio y sus obuses
sus helicópteros bisabuelos
que democráticamente explotan

los verdugos salieron a verduguear
naturalmente es una clase teórica
porque en las clases teóricoprácticas
los verdugos pueden ser verdugueados

los verdugos salieron a abrazarse
los gallinaláceos jorgean
los vasconcellos aguerrondizan
los pachecones echegonacen
los aldunates son tan tímidos
que cuando abrazan miran a la izquierda
la caravana es un largo ruido
autorizado por el gobierno
quizá el único sepelio estrepitoso
porque el muerto no llegó todavía
pero los carcamales pichones miran
a los carcamales gordos y padrísimos
con un tibio rencor de huerfanitos

nadie vio juntos tantos demócratas
desde que atila asoló las galias
también el pueblo jura futuro
     degüello por experiencia
     salvajes tengan paciencia
consigna indolora que no viene precisamente
de los bieneducados guerrilleros de hogaño
sino de las huestes del mismísimo aparicio
ése que citan wilson y titito
aguerrondo no porque es tan callado

toda la democracia salió a la calle
con sus adictos y drogadictos

con sus borrachos y ex-ministros
sus bagayeros y sus tiras
sus forasteros y forajidos
los patriotas agitan banderas
que por supuesto son brasileñas
o senhor bordaberry fala português

377

georgy speaks english
herr danilo spricht deutsch
nosotros escuchamos a la orientala
aquí el que calla no otorga

democracia la buena
la dulce troglodita
la melosa del crimen
la humilde del garrote

aquí el que calla
policías sí
no otorga.

30 de noviembre de 1971.

SER Y ESTAR

Oh marine
oh boy
una de tus dificultades consiste en que no sabes
distinguir el ser del estar
para ti todo es to be

así que probemos a aclarar las cosas

por ejemplo
una mujer *es* buena
cuando entona desafinadamente los salmos
y cada dos años cambia el refrigerador
y envía mensualmente su perro al analista
y sólo enfrenta el sexo los sábados de noche

en cambio una mujer *está* buena
cuando la miras y pones los perplejos ojos en blanco

y la imaginas y la imaginas y la imaginas
y hasta crees que tomando un martini te vendrá el coraje
pero ni así

por ejemplo
un hombre *es* listo
cuando obtiene millones por teléfono
y evade la conciencia y los impuestos
y abre una buena póliza de seguros
a cobrar cuando llegue a sus setenta
y sea el momento de viajar en excursión a capri y a parís
y consiga violar a la gioconda en pleno louvre
        con la vertiginosa polaroid

en cambio
un hombre *está* listo
cuando ustedes
oh marine
oh boy
aparecen en el horizonte
para inyectarle democracia.

EL VERBO

En el principio era el verbo
y el verbo no era dios
eran las palabras
frágiles transparentes y putas
cada una venía con su estuche
con su legado de desidia
era posible mirarlas al trasluz
o volverlas cabeza abajo
interrogarlas en calma o en francés
ellas respondían con guiños cómplices y corruptos
qué suerte unos pocos estábamos en la pomada

éramos el resumen la quintaesencia el zumo
ellas las contraseñas nos valseaban el orgasmo
abanicaban nuestra modesta vanidad
mientras el pueblo ese desconocido
con calvaria tristeza decía no entendernos
no saber de qué hablábamos ni de qué callábamos
hasta nuestros silencios le resultaban complicados
porque también integraban la partitura excelsa
ellas las palabras se ubicaban y reubicaban
eran nuestra vanguardia y cuando alguna caía
acribillada por la moda o el sentido común
las otras se juntaban solidarias y espléndidas
cada derrota las ponía radiantes
porque como sostienen los latinoamericanos del boul mich
la gran literatura sólo se produce en la infelicidad
y solidarias y espléndidas parían
adjetivos y gerundios
preposiciones y delirios
con los cuales decorar el retortijón existencial
y convertirlo en oda o nouvelle o manifiesto
las revoluciones frustradas tienen eso de bueno
provocan angustias de un gran nivel artístico
en tanto las triunfantes apenas si alcanzan
logros tan prosaicos como la justicia social

en el después será el verbo
y el verbo tampoco será dios
tan sólo el grito de varios millones de gargantas
capaces de reír y llorar como hombres nuevos y mujeres
            nuevas

y las palabras putas y frágiles
se volverán sólidas y artesanas
y acaso ganen su derecho a ser sembradas
a ser regadas por los hechos y las lluvias
a abrirse en árboles y frutos
a ser por fin alimento y trofeo
de un pueblo ya maduro por la revolución y la inocencia.

CASI UN REQUIEM

Mientras mi padre se asfixia en la pieza 101
mientras mi padre se asfixia como un pobre pájaro
        definitivamente vencido
y usa su último hilo de voz para un quejido humilde que parte
        el alma
fuera de este recinto suceden cosas
el presidente nixon sale indemne de un examen médico de
        rutina
el presidente el mismo que también parte el alma pero con
        napalm
jóvenes camboyanos de educación pentagonal decapitan
        cadáveres norvietnamitas y se fotografían sonrientes
        con una cabeza en cada mano
el venerable heath vende sus armas a los arcángeles de
        sudáfrica
y aquí en montevideo eficaces torturadores compran tiernos
        regalos para dejar en esta noche de reyes a sus bien
        alimentados pichones
todo esto mientras mi padre que fue un hombre decente y
        generoso se asfixia y muere en la pieza 101.

5 de enero de 1971.

MUERTE DE SOLEDAD BARRETT

Viviste aquí por meses o por años
trazaste aquí una recta de melancolía
que atravesó las vidas y las calles

hace diez años tu adolescencia fue noticia
te tajearon los muslos porque no quisiste
gritar viva hitler ni abajo fidel

eran otros tiempos y otros escuadrones
pero aquellos tatuajes llenaron de asombro
a cierto uruguay que vivía en la luna

y claro entonces no podías saber
que de algún modo eras
la prehistoria de ibero

ahora acribillaron en recife
tus veintisiete años
de amor templado y pena clandestina

quizá nunca se sepa cómo ni por qué

los cables dicen que te resististe
y no habrá más remedio que creerlo
porque lo cierto es que te resistías
con sólo colocárteles en frente
sólo mirarlos
sólo sonreír
sólo cantar cielitos cara al cielo

con tu imagen segura
con tu pinta muchacha
pudiste ser modelo
actriz
miss paraguay
carátula
almanaque
quién sabe cuántas cosas

pero el abuelo rafael el viejo anarco
te tironeaba fuertemente la sangre
y vos sentías callada esos tirones

soledad no viviste en soledad
por eso tu vida no se borra
simplemente se colma de señales

soledad no moriste en soledad
por eso tu muerte no se llora
simplemente la izamos en el aire

desde ahora la nostalgia será
un viento fiel que hará flamear tu muerte
para que así aparezcan ejemplares y nítidas
las franjas de tu vida

ignoro si estarías
de minifalda o quizá de vaqueros
cuando la ráfaga de pernambuco
acabó con tus sueños completos

por lo menos no habrá sido fácil
cerrar tus grandes ojos claros
tus ojos donde la mejor violencia
se permitía razonables treguas
para volverse increíble bondad

y aunque por fin los hayan clausurado
es probable que aún sigas mirando
soledad compatriota de tres o cuatro pueblos
el limpio futuro por el que vivías
y por el que nunca te negaste a morir.

VICTORIA DEL VENCIDO

Y ya que en un descuido sale el sol
y un cauto optimismo inunda los mustios corredores
y una clemente tregüita se instala en este confín de la tortura
qué les parece si nos tomamos un respiro
para escurrir la angustia y ponerla a secar
como una prenda más en el alambre pusilánime

la verdad es que las urgencias
aún las fervorosas
siempre acaban por deformarnos
y así se nos lisian la presunción y el orgullo
o por el contrario se hinchan como tumores
así se nos concentran el odio y el amor
en esta dura orografía que es el maniqueísmo del corazón
así se nos caen las frívolas escamas del pretexto
y la triste rabia queda en carne viva
así los párpados de la conmiseración se alzan para siempre
y la mirada se nos convierte en una espada fija e implacable

hay muertos en el crepúsculo y muertos en el ardor del mediodía
muertos que se ponen y muertos que se levantan como el sol
adolescentes que metieron en su última sonrisa toda su fe en
        la vida y en la sobrevida
muchachas que parieron un sacrificio y le pusieron nombre y
        lo amamantaron
y cuando sonó la metralla lo cubrieron con su lindo cuerpo
        para que se salvara
y el sacrificio se salvó
a duras penas
pero
se salvó

por eso
porque en una comarca equivocada y gris
donde nadie era capaz de regalar diez minutos o diez pesos
estos hombres y mujeres
inmortales y sobrios
fueron capaces de donar su vida

por eso su derrota se liga con la tierra
y germina y renace
en banderas y sueños que flamean
en promesas alegremente cumplidas
en árboles y furias y guitarras y abrazos
y sobre todo en criaturas que heredan los ojos de victoria
de aquellas dulces intrépidas mafiosas

384

que ya sin ver
miraban
en las fotos
del diario.

MILITANCIA

*A mis compañeros del
Movimiento «26 de Marzo»*

Hace apenas dos años que nos juntamos
para hacer algo
aunque fuera bien poco
por la patria doméstica
la pobrecita jodida

al principio sentíamos una culpa tibiona
algo así como la húmeda fiebre que anuncia un constipado
porque claro cada uno declamaba su teoría-congoja
que de algún modo permitía entender el malentendido
            comunitario

en realidad eran pocos los que habían desenvainando su furia
            o su nostalgia
y el futuro mantenía las catástrofes detrás de sus biombos
            neblinosos
los salarios eran bajos pero en cambio los presagios eran
            altísimos
sin embargo los almaceneros y los sastres ya en ese entonces
            eran tan necios que no aceptaban presagios a cuenta

como siempre acontece en las amargas crisis y en las dulces
            hecatombes
los acaparadores acaparaban las ausencias

o sea que sus conciencias y galpones estaban normalmente
        repletos
de omisiones de incurias de coartadas
y en consecuencia muchos tipos no tenían con qué matar el
        hambre
y entonces se limitaban a torturarla

hace dos años que empezó a ser lindo
juntarnos de a muchos para saber qué pocos éramos
y admitir por unanimidad el desorden del mundo y de la vida
jurar sobre la biblia o mejor sobre el reglamento provisorio
que nunca intentaríamos ordenar del todo vida y mundo
simplemente íbamos a procurar que el caos se dejara organizar
        de a poco
y que el hombre mereciera sus castigos pero también sus
        recompensas
y sobre todo que no recibiera recompensas o castigos a los que
        nunca se había hecho acreedor

de pronto empezaron a morir nuestros hermanos y nuestras
        hermanas
y al primer vómito de angustia advertimos que no estábamos
        preparados para que nos estafaran así nomás la vida
la muerte dejó de ser un niño vietnamita quemado con
        napalm y cocacola en alguna zona desmilitarizada
para ser un invierno aquí una bomba aquí un dolor aquí un
        fusilamiento por la espalda una tristeza inmóvil
        apenas visible entre el humo de doscientos cigarrillos

con cien mil nudos en cien mil gargantas
una tarde cualquiera empezamos a llevar amistades y amores
a la teja al del norte al buceo
al santo camposanto del no olvido
y se acabaron todas las variantes de la joda
hubo que pensar milímetro a milímetro el vasto territorio del
        deber

está visto que un pueblo sólo empieza a ser pueblo cuando
        cada singular necesita perentoriamente su plural

y fue precisamente la necesidad de plural la que nos llevó a
		encontrarnos y vernos las caras y vernos los miedos
		y vernos la osadía

la cosa no abundaba
pero era suficiente
no es cierto que el coraje se junte a paladas
más bien se recoge en cucharitas
y sin embargo alcanza
y sin embargo alcanza aunque no sobre

como decía el viejo baldomero
después de darle al hijo soberana paliza
este método es decididamente notable
pero tan sólo para sobrevivientes

no obstante descubrimos que la militancia
esa palabra tantas veces desfondada por la leyenda y los
		discursos
era algo tan normal como el estado civil
y tan colectivo como el tiranos temblad
que la militancia ese alfabeto de tradiciones
era sin embargo tan poco tradicional como el amor

por supuesto no es para dar hurras
ni todavía para cantar victoria
ni mucho menos para soltar palomas en la plaza
o para echar esperanzas y campanas a vuelo
ni siquiera para silbar hosannas por el colmillo de los tangos
		melancólicos
en realidad falta mucho por vivir y morir
mucho que aprender y desaprender

la historia está como siempre pletórica de edificantes
		corazonadas
pero en cambio los miserables suburbios de la historia
están llenos de albañales de frustración y letrinas de
		resentimiento
de cepos ideológicos donde se calumnia a los que luchan

de mezquinas envidias por el valor ajeno
de verdades que se fingen para tapar la verdad

hace apenas dos años que nos juntamos
para hacer algo
aunque fuera bien poco
por la patria doméstica
la pobrecita
jodida

y si una cosa hemos por fin aprendido
es que el rencor no vale casi nada
pero menos aún vale el perdón

así que será útil que vayan sabiendo
los buenos
los regulares
y los malos
que si de ahora en adelante caminamos y crecemos y buscamos
          y hasta cantamos juntos
eso no quiere decir de ningún modo
que hayamos empezado a perdonar

la militancia también es
una memoria
de elefante.

Abril de 1973.

TORTURADOR Y ESPEJO

        Mirate
        así

        qué cangrejo monstruoso atenazó tu infancia
        qué paliza paterna te generó cobarde
        qué tristes sumisiones te hicieron despiadado

388

no escapes a tus ojos
mirate
así

dónde están las walkirias que no pudiste
la primera marmita de tus sañas

te metiste en crueldades de once varas
y ahora el odio te sigue como un buitre

no escapes a tus ojos
mirate
así

aunque nadie te mate
sos cadáver

aunque nadie te pudra
estás podrido

dios te ampare
o mejor
dios te reviente.

DESINFORMEMONOS

Desinformémonos hermanos
tan objetivamente como podamos

desinformémonos con unción
y sobre todo
con disciplina

qué espléndido que tus vastas praderas
patriota del poder
sean efectivamente productivas

desinformémonos
qué lindo que tu riqueza no nos empobrezca
y tu dádiva llueva sobre nosotros pecadores
qué bueno que se anuncie tiempo seco

desinformémonos
proclamemos al mundo la mentidad y la verdira

desinformémonos
nuestro salario bandoneón se desarruga
y si se encoge eructa quedamente
como un batracio demócrata y saciado

desinformémonos y basta
de pedir pan y techo para el mísero
ya que sabemos que el pan engorda
y que soñando al raso
se entonan los pulmones

desinformémonos y basta
de paros antihigiénicos que provocan
erisipelas y redundancias
en los discursos del mismísimo

basta de huelgas infecto contagiosas
cuya razón es la desidia
tan subversiva como fétida

garanticemos de una vez por todas
que el hijo del patrón gane su pan
con el sudor de nuestra pereza

desinformémonos
pero también desinformemos

verbigracia
tiranos no tembléis
por qué temer al pueblo
si queda a mano el delirium tremens

gustad sin pánico vuestro scotch
y dadnos la cocacola nuestra de cada día

desinformémonos
pero también desinformemos

amemos al prójimo oligarca
como a nosotros laburantes

desinformémonos hermanos
hasta que el cuerpo aguante
y cuando ya no aguante
entonces decídámonos
carajo decidámonos
y revolucionémonos.

BUENOS Y MEJORES AIRES

Hay que ir acostumbrándose de a poco
la jornada es tan plena tan bien fundada
que nadie se anima a partirla en dos

las cábalas se ocultan tras las columnas y los arbolitos
los pésames se van chapoteando entre nubes
hasta el hollín se demora en los toldos

pocas veces amaneció tan invencible

el pueblo andrajoso y bienaventurado
regresa con su olor que acalambra al barrio norte
con su miseria que asusta a los miserables
con su hambre que aterra a los dietistas del imperio

el pueblo regresa puteando alegremente
desanda sus lunas de humillación

traga las desventajas y las muertes
rescata consignas de las alcantarillas
y las escribe a lo ancho del cielo
le da al bombo con su más generoso rencor
y despliega la enorme pancarta de sus montoneros
desde la casa rosada donde tiene lugar el exorcismo
hasta la verde memoria del quoharán

por la perpetua rivadavia
ruedan colmados semi remolques
generaciones casi repletas

frente a los enarbolados rostros de trelew
hombres condecorados por el aguante y la osadía
dejan que en el consolado desconsuelo
broten por fin los vivas y las lágrimas

es posible que estos resistentes estos fieles
nada sepan de materialismo histórico o de jorge luis borges
pero trelew lo llevan en sí mismos como un coágulo
y el coágulo trelew se vuelve brújula

por eso en este jardín no hay senderos que se bifurquen
el coágulo-brújula apunta sin vacilación hacia devoto
adiós al laberinto adiós al dédalo
adiós al relajo en antiguas lenguas germánicas

este camino es recto
el pueblo avanza puteando alegremente
y las puteadas tampoco se bifurcan
dan en el blanco y al igual
que en el viejo parque japonés de retiro
los quepis van cayendo como patos
entre las verdes olas de madera

por rivadavia pasan generaciones
pasan camiones como tribunas

el lunes abrirán los grandes bancos
sus puertas segurísimas
mas no serán los mismos

se instalarán los oligarcas
en sus inodoros rosa pálido
más no serán los mismos

los consabidos asesores y aun los sinsabidos
leerán making a president y la santa biblia
mas no serán los mismos

en modestos y cautos titulares
la nación y la prensa mostrarán su amargura
mas no serán los mismos

después de todo no está mal
que en su primera faena de poder
el pueblo alias la mersa haya buscado por sí mismo
con más intuición que las computadoras políticas
y más sinceridad que los partidos electrónicos
la libertad para los suyos

la jornada es tan plena
que nadie se anima a concluirla

en devoto las puertas rechinan
los calabozos retumban a vacío
y en las paredes dice patria o muerte.

Buenos Aires, 25 de mayo de 1973.

GALLOS SUEÑOS

Tenemos una paciencia verde y sólida como un caimán
una paciencia a prueba de balas y promesas

sabemos aguantar con los delirios en acecho
hacer almácigos con nuestros odios mejores

tenemos una esperanza blanca y prójima
como una paloma que ya no es mensajera

tenemos una esperanza a prueba
de terremotos y congojas

sabemos esperar rodeados por la muerte
sabemos desvelarnos por la vida

tenemos una alegría temprana como un gallo
una alegría convicta maniatada y rabiosa

sabemos cómo desatarla y sabemos
que al alba cantarán los gallísimos sueños.

TRES ODAS PROVISORIAS

ODA A LA PACIFICACION

No sé hasta dónde irán los pacificadores con su ruido metálico
             de paz
pero hay ciertos corredores de seguros que ya colocan pólizas
             contra la pacificación
y hay quienes reclaman la pena del garrote para los que no
             quieren ser pacificados

cuando los pacificadores apuntan por supuesto tiran a pacificar
y a veces hasta pacifican dos pájaros de un tiro

es claro que siempre hay algún necio que se niega a ser
             pacificado por la espalda
o algún estúpido que resiste la pacificación a fuego lento
en realidad somos un país tan peculiar
que quien pacifique a los pacificadores un buen pacificador será.

ODA A LA MORDAZA

No creo en vos
mordaza
pero voy a decirte
por qué no creo

ya ves
ahora no digo
ni hoy
ni ay

y sin embargo
igual destapo el verbo
respiro el grito
y armo la blasfemia

pienso
luego insisto

hago inventario
de tu alegre pálpito de la miseria
de tu crueldad sin muchas ilusiones
de tu ira lustrada
de tu miedo
porque mordaza
vos
sos muchísimo más que un trapo sucio
sos la mano tembleque que te ayuda
sos el dueño flagrante de esa mano
y hasta el dueño canalla de tu dueño

porque mordaza
sos muchísimo más que un trapo sucio
con gusto a boca libre y a puteada
sos la ley malviviente del sistema
sos la flor bienmuriente de la infamia

pienso
luego insisto

a tu custodia quedan mis labios apretados
quedan mis incisivos
colmillos
y molares

queda mi lengua
queda mi discurso
pero no queda en cambio mi garganta

en mi garganta empiezo
por lo pronto
a ser libre
a veces trago la saliva amarga
pero no trago mi rencor sagrado

mordaza bárbara
mordaza ingenua
crees que no voy a hablar
pero sí hablo
solamente con ser
y con estar

pienso
luego insisto

qué me importa callar
si hablamos todos
por todas las paredes
y por todos los signos
qué me importa callar
si ya sabés
oscura
qué me importa callar
si ya sabés
mordaza
lo que voy a decirte
porquería.

ODA AL APAGON

Ahora sí que es de noche
y tenebrosa

te acordás cuando el bando reclamaba
una sola confianza por ambiente
y de pocas bujías

el apagón es grande
y extendido

ahora sí que es de noche
y de noche todas las leyes son pardas
la libertad está como boca de lobo
la justicia no se ve ni las manos

el apagón es grande
y extendido

prestame tu luciérnaga de pueblo
su latido sin sombra
su foco inagotable

mirá si estamos todos
como perros guardianes
y después apagala
apágala y después
pensemos o rumiemos o
soñemos con los ojos bien abiertos
hasta que llegue
inexorable
el día.

QUEMAR LAS NAVES
(1968-1969)

LA INFANCIA ES OTRA COSA

Es fácil vaticinar que los propagandistas de la infancia no van
    a interrumpir su campaña
quieren vendernos la inocencia cual si fuera un desodorante
    o un horóscopo
después de todo saben que caeremos como gorriones en la
    trampa
piando nostalgias inventando recuerdos perfeccionando la
    ansiedad

los geniales demagogos de la infancia
así se llamen Amicis o Proust o Lamorisse
sólo recapitulan turbadores sacrificios móviles campanarios
    globos que vuelven a su nube de origen
su paraíso recobrable no es exactamente nuestro siempre
    perdido paraíso
su paraíso tan seguro como dos y dos son cuatro no cabe en
    nuestro mezquino walhalla
ese logaritmo que nunca está en las tablas

los impecables paleontólogos de la infancia
duchos en exhumar rondas triciclos mimos y otros fósiles
tienen olfato e intuición suficientes como para desenterrar y
    desplegar mitos cautivantes pavores sabrosos
    felicidad a cuerda

esos decisivos restauradores
con destreza profesional tapan grietas y traumas

403

y remiendan con zurcido invisible el desgarrón que arruinaba
        nuestro compacto recuerdo de cielo

sin embargo un día de éstos habrá que entrar a saco la
        podrida infancia
no el desván
allí apenas habitan los juguetes rotos los álbumes de sellos
    el ferrocarril rengo o sea la piel reseca de la infancia
no las fotografías y su letargo sepia
habrá que entrar a saco la miseria

porque la infancia
además del estanque de azogada piedad
que a cualquier precio adquieren los ávidos turistas del regreso
además de la espiga y la arañita
y el piano de Mompou
además del alegre asombro que dicen hubo
además de la amistad con el perro del vecino
del juego con las trenzas que hacen juego
además de todo eso
tan radiante tan modestamente fabuloso
y sin embargo tan cruelmente olvidado
la infancia es otra cosa

por ejemplo la oprobiosa galería de rostros
encendidos de entusiasmo puericultor y algunas veces de
        crueldad dulzona
y es (también la infancia tiene su otoño) la caída de las
        primeras máscaras
la vertiginosa temporada que va de la inauguración del
        pánico a la vergüenza de la masturbación inicial
        rudimentaria
la gallina asesinada por los garfios de la misma buena
        parienta que nos arropa al comienzo de la noche
la palabra cáncer y la noción de que no hay exorcismo que valga
la rebelión de la epidermis las estupefacciones convertidas en
        lamparones de diversos diseños y medidas

la noche como la gran cortina que nadie es capaz de descorrer
       y que sin embargo oculta la prestigiosa momia del
       porvenir

por ejemplo la recurrente pesadilla
de diez cien veintemil encapuchados
cuyo silencio a coro repetirá un longplay treinta años más
       tarde con el alevoso fascinante murmullo de los
       lamas del Tibet en sus cantos de muerte
pero que por entonces es sólo una interminable fila de
       encapuchados balanceándose saliéndose del sueño
       golpeando en el empañado vidrio de la cocina
       proponiendo el terror y sus múltiples sobornos anexos

la otra infancia es qué duda cabe el insomnio con los ardides
       de su infierno acústico
uno dejándose llevar despojado de sábanas mosquitero camisón
       y pellejo
uno sin bronquios y sin tímpanos
dejándose llevar imaginándose llevado hacia un lejanísimo
       casi inalcanzable círculo o celda o sima donde no
       hay hormigas ni abuela ni quebrados ni ventana ni
       sopa y donde el ruido del mundo llega sólo como un
       zumbido ni siquiera insistente
es el golpe en la cara para ser más exacto en la nariz
el caliente sabor de la primera sangre tragada
y el arranque de la inquina la navidad del odio que riza el pelo
       calienta las orejas aprieta los dientes gira los puños
       en un molinete enloquecido mientras los demás
       asisten como un cerco de horripiladas esperanzas
       timideces palabrotas y ojos con náuseas

es la chiquilina a obligatoria distancia
la teresa rubia
de ojos alemanes y sonrisa para otros
humilladora de mis lápices de veneración de mis insignias de
       ofrenda de mis estampillas de homenaje
futura pobre gorda sofocada de deudas y de hijos pero
       entonces tan lejos y escarpada

y es también el amigo el único el mejor
aplastado en la calle

sí
un día de éstos habrá que entrar a saco la podrida infancia
habrá que entrar a saco la miseria

sólo después
con el magro botín en las manos crispadamente adultas
sólo después
ya de regreso
podrá uno permitirse el lujo la merced el pretexto el disfrute
de hacer escala en el desván
y revisar las fotos en su letargo serpia.

HOLOCAUSTO

Usted quiere matarse en nuestro nombre
ahí
en el inestable centro del mundo
solo frente al espejo avejentado

usted quiere matarse en nuestro nombre
ser el vicario de nuestras cotidianas agonías
el portavoz de nuestro dulce asco

sin embargo se mira francamente a los ojos
tiene presente que ésa puede ser la penúltima mirada
y se halla viejo como un viejo rencor
acabado como una noticia

por fin admite que
(a la mierda vicarios
portavoces)
no ha de matarse
por lo menos que no ha de matarse por nadie
que no sea
                    usted mismo.

ANUNCIACION SIN OJALA

Te anuncio tierravirgen que parirás felicidad

después de resecarte dividida y de absorber hasta la última
        gota de sangre como un abono inesperado
después de hundirte surco abrirte tumba y cumplir la sagrada
        misión de consternar los atardeceres
después del aguacero radioactivo y la limpia baba de dios

tierravirgen
parirás felicidad

y no habrá nadie para recogerla.

GRIETAS

La verdad es que
grietas
no faltan

así al pasar recuerdo
las que separan a zurdos y diestros
a pequineses y moscovitas
a présbites y miopes
a gendarmes y prostitutas
a optimistas y abstemios
a sacerdotes y aduaneros
a exorcistas y maricones
a baratos e insobornables
a hijos pródigos y detectives
a borges y sábato
a mayúsculas y minúsculas
a pirotécnicos y bomberos
a mujeres y feministas
a aquarianos y taurinos

a profilácticos y revolucionarios
a vírgenes e impotentes
a agnósticos y monaguillos
a inmortales y suicidas
a franceses y no franceses

a corto o a larguísimo plazo
todas son sin embargo
remediables

hay una sola grieta
decididamente profunda
y es la que media entre la maravilla del hombre
y los desmaravilladores

aun es posible saltar de uno a otro borde
pero cuidado
aquí estamos todos
ustedes y nosotros
para ahondarla

señoras y señores
a elegir
a elegir de qué lado
ponen el pie.

BUENAS NOTICIAS

Llegan de atrás
pero no importa
son nuevas en verdad alentadoras

marx se sabía su shakespeare de memoria
y el che sentía latir
precisamente en marx
igual palpitación que en baudelaire

qué suerte que esos dos tremendos tipos
capaces de instalar sus desafíos completos
para siempre en nuestras hemotecas
hayan tenido ganas
y hayan tenido tiempo
de apuntalar su cólera
infinitesimal y gigantesca
con esa cuña de alma
ese rubor tan verosímil esa
frágil e inexpugnable
barricada.

EL SURCO

(en Cuba, 1968)

A medio metro de mis botas recién inauguradas
el surco es una secreta y monstruosa novedad
hay que considerar que desde mis doce años no arrancaba un
            desgraciado yuyo
y aun tengo serias dudas sobre ese barroco antecedente

secreta
porque no sé qué pasará con mi cintura con mis versos con
            mis yugulares con mis ficheros con mis cartílagos
            con mis lecturas de marx con mi asma con mis
            nostalgias con mis rodillas con mis manos de
            dactilógrafo que no tienen seguro como las de los
            pianistas ni intuición como las de los alfareros
y monstruosa no sé muy bien por qué

el millo emerge a duras penas entre la catástrofe de la mala
            hierba
de eso se trata entonces
de ayudarlo a vivir a descatastrofarse
millo y qué es eso
vos sabés en mi tierra quizá tenga otro nombre
bueno el millo es el sorgo ah qué bien y qué es sorgo

409

después de todo qué importa
la mala hierba es mala hierba aquí o en arapey o en babilonia
        o en los jardines del pentágono
se trata de arrancarla dónde y cómo sea
de pie o sentado o en cuatro patas o arrastrándose como un
        lagarto
pero menos hermosamente y sobre todo más urgentemente
        que un lagarto

no está mal
no es difícil
tampoco es necesario haber leído el opus correspondiente a las
        gramíneas
la cosa es hacer fuerza como un biendispuesto condenado
mientras los demás
en particular las muchachitas que no se detienen ante ningún
        despilfarro de energías
cantan esta tarde vi llover vi gente correr y no estabas tú

pero si uno se administra y se automatiza ya no precisa cantar
es decir si convierte sus brazos en palancas y sus piernas en
        bases de cemento y sus codos en bien aceitadas
        bisagras y su estómago en condensador y su cerebro
        en dínamo
es decir si uno se vuelve pura máquina para la que
        lamentablemente ya no hay ni habrá nunca más
        accesorios de repuesto porque se trata de un viejo
        modelo de hace cuarenta y siete años
entonces sí queda tiempo libre para pensar en la cultura y su
        caótica suburbia
para darle vueltas al globo terráqueo del ocio imposible y
        creador
y hasta para hacer comentarios bienhumorados y por supuesto
        eruditos
con el pianista o el pintor o la taquígrafa o el poeta o la
        bibliotecaria del surco vecino
quienes lo alcanzan a uno en un arrebato de lujuriosa disciplina
o a quienes uno da alcance en un momentáneo eclipse de
        serenidad

acaso no crees que la nouvelle critique será siempre un
        fenómeno exterior a nosotros adecuado tan sólo
        para los franceses que no pueden vivir sin
        desmenuzarse concienzudamente
coño esta hierba de mierda ya me hizo la primera ampolla
te parece que cortázar podrá llegar más lejos que rayuela
garcía márquez más lejos que cien años de soledad
por qué no pruebas de rodillas a mí me resulta mucho más
        cómodo aunque claro después no hay cómo
        enderezarse
de todos modos por qué joder tanto con los novelistas
y a los poetas señores a los poetas dónde nos arrinconan
considerando el contexto revolucionario no está mal que esta
        hierba hija de puta se llame johnson grass
no tienes la impresión de que la espalda
vi gente correr
se te va a romper de un momento a otro
y no estabas tú

en realidad nunca imaginé que yo pudiera ser el sudor
es decir que pudiera estar tan bien representado en el sudor
bajo un sol del carajo

lejos dondequiera en la aguada o en el barrio latino o en plaza
        once
habrá amigos que en este preciso instante arman y desarman
        y vuelven a armar sin que les sobren piezas el
        heredado alfabeto
que desde ya coleccionan los inminentes escombros del bien
        aprendido alrededor
que perpetran felizmente un amor sobre el que no escribirán
        porque la victoria casi nunca es artística
que arriman su oído a la madera en busca de profundísimos
        latidos
que sienten un nudo en la garganta cuando de algún modo
        chirria el universo
que se reconocen ajenos y desterrados de sí mismos cuando
        enfrentan el precipicio y otras dudas

que cantan o blasfeman para uso personal con los labios
        apretados y secos
yo puedo estar con ellos
puedo ser como ellos
solidarizarme con su eléctrica gloria o su mirada cenicienta o
        su fosforescente tregua
puedo acompañarlos en el desfiladero que es de todos

pero oscuramente siento
aquí en el surco interminable y enemigo
con las manos hinchadas y a cuatro patas
con los ojos llenos de tierra roja
que en este instante un poco embrutecedor y embrutecido
en este tardío encuentro con la tortura nutricia
ninguno de ellos puede ser yo
ni siquiera este yo sin ninguna vocación terrícola
calcinado por la más paciente de las fatigas disponibles
        maldito por el sol
ni siquiera este yo que arranca mala hierba
a cuatro patas o quizá a catorce patas
sin hablar ya de nadie ni con nadie
que arranca mala hierba mala hierba
con las manos las uñas los ojos los pies la cabeza los dientes
sin hablar sin hablarse
sin saber si existe o no un surco vecino
ya no como una máquina de ademanes simétricos e impecables
sino como una sorda alimaña sin párpados
que simplemente arranca mala hierba.

LA SEÑORA DE LOT

El primero de enero
de mil novecientos sesenta y nueve
la señora de lot
gusana del vedado
no resiste el consuelo de la tentación

e insuficientemente perpleja mira
los diez años llameantes
que quedaron atrás
por cierto que no es cómodo ver de nuevo
cómo son atrapados su vecino el caco su primo el gangster su
       suegro el ex verdugo
cómo el infame astrólogo tiene el descaro de anunciarle
       acrecentarás tu propiedad
cómo su hermano y su irreparable cuñada se van una noche
       cualquiera sin murmurarle adiós ni allá te
       esperaremos

la señora de lot
gusana del vedado
comprueba atónita cómo los mezquinos corifeos se estrellan
       contra la explicable amnesia de dios
cómo el país es sojuzgado por la dulce ferocidad del alfabeto
cómo la sexta mansión de su estirpe es invadida por becarias
       radiantes por negritas
cómo la revolución acierta y se equivoca y comete milagros
       sin visto bueno
cómo la revolución se da de bofetadas humaniza su astucia y
       cuando está a punto de volverse alegoría se echa
       limón en los ojos y la alegoría se va sutilmente al
       carajo y la revolución en cambio permanece

la señora de lot
gusana del vedado
mira hacia atrás y ve cómo se trabaja en silencio y en escándalo
cómo el bloqueo no se desmorona con vivas y deseos y sin
       embargo
cómo el orgullo puede ser un dignísimo cepo y sin embargo
sin embargo nadie se encoge de hombros
la indiferencia está fuera de uso
la isla se mueve con su bloqueo
como saturno con su anillo

la señora de lot
gusana del vedado

413

advierte una salobre frustración en sus invictos lacrimales
mas contra todo lo previsto
contra los pésimos agüeros de su confesor y de sus tías y de
          la voz de las américas
no se convierte en estatua de sal
que al fin de cuentas habría sido un colmo de tradición pero
          también un azar de relativa dignidad

para su suerte o para su oprobio
para su premio o su penitencia
no se convierte en estatua de sal

sencillamente sigue y seguirá siendo
la señora de lot
gusana del vedado.

ARTIGAS

Se las arregló para ser contemporáneo de quienes nacieron
          medio siglo después de su muerte
creó una justicia natural para negros zambos indios y criollos
          pobres
tuvo pupila suficiente como para meterse en camisa de once
          varas
y cojones como para no echarle la culpa a los otros

así y todo pudo articularnos un destino
inventó el éxodo esa última y seca prerrogativa del albedrío

tres años antes de que naciera marx
y ciento cincuenta antes de que roñosos diputados la
          convirtieran en otro expediente demorado
borroneó una reforma agraria que aún no ha conseguido el
          homenaje catastral

lo abandonaron lo jodieron lo etiquetaron
pero no fue por eso que se quedó para siempre en tierra extraña
por algo nadie quiere hurgar en su silencio de viejo firme

no fue tosco como lavalleja ni despótico como oribe ni astuto
	como rivera
fue sencillamente un tipo que caminó delante de su gente
fue un profeta certero que no hizo públicas sus profecías pero
	se amargó profundamente con ellas

ac so imaginó a los futurísimos choznos de quienes
	inauguraban el paisito
esos gratuitos herederos que ni siquiera iban a tener la
	disculpa del coraje
y claro presintió el advenimiento de estos ministros alegóricos
	estos conductores sin conducta estos proxenetas del
	recelo estos tapones de la historia
y si decidió quedarse en curuguaty
no fue por terco o por necio o resentido
sino como una forma penitente e insomne de instalarse en su
	bien ganado desconsuelo.

SEMANTICA

Quieren que me refugie en vos
palabra blanda
silaboba

que crea a pie juntillas que sos muro trinchera caverna
	monasterio tantas cosas

la tentación o mejor dicho la orden es que te mire fijo
así me olvido de los que te hacen y deshacen
forjan y licúan

llegaron a decir que eras
qué me cuentan señores qué me cuentan
el gran protagonista

de dónde eh
blanda

silaboba
protagonista quién
robot de qué dictado

lévi-strauss confesó de una vez para siempre que no le
        interesaba américa después de 1492
y aunque colón no sabe aún si sentirse orgulloso o miserable
        nosotros sí sabemos

che palabra bajate del walhalla
tu único porvenir
es desolimpizarte

de dónde refugio
muro
monasterio

tu única salvación es ser nuestro instrumento
caricia bisturí metáfora fusil ganzúa interrogante tirabuzón
        blasfemia candado etcétera

ya verás
qué lindo serrucho haremos contigo.

CON PERMISO

Está prohibido escribir sobre cierta violencia
así que voy a hablar de la violencia permitida

el violento autorizado asiste comprensivo y curioso a tus
        cartas de amor acaricia contigo los muslos de tu
        novia escucha tus murmullos tus desfallecimientos
duro e infeliz se introduce doméstico en tu casa
pobre gendarme de repente promovido al horror manoseador
        de secretos y mayólicas
a veces ladroncito sin vocación ni melancolía
recién llegado al crimen nuevo rico del miedo

el violento autorizado ve con preocupación el camello que
pasa por el ojo de la aguja
y ordena un silencio sin fisuras para poder vociferarte en el
oído su higiénico entusiasmo por la libertad

deja el corazón en el hogar junto a los nenes o en el
apartamento de su hembrita tercera a fin de no
comprometerlo cuando ultima a los heridos de ojos
abiertos

el violento autorizado poro a poro te odia pero sobre todo se
aborrece a sí mismo y como todavía no puede
reconocerlo sabe que en el espejo ha de encontrar
puntual su arcada indivisible su minifundio de
vergüenza

tortura así con la boca seca malbaratando de ese modo sus
insomnios y sabiendo muy en el fondo que todo es
una gran postergación inútil porque la historia no es
impaciente pero mantiene sus ficheros al día

el violento autorizado tiene una descomunal tijera para cortar
las orejas de la verdad pero después no sabe qué
hacer con ellas

no entiende de símbolos y lo bien que hace porque todo las
calles las ventanas los ojos las paredes el cielo los
puños los dientes son mercados de símbolos son
ferias donde el futuro se ofrece como pichincha
inesperada

el violento autorizado se mete en sus metales en sus fortalezas
semovientes en su noche expugnable pero como deja
un huequito para respirar por ahí se cuela no la bala
perdida sino el guijarro

tiene miedo y lo bien que hace

417

el violento autorizado posee una formidable computadora
        electrónica capaz de informarle qué violencia es
        buena y qué violencia es mala y por eso prohíbe
        nombrar la violencia execrable

la computadora por ejemplo advirtió que este poema trataba
        de la violencia buena.

QUEMAR LAS NAVES

El día o la noche en que por fin lleguemos
habrá que quemar las naves

pero antes habremos metido en ellas
nuestra arrogancia masoquista
nuestros escrúpulos blandengues
nuestros menosprecios por sutiles que sean
nuestra capacidad de ser menospreciados
nuestra falsa modestia y la dulce homilía
de la autoconmiseración

y no sólo eso
también habrá en las naves a quemar
hipopótamos de wall street
pingüinos de la otan
cocodrilos del vaticano
cisnes de buckingham palace
murciélagos de el pardo
y otros materiales inflamables

el día o la noche en que por fin lleguemos
habrá sin duda que quemar las naves
así nadie tendrá riesgo ni tentación de volver

es bueno que se sepa desde ahora
que no habrá posibilidad de remar nocturnamente

hasta otra orilla que no sea la nuestra
ya que será abolida para siempre
la libertad de preferir lo injusto
y en ese solo aspecto
seremos más sectarios que dios padre
no obstante como nadie podrá negar
que aquel mundo arduamente derrotado
tuvo alguna vez rasgos dignos de mención
por no decir notables
habrá de todos modos un museo de nostalgias
donde se mostrará a las nuevas generaciones
cómo eran
                    parís
                    el whisky
                    claudia cardinale.

A RAS DE SUEÑO
(1967)

Señores,
basta una nube
para averiguar la
verdad

JOAQUÍN PASOS

A RAS DE SUEÑO

Sólo una temporada provisoria,
tatuaje de incontables tradiciones,
oscuro mausoleo donde empieza
a existir el futuro, a hacerse piedra.

Nada aquí, nada allá. Son las palabras
del mago lejanísimo y borroso.

Sin embargo, la infancia se empecina,
comienza a levantar sus inventarios,
a echar sus amplias redes para luego.
Es una isla limpia y sobre todo
fugaz, es un venero de primicias
que se van lentamente resecando.

Queda atrás como un rápido paisaje
del que persistirán sólo unas nubes,
un biombo, dos juguetes, tres racimos,
o apenas un olor, una ceniza.
Con luces queda atrás, a la intemperie,
yacente y aplazada para nunca,
sola con su aptitud irresistible
y un pudor incorpóreo, agazapado.
Para nunca aplazada, fabulosa
infancia entre sus redes extinguida.

Por algo queda atrás. Esa entrañable
cede paso al fervor, al pasmo, al fruto,

el azar hinca el diente en otra bruma,
somos los moribundos que nacemos
a la carne, a la sangre, al entusiasmo,
nos burlamos del sol, de la penumbra,
manejamos la gloria como un lápiz
y en las vírgenes tapias dibujamos
el amor y su viejo colmo, el odio,
el grito que nos pone la vergüenza
en las manos mucho antes que en la boca.

El celaje se enciende. Somos niebla
bajo el cielo compacto, insolidario,
el asombro hace cuentas y no puede
mantenernos serenos, apacibles,
somos el invasor protagonista
que hace trizas el tiempo, que hace ruido
pueril, que hace palabras, que hace pactos,
somos tan poderosos, tan eternos,
que cerramos el puño y el verano
comienza a sollozar entre los árboles.

Mejor dicho: creemos que solloza.
El verano es un vaho, por lo tanto
no tiene ojos ni párpados ni lágrimas,
en sus tardes de atmósfera más tenue
es calor, es calor, y en las mañanas
de aire pesado, corporal, viscoso,
es calor, es calor. Con eso basta.

De todos modos cambia a las muchachas,
las ilumina, las ondula, y luego
las respira y suspira como acordes,
las envuelve en amor, las hace carne,
les pinta brazos con venitas tenues
en colores y luz complementarios,
les abre escotes para que alguien vierta
cualquier mirada, ese poderhabiente.

La vida, qué región esplendorosa.
¿Quién escruta la muerte, quién la tienta?

A la horca con él. ¿Quién piensa en esa
imposible quietud cuando es la hora
para cada uno de morder su fruta,
de usar su espejo, de gritar su grito,
de escupir a los cielos, de ir subiendo
de dos en dos todas las escaleras?

La muerte no se apura, sin embargo,
ni se aplaca. Tampoco se impacienta.
Hay tantas muertes como negaciones.
La muerte que desgarra, la que expulsa,
la que embruja, la que arde, la que agota,
la que enluta el amor, la que excrementa,
la que siega, la que usa, la que ablanda,
la muerte de arenal, la de pantano,
la de abismo, la de agua, la de almohada.

Hay tantas muertes como teologías,
pero todas se juntan en la espera.
Esa que acecha es una muerte sola.
Escarnecida, rencorosa, hueca,
su insomnio enloquecido se desploma
sobre todos los sueños, su delirio
se parece bastante a la cordura.
Muerte esbelta y rompiente, qué increíble
sirena para el Mar de los Suicidas.

No canta, pero indica, marca, alude,
exhibe sus voraces argumentos,
sus afiches turísticos, explica
por qué es tan milagrosa su inminencia,
por qué es tan atractivo su desastre,
por qué tan confortable su vacío.

No canta, pero es como si cantara.
Su demagogia negra usa palomas,
telegramas y rezos y suspiros,
sonatas para piano, arpas de herrumbre,
vitrinas del amor momificado,

relojes de lujuria que amontonan
segundos y segundos y otras prórrogas.

No canta, pero es como si cantara.
Su espanto vendaval silba en la espiga,
su pregunta repica en el silencio,
su loco desparpajo exuda un réquiem
que es prado y es follaje y es almena.

Hay que volverse sordo y mudo y ciego,
sordo de amor, de amor enmudecido,
ciego de amor. Olfato, gusto y tacto
quedan para alejar la muerte y para
hundirse en la mujer, en esa ola
que es tiempo y lengua y brazos y latido,
esa mujer descanso, mujer césped,
que es llanto y rostro y siembra y apetito,
esa mujer cosecha, mujer signo,
que es paz y aliento y cábala y jadeo.

Hay que amar con horror para salvarse,
amanecer cuando los mansos dientes
muerden, para salvarse, o por lo menos
para creerse a salvo, que es bastante.
Hay que amar sentenciado y sin urgencia,
para salvarse, para guarecerse
de esa muerte que llueve hielo o fuego.

Es el cielo común, el alba escándalo,
el goce atroz, el milagroso caos,
la piel abismo, la granada abierta,
la única unidad uniyugada,
la derrota de todas las cautelas.

Hay que amar con valor, para salvarse.
Sin luna, sin nostalgia, sin pretextos.
Hay que despilfarrar en una noche
—que puede ser mil y una— el universo,
sin augurios, sin planes, sin temblores,

426

sin convenios, sin votos, con olvido,
desnudos cuerpo y alma, disponibles
para ser otro y otra a ras de sueño.

Bendita noche cóncava, delicia
de encontrar un abrazo a la deriva
y entrar en ese enigma, sin astucia,
y volver por el aire al aire libre.
Hay que amar con amor, para salvarse.

Entonces vienen las contradicciones
o sea la razón. El mundo existe
con manchas, sin azar, y no hay conjuro
ni fe que lo desmienta o modifique.

El manantial se seca, el árbol cae,
la sangre fluye, el odio se hace muro.
¿Es mi hermano el verdugo? Ese asesino
y dios padrastro todopoderoso,
ese señor del vómito, ese artífice
de la hecatombe, ¿puede ser mi hermano?
Surtidor de napalm, profeta imbécil,
¿ése, mi prójimo?, ¿ése, el semejante?
Síndico en todo caso de la muerte,
argumento y proclama de la ruina,
poder y brazo ejecutor. Estiércol.

Por esta vez no he de mirar mis pasos
sino el contorno triste, calcinado.
Miro a mi sombra que está envejeciendo,
la sombra de los míos que envejecen.

El mundo existe. Con o sin sus manes,
con o sin su señal. Existe. Punto.

El mundo existe con mis ex iguales,
con mis amigos-enemigos, esos
que ya olvidé por qué se traicionaron.

Tiendo mi mano a veces y está sola
y está más sola cuando no la tiendo,
pienso en los compradores emboscados
y tengo duelo y tengo rabia y tengo
un reproche que empieza en mis lealtades,
en mis confianzas sin mayor motivo,
en mi invención del prójimo-mi-aliado.
Ni aun ahora me resigno a creerlo.

No todos son así, no todos ceden.
Tendré que repetírmelo a escondidas
y barajar de nuevo el almanaque.

Mi corazón acobardado sigue
inventando valor, abriendo créditos,
tirando cabos sólo a la siniestra,
aprendiendo a aprender, pobre aleluya,
y quién sabe, quién sabe si entre tanta
mentira incandescente, no queda algo
de verdad a la sombra. Y no es metáfora.

Nada aquí, nada allá. Son las palabras
del mago lejanísimo y borroso.

Pero ¿por qué creerle a pie juntillas?
¿En qué galaxia está el certificado?

Algo aquí, nada allá. ¿Es tan distinto?
Lo propongo debajo de mis párpados
y en mi boca cerrada.
                              ¿Es tan distinto?
Ya sé, hay razones nítidas, famosas,
hay cien teorías sobre la derrota,
hay argumentos para suicidarse.

Pero ¿y si hay un resquicio?
                              ¿Es tan distinto,

tan necio, tan ridículo, tan torpe,
tener un espacioso sueño propio
donde el hombre se muera pero actúe
como inmortal?

VENTANA OSCURA

La noche es inhumana. Nadie sabe
cómo se cierra esa ventana oscura
si no lo hace con su propia llave,

replegado en su sombra y sin usura,
con la memoria más que nunca alerta,
dispuesta a no pactar con la cordura.

La confidencia siempre desconcierta
y un poco más la amnesia lisa y llana,
esa que olvida a cara descubierta.

Después de todo, si nos da la gana
podemos olvidar, y es poca gloria
ese olvido. La noche es inhumana

ave de muerte, muerte migratoria
que anida en estos ojos y propone
otros que ya no ven escapatoria.

Ignoro cómo se las descompone
para ser tan oscura, tan oscura,
y conseguir que yo se lo perdone.

El pasado es un rostro que madura,
una herida en el sueño, un devaneo,
dos o tres signos para la aventura.

El futuro es un tímido rodeo
al tiempo sin revés, al tiempo muerte
que desgasta las piedras y el deseo.

Unos tienen la ruina, otros la suerte
de mirarse mirando, espejo y pozo.
De todos modos, hay que ser muy fuerte

o cobarde de un modo escandaloso
para no rechazar el desafío
y contemplar en calma ese espantoso

gesto que muere, y admitir: Es mío.

BALDON

El dolor es una
desértica provincia
donde no cabe
nadie más

una parcela
tierra oscura

tú no lindas
con él
tú estás a salvo

pobre de ti
baldón
que no peligras.

PRIMERA INCOMUNION

Esta historia poco sagrada
de aquí abajísimo

esta nada eucarística amenaza
bomba lustral
hongo piadoso
última cena con doce judas
y ningún pobre
salvador

este bochorno calculado
este loquísimo escupitajo
en las dos caras de la eternidad

tienen su parte en mi desrezo.

EL SANTO SE PREGUNTA

Arrinconado en mis plegarias buenas
e inútiles, soberbio en mis acciones
que a nadie arriman ley o quitan penas,

aislado espectador de mis histriones,
histrión yo mismo como un árbol seco
que cabeceara para sus gorriones,

guardia solemne de un instante hueco,
cómo saber, cómo saber, dios mío,
cuándo invento virtud y cuándo peco,

cuándo confundo el cielo con el río,
cómo saber si el río es poco llanto,
cómo saber, cómo saber, dios mío.

si eso que llamo Dios es otro espanto.

MEJOR TE INVENTO

Estás alicaído, estás dudando,
no te alcanzan las pruebas ni las preces,
cada Dónde te ofusca, y cada Cuándo.

Recorres el confort, las estrecheces
que quedaron atrás y es razonable
que reclames la vida que mereces,

las ventanas en paz, el techo estable.
Pero yo, te confieso, prefería
(¿cómo querés, hermano, que te hable?)

cuando tu vieja angustia estaba al día
con la angustia del mundo, cuando todos
éramos parte en tu melancolía.

Sé qué polvos trajeron estos lodos
pero saberlo no es la mejor suerte.
Inventaré quién sos. De todos modos.

inventarte es mi forma de creerte.

SEÑAS DEL CHE

Todo campo
es el nuestro

por ejemplo está éste
verde dispuesto verde
los surcos y los surcos
las nubes con sus gordas
pantorrillas de lluvia

está también el otro
campo de pronto abismo
recién nacidos muertos
sin haberse atrevido
a estrenar sus pavores

está el amor de siempre
el corazón del tacto
la noche de la piel
los poros y los poros
y la gloria y el beso

está la llamarada
la hoguera de la piel
el cuerpo brasa infame
el hombre que no sabe
por qué lo incendia el hombre

verde dispuesto verde
campo de pronto abismo
los surcos y los surcos
las nubes con sus gordas
pantorrillas de lluvia
recién nacidos muertos
sin haberse atrevido
a estrenar sus pavores
está el amor de siempre
está la llamarada
el corazón del tacto
la hoguera de la piel
la noche de la piel
el cuerpo brasa infame
los poros y los poros
y el hombre que no sabe
y la gloria y el beso
por qué lo incendia el hombre

desde un sitio cualquiera
montaña

o selva
o sótano
hay alguien que hace señas
agitando su vida

todo campo
es el nuestro.

La Habana, abril 1967.

CONSTERNADOS, RABIOSOS

Vámonos,
derrotando afrentas

ERNESTO «CHE» GUEVARA

Así estamos
consternados
rabiosos
aunque esta muerte sea
uno de los absurdos previsibles

da vergüenza mirar
los cuadros
los sillones
las alfombras
sacar una botella del refrigerador
teclear las tres letras mundiales de tu nombre
en la rígida máquina
que nunca
nunca estuvo
con la cinta tan pálida

vergüenza tener frío
y arrimarse a la estufa como siempre
tener hambre y comer

esa cosa tan simple
abrir el tocadiscos y escuchar en silencio
sobre todo si es un cuarteto de Mozart

da vergüenza el confort
y el asma da vergüenza
cuando tú comandante estás cayendo
ametrallado
fabuloso
nítido

eres nuestra conciencia acribillada

dicen que te quemaron
con qué fuego
van a quemar las buenas
buenas nuevas
la irascible ternura
que trajiste y llevaste
con tu tos
con tu barro

dicen que incineraron
toda tu vocación
menos un dedo

basta para mostrarnos el camino
para acusar al monstruo y sus tizones
para apretar de nuevo los gatillos

así estamos
consternados
rabiosos
claro que con el tiempo la plomiza
consternación
se nos irá pasando
la rabia quedará
se hará más limpia

estás muerto
estás vivo
estás cayendo
estás nube
estás lluvia
estás estrella

donde estés
si es que estás
si estás llegando

aprovecha por fin
a respirar tranquilo
a llenarte de cielo los pulmones

donde estés
si es que estás
si estás llegando
será una pena que no exista Dios

pero habrá otros
claro que habrá otros
dignos de recibirte
comandante.

Montevideo, octubre 1967.

ANGEL DE LA GUARDA

Al principio eras niño
como yo
pero mucho más ágil

no sólo me advertías
de la baldosa floja

o de la abuela que se aproximaba
con sus dos bofetadas potenciales

también en mis mañanas
de golero baldío
cuando el pecoso arremetía
echabas
a corner la pelota
inalcanzable

cierto día empezaste
a flaquear sin aviso
jugando al rango se agachó un cretino
yo me partí los labios
tú las alas

cicatrizamos pronto sin embargo
todavía serviste
para evitar los riesgos de rutina
tales como los nudos y estornudos
la maceta que cae de un quinto piso
la venérea que sube del segundo

nuestro primer conflicto fue con cielo
yo me puse a creer
y tú a esperarme

cuando se nubló todo
dónde estabas
no me salvaste ni me salvarías
ya nunca más
la noche mansa comenzó a llover
y me empapó de dudas
dónde estabas
para decir que no
gritar que sí
o mejor para
abrir nuestro paraguas
y callarnos

llegaron pestes aurorales
muertes
injustas no buscadas
odios entre el escombro
vacíos con espuma y sin espuma
cíclopes merodeantes

dónde estabas
para cavar dolor como trincheras
para armarme las manos
para decirme algo
cualquier cosa
y sobre todo
para desarmarme
la buena fe
ese arcabuz inútil

se crearon mágicos latidos
entretenidas desesperaciones
que claro
si no son bien atendidas
se pueden convertir
en incurables

dónde estabas
para inventar augurios
sobre el tierno futuro en carne viva

acudes cuando nadie te reclama
por ejemplo
a quitarme el cuarto vaso
o el primer sueño
que es quitarlo todo

debes reconocerlo
no preciso
que me cuides
sino que me descuides

ya se verá
cómo me las arreglo

mejor te vas

recoge tus alones
y no vuelvas.

ABUELO RUBEN

Seguramente nunca habrías escrito:
«Un siglo es un instante».
Menos aún: «Cien años, qué locura».

Eso sí, habrías aporreado el clavecín rimero
hasta arrancarle la nota que buscabas,
o lustrado los débiles barrotes de la frase
como quien apronta una imposible jaula
para el decididamente posible ruiseñor,
o tal vez recurrido a Atlántidas, a faunos,
a pajes, a Mesías, hasta a reinas de Angola,
para decir algo tan sencillo como tu repentina edad
o el quemante bochorno de tus viejas auroras.

Trato de imaginarme cómo habrías conseguido
en este grave amenazado enero
de tus cien años y nuestros tres minutos
pasar tu contrabando de pedagógicas ambrosías,
y entonces creo advertir otros salubres responsos,
algo así como tímidos ajustes de cuentas.

Después de todo, ya sabemos
por qué las princesas están tristes.
Y no sólo las princesas. Los sabuesos, los gerentes,
los fabricantes de burbujas y los secretarios de estado,
están a cuál más pálido en sus sillas de oro.

Después de todo, ya sabemos
por qué bufa el eunuco.
Y no sólo el eunuco. Los herrumbrados puritanos,
los ortopédicos censores, los minuciosos
restauradores de la miseria, los chacales en fin,
luchan por el legado de tu pobre bufón escarlata.

Diríase que el tiempo es otro, que en este mundo en llaga
no caben tus marquesas ni tus cisnes unánimes,
que al cándido hombre de hambre no le importa
la dieta frutal de miel y rosas
que aconsejaste para los dromedarios.

Mas son pobres decires.
Lo cierto, lo vital, lo milagroso,
es que echaste a volar un decisivo
cuento de hadas verbales y no obstante tangibles.

Seamos por una vez modestamente sabios
y sobre todo ecuánimes.

Junto con la justicia y el pan nuestro
defendamos tu derecho a soñar la palabra,
a expropiar diccionarios y mitos,
a invadir toda la belleza disponible
como quien toma por asalto el polvorín del enemigo
para volcarlo en la victoria propia.

Tú no lo habrías escrito.
Pero nosotros, gracias a ti,
no tenemos vergüenza de decir en tu nombre:
«Un siglo es un instante»,
y menos aún de pensar, en el nuestro:
«Cien años, qué locura».

Varadero, enero 1967.

440

CONTRA LOS PUENTES LEVADIZOS
(1965-1966)

.

*Pero ¿cómo sería tu amor
sin tus rencores?*

PABLO ARMANDO FERNÁNDEZ

*hurrah! por fin ninguno
es inocente*

JUAN GELMAN

CONTRA LOS PUENTES LEVADIZOS

1

Nos han contado a todos
cómo eran los crepúsculos
de hace noventa o novecientos años

cómo al primer disparo los arrepentimientos
echaban a volar como palomas
cómo hubo siempre trenzas que colgaban
un poco sucias pero siempre hermosas
cómo los odios eran antiguos y elegantes
y en su barbaridad venturosa latían
cómo nadie moría de cáncer o de asco
sino de tisis breves o de espinas de rosa

otro tiempo otra vida otra muerte otra tierra
donde los pobres héroes iban siempre a caballo
y no se apeaban ni en la estatua propia

otro acaso otro nunca otro siempre otro modo
de quitarle a la hembra su alcachofa de ropas

otro fuego otro asombro otro esclavo otro dueño
que tenía el derecho y además del derecho
la propensión a usar sus látigos sagrados

443

abajo estaba el mundo
abajo los de abajo
los borrachos de hambre
los locos de miseria
los ciegos de rencores
los lisiados de espanto

comprenderán ustedes que en esas condiciones
eran imprescindibles los puentes levadizos.

2

No sé si es el momento
de decirlo
en este punto muerto
en este año desgracia

por ejemplo
decírselo a esos mansos
que no pueden
resignarse a la muerte
y se inscriben a ciegas
caracoles de miedo
en la resurrección
qué garantía

por ejemplo
a esos ásperos
no exactamente ebrios
que alguna vez gritaron
y ahora no aceptan
la otra
la imprevista
reconvención del eco

o a los espectadores
casi profesionales

444

esos viciosos
de la lucidez
esos inconmovibles
que se instalan
en la primera fila
así no pierden
ni un solo efecto
ni el menor indicio
ni un solo espasmo
ni el menor cadáver

o a los sonrientes lúgubres
los exiliados de lo real
los duros
metidos para siempre en su campana
de pura sílice
egoísmo insecto
ésos los sin hermanos
sin latido
los con mirada acero de desprecio
los con fulgor y labios de cuchillo

en este punto muerto
en este año desgracia
no sé si es el momento
de decirlo
con los puentes a medio descender
o a medio levantar
que no es lo mismo.

3

Puedo permanecer en mi baluarte
en ésta o en aquella soledad sin derecho
disfrutando mis últimos
racimos de silencio
puedo asomarme al tiempo

a las nubes al río
perderme en el follaje que está lejos

pero me consta y sé
nunca lo olvido
que mi destino fértil voluntario
es convertirme en ojos boca manos
para otras manos bocas y miradas

que baje el puente y que se quede bajo

que entren amor y odio y voz y gritos
que venga la tristeza con sus brazos abiertos
y la ilusión con sus zapatos nuevos
que venga el frío germinal y honesto
y el verano de angustias calcinadas
que vengan los rencores con su niebla
y los adioses con su pan de lágrimas
que venga el muerto y sobre todo el vivo
y el viejo olor de la melancolía

que baje el puente y que se quede bajo

que entren la rabia y su ademán oscuro
que entren el mal y el bien
y lo que media
entre uno y otro
o sea
la verdad ese péndulo
que entre el incendio con o sin la lluvia
y las mujeres con o sin historia
que entre el trabajo y sobre todo el ocio
ese derecho al sueño
ese arco iris

que baje el puente y que se quede bajo

que entren los perros
los hijos de perra

las comadronas los sepultureros
los ángeles si hubiera
y si no hay
que entre la luna con su niño frío

que baje el puente y que se quede bajo

que entre el que sabe lo que no sabemos
y amasa pan
o hace revoluciones
y el que no puede hacerlas
y el que cierra los ojos

en fin
para que nadie se llame a confusiones
que entre mi prójimo ese insoportable
tan fuerte y frágil
ese necesario
ése con dudas sombra rostro sangre
y vida a término
ese bienvenido

que sólo quede afuera
el encargado
de levantar el puente

a esta altura
no ha de ser un secreto
para nadie

yo estoy contra los puentes levadizos.

ARTE POETICA

Que golpee y golpee
hasta que nadie
pueda ya hacerse el sordo

que golpee y golpee
hasta que el poeta
sepa
o por lo menos crea
que es a él
a quien llaman.

EN PIE

Sigo en pie
por latido
por costumbre
por no abrir la ventana decisiva
y mirar de una vez a la insolente
muerte
esa mansa
dueña de la espera

sigo en pie
por pereza en los adioses
cierre y demolición
de la memoria

no es un mérito
otros desafían
la claridad
el caos
o la tortura

seguir en pie
quiere decir coraje

o no tener
donde caerse
muerto.

AY QUE NO HAY

No hay ángeles
no hay dios

no hay cielo
no hay regreso

sin embargo
y sin duda
hay sueños como ángeles
hay miedos como dios
hay cielos como cielo

sin embargo
y sin duda
lo que no hay
es regreso.

INTIMIDAD

Soñamos juntos
juntos despertamos

el tiempo
mientras tanto
hace o deshace

no le importan
tu sueño
ni mi sueño

somos dóciles
torpes
destructibles

449

pensamos que no cae
esa gaviota

que más allá del fin
hay otra orilla
que la batalla es nuestra
o de ninguno

vivimos juntos
juntos
nos destruimos

pero la destrucción es una broma
un detalle
una ráfaga
un instante
un abrir y cerrarse
de ojos ciegos

ah nuestra intimidad
es tan inmensa
que la muerte la esconde
en su vacío.

CANJE

Es importante hacerlo

quiero que me relates
tu último optimismo
yo te ofrezco mi última
confianza

aunque sea un trueque
mínimo

debemos cotejarnos

estás sola
estoy solo
por algo somos prójimos

la soledad también
puede ser
              una llama.

LUNA CONGELADA

Con esta soledad
alevosa
tranquila

con esta soledad
de sagradas goteras
de lejanos aullidos
de monstruoso silencio
de recuerdos al firme
de luna congelada
de noche para otros
de ojos bien abiertos

con esta soledad
inservible
'vacía

se puede algunas veces
entender
el amor.

SABE VENGARSE

Cierro los ojos
y no existe
el prójimo
se terminan
la lucha
el mar de agravios
los dueños del dinero
la nube que amenaza

se terminan las trampas
los zánganos que dictan
la ley
los eruditos
en odio
y aquel látigo
que corta el aire

cierro los ojos
y no existe el prójimo

pero él sabe vengarse

ahora
o cuando quiera
puede cerrar los ojos
sólo cerrar los ojos

y entonces
yo
no existo.

LA HAZAÑA

Después de todo es fácil recordar
basta con arrimarse al horizonte
basta con bostezar en plena euforia
alcanza con entrar en la agonía

es fácil recordar
se abren las manos
y se cierran
y en el puño vacío
está el juguete
están la cruz o el seno
que se desentendieron del presente
que quedaron atrás
que todavía

es fácil
basta con decir un nombre
basta con desandar cierta tristeza
alcanza con quebrar el odio ajeno

la gran proeza
la mejor hazaña
de la memoria
               es olvidarlo todo.

HASTA ENTONCES

Tal vez en un desnudo amanecer con frío
ese frío corpóreo y a la vez transparente
que viene desde arriba como el ojo de un búho

en un exacto mundo todavía con árboles
todavía con monstruos y rocío y pregones
corrompido o a punto de encontrar su pureza

en una edad que desmorone juicios
que embista rangos y madure insomnios
y cambie lo imposible en inminente

en un tiempo con ruinas y paciencia
y un nuevo resplandor que no nos abochorne
y esa enorme tristeza que se llama sosiego

allí en ese desnudo amanecer con frío
ya sin consternación y casi alegres
descubriremos la presencia estable

de otra armonía y otro paradigma
y el bienaventurado cataclismo
ese impróspero azar que es la justicia

pero de aquí hasta entonces hasta ese
ecuánime relámpago de veras
de aquí hasta ese fulgor irremediable

cómo vivir esperanzadamente
en esta noche atroz leonina abyecta
cómo vivir en este socavón sin escape.

HARAPOS

Hay sólo una miseria
que se prende con uñas en el muro
y quisiera trepar
y a veces trepa

una vasta miseria que nos mira
y junta su rencor
y nos invade

por eso desde hoy y desde dentro
y a pesar de mi pan y de mi suerte
me siento miserable

como si nunca hubiera sonreído
o visto sonreír
como si cuando sueño
mis ensueños
no encontraran lugar
bajo mis párpados

ya no es la culpa higiénica
la desazón precaria
el relamido umbral
de la conciencia

es mucho más

ahora mi miseria
incluye el estrellarse
y usar todo el coraje para el miedo
y caer de rodillas
sin plegaria
y sentirse extranjero
y condenado
a no encontrar la brecha
a no encontrar la brecha.

A QUIEN

Ya no sólo de pánico
vive el hombre

por eso
es una paz no dulce
no tranquila
no alegre

con esa pobre cuota
de promesas y aves

que necesita el cielo
de una siesta cualquiera

sin embargo
los hombres y mujeres
ya no entornan los ojos
como era previsible
y lo contemplan todo
el futuro diezmado
la brisa que ahora adula
como al pasar
las hojas
la ola que no llega
la voz que no se rompe

toda la paz sencillamente no

el cascarón del orden
el salto o dios o cuervo
que se cierne
sobre la paz no mansa
sobre la paz en sombra
sobre la paz espera

a quién.

DECIR QUE NO

Ya lo sabemos
es difícil
decir que no
decir no quiero

ver que el dinero forma un cerco
alrededor de tu esperanza
sentir que otros

los peores
entran a saco por tu sueño

ya lo sabemos
es difícil
decir que no
decir no quiero

no obstante
cómo desalienta
verte bajar de tu esperanza
saberte lejos de ti mismo

oírte
primero despacito
decir que sí
decir sí quiero
comunicarlo luego al mundo
con un orgullo enajenado

y ver que un día
pobre diablo
ya para siempre pordiosero
poquito a poco
abres la mano

y nunca más
puedes
            cerrarla.

ADELANTE

A la muerte a la muerte a la muerte
no importa que el verano nos ataje
que las piedras incrédulas nos miren
los sordomudos del amor los militantes

de la felicidad nos exorcicen
que los guías nos lleven a otra parte
que nos propongan paraísos varios
cada uno con su aval de eternidad

a la muerte a la muerte a la muerte
caminando despacio o a caballo o a nado
o bien trepados en el sufrimiento
no importa el medio de transporte vamos
decididos porfiados mortalmente optimistas
repartiendo memorias testamentos hijuelas
proyectos de obra póstuma últimas voluntades
frases finales para los que siguen

a la muerte a la muerte a la muerte
sin matarnos simplemente viviendo
nuestro largo atareado suicidio
nuestra desolación en compañía
después de todo somos los vitales
los que vamos como toros o búfalos
como rinocerontes de inocencia
como los obligados obedientes
a la muerte a la muerte a la muerte.

HACHE Y JOTA

Aquella noche Hyde y Jekyll
decidieron tomar un trago

silbó bajito el Dr. Jekyll
y dijo hoy me siento ufano
tengo tranquila la conciencia
la digestión de buen talante
creo que vivir vale la pena

bajó los ojos míster Hyde
y dijo torvamente mierda

luego elevaron las dos copas
de vino tinto y vino blanco
y brindaron por esa eterna
y saludable coincidencia

por fin salieron abrazados
como dos buenos enemigos
estornudaron al unísono
y se metieron en el Hombre.

ENEMIGO

Tus ojos miran como dos latidos,
tu corazón no puede con su roca,
tu memoria se tapa los oídos.

Maldices aunque no muevas la boca,
sigues comprando el surco y los matones,
el azar, los desnudos y la poca

vergüenza que te pisa los talones,
sigues comprando hectáreas y tristezas.
Pero son demasiadas emociones.

Como todos, escondes tus flaquezas
y tu memoria sabe lo que sabe.
Llega la hora. Y además empiezas

a crujir, enemigo. Eso es muy grave.

TRANSISTOR

La plaza es por ahora una mancha de sol
los árboles son nada más que árboles
o sea que no entran aún en la metáfora
el remoto mercado distribuye sus gritos
dispuestos a flotar sobre el vasto cantero
ufano en su primera liquidación de hojas

metido en semejante silencio hecho de ruidos
el transistor propone sucesivas enmiendas
el presidente johnson declaró declaraba
declarará declara estaría declarando
sobre la hoja el insecto avanza por su mano
la gota verde no se decide a suicidarse
a dejar de ser gota sobre la tierra esponja
misiones de limpieza al norte de saigón
dos versos más acá en su walhalla mínimo
ella lo besa a él como el nido a su rama
ciento cincuenta raids todos cristianos
en sólo una jornada prodigio de eficiencia

desmantelado y todo mueve nubes el cielo
hinchadas y prudentes dan vueltas las palomas
y como hasta ahora nadie les pidió el visto bueno
para reconvertirlas en símbolos de paz
su paso tiene a veces la amargura confiada
la solvente tristeza de las viudas encintas

en rapto que no ha sido justamente apreciado
el general westmoreland bombardea sus tropas
en soledad perpetua se mira un niño y corre
tras la pelota siempre de nuevo revelada
al norte de otro norte la escalada prosigue
la fuerza aeronaval no reconoce pérdidas
no reconoce alarmas el otoño en su banco
insiste el surtidor con destemplada
transparencia y a veces estornuda

460

el presidente johnson el presidente johnson
la araña azul vigila su red de cementerios
y su mala conciencia se hace indisimulable
en el tic irrisorio de su séptima pata

para u thant es probable el tremendo holocausto
durante diez minutos el viento aliento sopla
la despeinada copa dice otra vez que no
y pierde dos pestañas y un coleóptero
sentémonos sugiere el presidente johnson
a la mesa del diálogo del amor de la tregua
las palomas no saben que están siendo aludidas
no saben que están siendo bombardeadas
la pareja no sabe que peligra su beso
el insecto no sabe la criatura no sabe

el transistor no sabe que el napalm de la paz
no sólo incendia arengas depósitos hogares
en aquel paralelo que está sólo en un mapa
también inflama el aire de esta plaza en modorra
y el futuro esa zona desmilitarizada.

LOS ANACRONICOS

Con todas las letras y con todos los números
dijo mi amigo que la moral era anacrónica
mi amigo dijo que había que ser realista
después llegaron los capitanes del Tesoro
hicieron el consabido acopio de síes
y los almacenaron y los ordenaron
a un lado los síClaro y los síViva
a otro los síPero y los síAunque

después vinieron los ecónomos del hambre
los estadígrafos de la alegre miseria
levantaron un prolijo censo de lo frágil

descartaron la conciencia ese pólipo inútil
y admitieron una sabia dosis de humillaciones

por último llegaron los verdugos sonrientes
los muchachos de dios y cocacola
por piedad arrojaron las bombas
a cada aldea le dieron su sagrado napalm
y a cada cadáver su mejor padrenuestro

no obstante el panorama está mucho más claro

desde las colinas del pasado
desde las montañas del porvenir
ojalá desciendan los anacrónicos
ojalá lleguen otra vez a tiempo

la verdad es que ahora
cabalmente se entiende
que mi amigo el realista
no era realista de la realidad
sino del rey.

LLUVIA REGEN PIOGGIA PLUIE

Lluvia regen pioggia pluie
crea cúpulas vértigos confianzas
sencillamente cae sobre tus hombros
golpea en el paraguas que no puede
sentir que llueve en cuatro en ocho idiomas
se derrama quién sabe en qué mapa de sueños
con bombardeos llantos y sirenas
con recuerdos que empiezan a chorrear
con árboles que piden y no esconden
la mano o rama o pájaro o deseo
con el débil relámpago que nadie
con el trueno que se metió en su nido

llueve con voluntad igualadora
sencillamente cae sobre tus hombros
aquí y en otras tardes otras noches
con estos goterones o con otros
en inviernos en selvas en esquinas
en umbrales en huellas en abrazos
mojando estas caricias o esas muertes
sin escándalo llueve en las palabras
y hasta en el corazón llueve sin ruido
como plomo como alas como labios
llueve besando llueve como grito
en cuatro en seis en ocho en diez idiomas
en veinte o treinta desesperaciones
como cortina llueve o como cielo
sencillamente cae sobre tus hombros.

HABANERA

a Roberto Fernández Retamar

1

Uno llega
con sus ojos de buey
con sus dedos de frente
o con sus pies de plomo

todo eso y además
con su vieja aritmética
con su rengo compás
con su memoria
a cuestas

uno llega
sensato
dispuesto a transpirar

a cotejar testigos
a combustir mulatas

todo eso y además
a contar hasta diez
a averiguarlo todo
a no decir me asombro

uno llega
a La Habana
se planta en su febrero
y a quién le importan viejos
compases
simetrías

aquí en La Habana invierno
sol de un invierno sol
hay que recalcularnos
hay que desintuirnos
hay que saltar encima
del prejuicio y la pompa
y empezar a contar
desde amor
desde cero.

2

La abuela siglo veinte está de fiesta
empezó a leer
a los ochenta y cuatro
y acabó sexto año
a los noventa

a la muchacha alfabetizadora
le pregunto
¿problemas con los viejos?
el pulso que les tiembla
sólo eso.

3

Juan Goytisolo lo escribió una vez
y me dejó un semestre hablando solo
hay una paradoja en esta época
(y no es de las menores)
que nosotros artistas
peleemos por un mundo
que acaso nos resulte inhabitable

tiene razón
la paradoja existe

sin embargo
éste es el mundo por el que peleamos
y a mí no me resulta
inhabitable

falta saber
si es excepción
o regla

que alguien lo aclare
a más tardar
mañana

mientras tanto
y por suerte
yo respiro.

4

Vertiginosa henchida puntualmente
como fósforo que de pronto es antorcha
como brisa sospechosamente vital
como verdad escueta y explosiva
como caos fraterno terrenal entusiasta

como la abolición de soledades varias
como la más reciente panne de la injusticia
como el ojo de Abel puesto a mirar
como santa maría del buen desaire
como el mejor complot contra la muerte
como si Marx bailara el mozambique
decente inconfundible remontada
toda presente y casi venidera
La Habana ignora y sabe lo que hace.

5

Vamos a ponernos brevemente de acuerdo
aquí los buitres son auras tiñosas
las olas humedecen los pies de las estatuas
y hay mulatas en todos los puntos cardinales

los autos van dejando tuercas en el camino
los jóvenes son jóvenes de un modo irrefutable
la palabra carajo vitaliza el fraseo
y hay mulatas en todos los puntos cardinales

nada de esto es exceso de ron o de delirio
quizá una repentina borrachera de cielo
lo cierto es que esta noche el carnaval arrolla
y hay mulatas en todos los puntos cardinales.

6

Soy consciente de que no es mi ciudad
quiero decir con esto que aquí yo no podría
escoger ciertas dudas como propias
imaginar el puro color de la certeza
adivinar qué odio o qué ternura
mantiene en vilo al insomne de siempre
o qué diptongos o claves o bramidos
usa el amor para apretar su abrazo

consciente de que nosotros allá abajo
todavía no queremos o quizá no podemos
dar vuelta el pasado como una pobre media
ni admitir sin clemencia nuestro pánico
y transformarlo en un coraje contagioso

mi ciudad es más cauta más prudente
más opaca y ahora bastante más amarga
sus ruidos provisorios se diluyen
en un hosco silencio que ya nadie interrumpe
y sus segundos y terceros bríos
mueren en las primeras aquiescencias

por eso esta ciudad no puede ser la mía
hay demasiado goce de vivir demasiada
prisa por despejar la muerte en duda
sin embargo alimento la rara certidumbre
de que en algún probable futuro sin angustia
esta ciudad y yo quizás nos entendamos
tan sólo con mirarnos un sábado de noche
y apagar nuestras sombras y dejar este tango
sumergido en el ron como prenda fraterna.

7

Al final uno parte
con sus ojos de buey
con sus dedos de frente
o con sus pies de plomo

todo eso y además
con amigos de pan
de madera
de tierra

uno parte
y es otro

dispuesto a no olvidar
a contar hasta tres
a no decir empero

todo eso y además
con el adiós más arduo
y el corazón más nuevo.

PROXIMO PROJIMO
1964-1965

Permítanme decir que la poesía
es una habitación a oscuras

SEBASTIÁN SALAZAR BONDY

LOS DESCANSOS

I

Ni ahora ni después
ni al mediodía
ni en la tarde brevísima
ni en la noche pesada
ni mañana
ni dentro de diez días
tendré
lo que se dice
tiempo
de ahí que el descanso sea
una gloriosa
inmerecida siesta
que siempre duermen
otros.

II

Uno quisiera a veces conseguir un insomnio
para tasar con calma
con cordura
los fracasos las viles resonancias
y aprender del silencio
ese maestro

471

un insomnio sin miedo
sin ruidos evidentes
agresivos

a lo sumo escuchar la tarea ominosa
de los tercos roedores de la noche
sentir cómo sus dientes
diminutos
constantes
destruyen el futuro

un insomnio sereno
para que el viejo espíritu
o la nueva cabeza
canjeen de una vez sus exiguas angustias
por una angustia grande
crecida
verdadera

pero ya no se puede
no existe ese derecho

a la noche uno cae como una roca ajena
como un susto
de plomo
y el sueño es nada más que una vacía
sinopsis de la muerte.

SOCORRO Y NADIE

Sólo un pájaro negro
sobre el pretil cascado
una línea de sol
en la reja de herrumbre

azoteas sin rostro
sin miradas
sin nadie

estúpido domingo
voraz
deshabitado

ahora se borra el sol
definitivamente
el pájaro se borra
y es un vuelo sin magia

como última señal
de vida
la camisa
oreándose en la cuerda
agita enloquecidas
blancas mangas
que reclaman socorro
pero abrazan el aire.

CURRICULUM

El cuento es muy sencillo
usted nace
contempla atribulado
el rojo azul del cielo
el pájaro que emigra
el torpe escarabajo
que su zapato aplastará
valiente

usted sufre
reclama por comida

473

y por costumbre
por obligación
llora limpio de culpas
extenuado
hasta que el sueño lo descalifica

usted ama
se transfigura y ama
por una eternidad tan provisoria
que hasta el orgullo se le vuelve tierno
y el corazón profético
se convierte en escombros

usted aprende
y usa lo aprendido
para volverse lentamente sabio
para saber que al fin el mundo es esto
en su mejor momento una nostalgia
en su peor momento un desamparo
y siempre siempre
un lío

entonces
usted muere.

ESTE Y NO OTRO

Por qué viene el recuerdo
éste y no otro
si nadie nada nunca
lo llama lo repite lo convoca

si miro
claraboyas nubes techos
pálidas astas sin banderas
puertas cerradas mudas

árboles esqueléticos
por qué
si estoy vacío
de alarmas
o repleto de paces
que es lo mismo
si nadie vocifera
nadie llora o se esconde o se desangra
si la calle está sola
con sus sonidos y vidrieras
sola
con sus ciegos que piden
y se borran
si nadie nada nunca
lo llama lo repite lo convoca
por qué
viene el recuerdo
éste
y no otro
éste
y no otro
éste.

EL ECO

Sé que el muro es el muro
y que el cielo no es cielo
sé que me olvido y oigo
cómo tañe el olvido

sin embargo no puedo
detenerme y caer
y apagarme en el sueño
y soñar que me rindo

sin base
sin motivos

sin aval
sin razones
sin ningún documento
que apoye la esperanza
miro en la tarde inerme
y grito una fe oscura
y me quedo esperando
las primicias del eco.

LA TRAMPA

Qué trampa este crepúsculo
qué calma desplomada sobre todo
qué simulacro inútil
qué sonrojo

en paz siguen las nubes
cómo quisiera en paz
y silenciosas
el aire tiene gracia
por una vez tangible
compartida
y nadie está sediento
o por lo menos nadie tan sediento
como para matar
o destrozarse

qué trampa esa lejana
bocina
que se quiebra
como un viejo sollozo
qué mentira ese tango esa guitarra
esa clara desierta inexplicable
melancolía de las azoteas

qué trampa
qué artimaña

qué lástima
saber
que es una trampa.

ETERNO

Cuando no tenga manos
ni sexo
ni pulmones
ni mirada
y con un deleznable tinguiñazo
estos labios se vuelvan
ceniza
o aserrín
aspiraré a quedarme
sin embargo
en una voz tan breve
de una sola palabra
que podría ser No
o Dios
o Cuándo

o más probablemente
un hipo
sin memoria.

ALMOHADAS

Hay almohadas de pluma
hay almohadas de siesta
de lana
de vientre
de muerte

pero no todas
están
en el secreto
ni todas saben
evacuar
las consultas

la tuya tiene
un pozo
donde ajustas
la nuca
y en las noches
amargas
hundes
ojos y lágrimas.

ARCO IRIS

A veces
por supuesto
usted sonríe
y no importa lo linda
o lo fea
lo vieja
o lo joven
lo mucho
o lo poco
que usted realmente
sea

sonríe
cual si fuese
una revelación
y su sonrisa anula
todas las anteriores
caducan al instante

sus rostros como máscaras
sus ojos duros
frágiles
como espejos en óvalo
su boca de morder
su mentón de capricho
sus pómulos fragantes
sus párpados
su miedo

sonríe
y usted nace
asume el mundo
mira
sin mirar
indefensa
desnuda
transparente

y a lo mejor
si la sonrisa viene
de muy
de muy adentro
usted puede llorar
sencillamente
sin desgarrarse
sin desesperarse
sin convocar la muerte
ni sentirse vacía

llorar
sólo llorar

entonces su sonrisa
si todavía existe
se vuelve un arco iris.

DESILUSION OPTICA

Desde lejos parece
metido en sus costumbres incendiarias
un simple monstruo por aclamación
sádico pero lleno de coraje
pundonoroso arcángel con linterna
y una presencia de ánimo irrompible
verdugo con chorretes de justicia
intransigente como un gigoló
semidiós inflexible poderoso
con puños puñetazos y puñales
honesto como el mar o el terremoto
equitativo como una epidemia
tan popular como la misma muerte

ah pero desde cerca es tan distinto
un débil un guiñapo un inseguro
imán de temblorosas pesadillas
un cornudo ideológico o social o somático
o sea un cornudo propiamente dicho
alguien que teme y teme en varios planos
verbigracia por la virginidad
de su cofre y también de sus hijitas
la propiedad privada de sus rezos
la empresa occidental de su prostíbulo
la antigüedad de su conciencia hectárea.

TANGO

Tenés tal maña, tal arte
y un suspiro tan discreto
que podría revelarte
mi secreto.

Usás tan suaves maneras,
la sonrisa tan gustosa,
que podés pedir, de veras,
cualquier cosa.

Hacés gestos tan humanos
y tan dóciles al ruego
que por vos ponen las manos
en el fuego.

Sos de marca vieja y sabia
sos ligera en el encargo,
sos simpática de labia.
Sin embargo

sos tan sólo tus despojos.
Que no fuiste tan astuta
como para arriar tus ojos
de falluta.

CARTA AL COMISARIO DEL CIELO

Lo decidí anteanoche mientras iba
caminando sin rumbo y sin apuro
bajo la lluvia lenta mansa justa

no voy a ir así que no me espere
usted dirá qué tipo quién lo entiende
con un cielo sin fin tan confortable
empedrado de malas intenciones
un sueño tan formal y tan augusto

ah me consta que el cielo ha mejorado
sus condiciones habitacionales
con un confort solemne y cibernético
con nuevos eugenistas y mitólogos

con reinas de belleza y de vendimia
y un escuadrón de arcángeles acróbatas
custodios de oraciones voladoras
con bromas sobre Dios y sobre el diablo
con leyes contra el diablo únicamente
y una gendarmería insuperable
(todos los comisarios van al cielo)
y una censura seca y puritana
(ya sé que a los censores corresponde
la provincia celeste de los cuáqueros)

me consta que allí están los delatores
si delataron por la buena causa
y los torturadores si invocaron
a Dios la democracia y la familia
me consta que allí están los impotentes
insospechables de concupiscencia
y los estafadores si estafaron
antes de darse a la filantropía
me consta todo eso y sin embargo
usted dirá qué tipo quién lo entiende
yo me conozco y sé que extrañaría
ha de ser deprimente no ver rostros
profilácticamente subversivos
ni suicidas colgados de ideales
ni la nostalgia de la carne alegre
ni el peligroso honor de la blasfemia
ni víctimas de un asco melancólico
o de un calambre de desobediencia

yo me conozco y sé que extrañaría
de modo que haré el trámite preciso
para que me permuten el boleto
le ruego me comprenda y me disculpe
diga si quiere que me fui al infierno
pero si esta palabra está vedada
o si al decirla arriesga usted su puesto
diga sencillamente que renuncio

porque el cielo está tan organizado
que en su autopista no hay cómo extraviarse
bajo la lluvia lenta mansa justa.

ESTACIONES

En primavera
cuando surgen
las consabidas muchachas de ojos verdes
y el nuevo viento agita con esperanza
antenas y divisas y follajes
y cada miserable sobretodo
vuelve a su ropería monacal
y los escotes rebosan de golondrinas
es fácil creer en Dios
y en los horóscopos
proporcionar migajas a los mendigos
complejos vitamínicos a las palomas
salpicarse sobriamente de optimismo
o imaginar que por los hilos del telégrafo
viajan canciones pegadizas
y más o menos insurreccionales.

TODOS CONSPIRAMOS

a Raúl Sendic

Estarás como siempre en alguna frontera
jugándote en tu sueño lindo y desvencijado
recordando los charcos y el confort todo junto
tan desconfiado pero nunca incrédulo
nunca más que inocente nunca menos
esa estéril frontera con aduanas
y pelmas y galones y también esta otra

483

que separa pretérito y futuro
qué bueno que respires que conspires
dicen que madrugaste demasiado
que en plena siesta cívica gritaste
pero tal vez nuestra verdad sea otra
por ejemplo que todos dormimos hasta tarde
hasta golpe hasta crisis hasta hambre
hasta mugre hasta sed hasta vergüenza
por ejemplo que estás solo o con pocos
que estás contigo mismo y es bastante
porque contigo están los pocos muchos
que siempre fueron pueblo y no lo saben
qué bueno que respires que conspires
en esta noche de podrida calma
bajo esta luna de molicie y asco
quizá en el fondo todos conspiramos
sencillamente das la señal de fervor
la bandera decente con el asta de caña
pero en el fondo todos conspiramos
y no sólo los viejos que no tienen
con qué pintar murales de protesta
conspiran el cesante y el mendigo
y el deudor y los pobres adulones
cuyo incienso no rinde como hace cinco años
la verdad es que todos conspiramos
pero no sólo los que te imaginas
conspiran claro está que sin saberlo
los jerarcas los ciegos poderosos
los dueños de tu tierra y de sus uñas
conspiran qué relajo los peores
a tu favor que es el favor del tiempo
aunque crean que su ira es la única
o que han descubierto su filón y su pólvora
conspiran las pitucas los ministros
los generales bien encuadernados
los venales los flojos los inermes
los crápulas los nenes de mamá
y las mamás que adquieren su morfina
a un abusivo precio inflacionario

todos quiéranlo-o-no van conspirando
incluso el viento que te da en la nuca
y sopla en el sentido de la historia
para que esto se rompa se termine
de romper lo que está resquebrajado
todos conspiran para que al fin logres
y esto es lo bueno que quería decirte
dejar atrás la cándida frontera
y te instales por fin en tus visiones
nunca más que inocente nunca menos
en tu futuro-ahora en ese sueño
desvencijado y lindo como pocos.

NO HA LUGAR

Hace tiempo fuimos sancionados de veras
      y alguien nos colocó junto al río desplegado
hizo pozos en la cóncava arena materna
      para que sintiéramos la obligación de instalarnos
creó un oleaje que de acuerdo a lo previsto
      desorientó las esperanzas y los muelles
y en cada crepúsculo propenso a la angustia
      nos despeinó con una tierna brisa

tal vez por esa razón cuando suenan
      las rituales consignas del verano
nos insertamos sin fe y también sin violencia
      en esta tradición poco menos que inmóvil
como si las noticias acerca de suicidios
      y motines y estupros y explosiones
llegaran de una memoria no sólo derruida
      sino además científicamente inexacta

durante esa vacación o letargo
      de quince semanas y un miércoles anexo
vemos rocas y nostalgias y pájaros
      a través de los mismos anteojos ahumados

y el higiénico ocio yacente
respirando con apática perseverancia
nos otorga por fin un inmune pellejo
de matizadas y saludables escamas

mientras tanto en alguna paciente llanura
se amontonan agüeros y simples profecías
vaya uno a saber dónde tiene el futuro
su aleatoria y portátil confianza
su depósito con furgones de pánico
su espléndido acopio de torturas
sus disciplinadas agujas que enhebran
modestos hilos de sangre caliente

no nos importa que el lejano dolor
esté pagando su carísimo peaje
en rigor no nos importa ni tampoco nos alude
nada de lo que ocurre a espaldas nuestras
estamos aquí para admirar los transatlánticos
que desandan el alegre horizonte
por lo menos estaremos mientras duren
el celaje y el sopor estivales

sólo ahora comprendemos el error sin disculpa
de no haber impedido que algo o que alguien
tomara la decisión de colocarnos
irreversiblemente junto al río
y creara y fomentara con tan laxo talante
desatendidos y brevísimos veranos
insuficientes para despreocuparnos
como los viejos moluscos que somos

la verdad es que la publicitada primavera
siempre nos pareció demasiado ventosa
no estamos ni remotamente preparados
para el otoño y su catástrofe de hojas
y por supuesto odiamos un invierno que carece
hasta de una nieve inobjetablemente estética

es por todo lo expuesto que exigimos
la inmediata ampliación del verano.

HASTA MAÑANA

Voy a cerrar los ojos en voz baja
voy a meterme a tientas en el sueño.
En este instante el odio no trabaja

para la muerte, que es su pobre dueño
la voluntad suspende su latido
y yo me siento lejos, tan pequeño

que a Dios invoco, pero no le pido
nada, con tal de compartir apenas
este universo que hemos conseguido

por las malas y a veces por las buenas.
¿Por qué el mundo soñado no es el mismo
que este mundo de muerte a manos llenas?

Mi pesadilla es siempre el optimismo:
me duermo débil, sueño que soy fuerte,
pero el futuro aguarda. Es un abismo.

No me lo digan cuando me despierte.

CENIZA

Falta saber el último sentido,
quiero decir: si es pueblo o es imperio.
Cada noticia con su desmentido,

cada desolación con su misterio.
Claro, cuando el misterio es de mentira
nadie se atreve a perdonar en serio

ni a romper el espejo en que se mira
ni menos a gritar, porque ese grito
no tiene otro respaldo que su ira.

Qué difícil negocio el infinito.
Al destino encomiendan la aventura,
yo a las pruebas del mundo me remito.

Siempre que la verdad está madura,
despiadado el azar nos fiscaliza.
Menos mal que su voz es insegura:

"No hay fénix", dice. "Sólo habrá ceniza".

MARINA

Cuando el barco es dejado por las ratas
a uno le vienen malos pensamientos;
alarmas sin razón, carencias natas,

pereza para aliarse con los vientos
o no prever lo mucho que fatiga
la plenamar con sus aburrimientos.

No obstante puede ser que Dios bendiga
la quiebra del bauprés, las velas rotas,
y antes que en sombras llegue la enemiga

y las gotas se junten con las gotas
antes que el mar se encrespe o se confunda,
decore al fin el mástil con gaviotas

y el barco quede hermoso. Aunque se hunda.

PARPADEO

Esa pared me inhibe lentamente
piedra a piedra me agravia

ya que no tengo tiempo de bajar hasta el mar
y escuchar su siniestra horadante alegría
ya que no tengo tiempo de acumular nostalgias
debajo de aquel pino perforador del cielo
ya que no tengo tiempo de dar la cara al viento
y oxigenar de veras el alma y los pulmones

voy a cerrar los ojos y tapiar los oídos
y verter otro mar sobre mis redes
y enderezar un pino imaginario
y desatar un viento que me arrastre
lejos de las intrigas y las máquinas
lejos de los horarios y los pelmas

pero puertas adentro es un fracaso
este mar que me invento no me moja
no tiene aroma el árbol que levanto

y mi huracán suplente ni siquiera
sirve para barrer mis odios secos

entonces me reintegro a mi contorno
vuelvo a escuchar la tarde y el estruendo
vuelvo a mirar el muro piedra a piedra
y llego a la vislumbre decisiva
habrá que derribarlo para ir
a conquistar el mar el pino el viento.

PROXIMO PROJIMO

En caso de vida o muerte, se debe
estar siempre con el más prójimo.

ANTONIO MACHADO

Y está tu corazón
próximo prójimo
hermano a borbotones
ensimismado dócil triste exangüe
con terribles secretos en tu fondo
con tu ebria soledad acompañada

próximo
algunas veces lejanísimo prójimo
cuántos rostros me diste
me estás dando
sobreviviente atroz sobreviviente
de esta herida sin labios
de esta hiedra sin muro

qué maga
qué sin trenzas viniste
ah prójimo-muchacha la primera
a instalarte delante de mis ojos de niño
que no sabía nada
que no sabía nada
mi dialecto era verte y anunciar para siempre
entre diez compañías de soldados de plomo
mi gran amor deslumbre
mi pobre amor a cuerda

vino el amigo absorto
sin percances
y no se habló de muertes
en su cercado limbo
tan sólo se jugaba
al más allá

y el sábado
era una bruma pero sin reloj
sin llave urgente ni contradicciones
amigo nada más
amigo muerto

los padres
claro
como un gran suburbio
amor congénito en mansa barbarie
amor subordinado e invasor
amor ciego o miope o astigmático
aún puedo abrigarme en sus imágenes
están aquí al alcance
viejo
vieja
un poco sordos para su propia incógnita
pero siempre pendientes
de mi nueva llegada

venga maestro
no lo olvido
usted me abrió los cielos
colonizó mi alma
con el meñique se alisó la barba
y miró el mundo
(yo estaba en el mundo)
con un desprecio cruel
no le perdono
su vocación de estafa
ni aun ahora
que está bien muertecito
dios mediante

prójimo
hermano literal
quién sabe
dónde quedó el momento en que jugamos
lanzando al aire nuestros ocho años

de diferencia o de encadenamiento
duermes y duermo
el sueño y el espanto
viajan de tu fatiga a mi fatiga
y viceversa vuelven a viajar
hasta que al fin también
ellos se duermen

prójimo mi enemigo
que me conoce y finge no saberme
y en su tedio descubre
ese rencor enorme y tan minúsculo
por cierto no lo envidio
cuando pronuncia vida y piensa muerte
cuando repite cristo y piensa judas
a esta altura tal vez ya esté oxidado
su resentido embuste didascálico
quizá contemporice y diga ciencia
por no decir conciencia

estás en el pupitre
como yo desterrado
en tanto que en el patio
llueve diagonalmente
el alemán rechina y tú divagas
hasta que la trompada
ese viejo argumento
cae sobre tu oreja que es la mía
y tu alarido estalla para siempre
y ahora la lluvia es sólo vertical

mi mujer está aquí
pero antes mucho antes
se acercó por un patio
de baldosas en rombos
y allí empecé a tomar tremendas decisiones
entonces fui a mirarla desde buenos aires
yo era su prójimo sin lugar a dudas
volví y le dije

piénsalo
pero ella dijo
no necesito pensarlo

prójimo el admirable
el cándido
el impuro
te vi una vez pero nunca me viste
no capitularé ni capitularemos
tan importante como julio verne
vas tripulando una nave una isla
un cuerpo extraño inverosímil nuevo
pero en un lustro apenas
será el cuerpo de todos
ojalá y cotidiano

prójimo en que me amparo
tu compacta amistad
tu vida un tanto mustia
tu faro de confianzas
tus vísperas de solo
son para mí el contorno imprescindible
prójimo-muro gris acribillado
prójimo-pasamano en que me apoyo
cuando desciendo la escalera y temo
que algún peldaño pueda estar podrido

rostro herido heridor
ojos que lo supieron
aduana de la dulce simetría
olvidada presencia inolvidable
estás en algún sitio
en algún tríptico de resignaciones
yo pienso en ti cuando la noche clava
para siempre qué suerte para siempre
otra lanza-nostalgia
en mi costado

y está tu corazón
próximo prójimo
no te avergüences de su llanto

la cabeza hace trizas el pasado
fríamente coloca sus razones invictas
divide en lotes la melancolía
negocia cautamente tus acciones en alza
desorganiza para siempre tu magia
te despoja del cándido futuro
amuebla los infiernos que te esperan
después del provisorio desamparo
te hace lúcido y hueco
cruel y lúcido
voraz y pobre lúcido

pero también
por suerte
está tu corazón

ese embustero
ese piadoso
ese mesías.

NOCION DE PATRIA
1962-1963

Además una cosa:
Yo no tengo ningún inconveniente
En meterme en camisa de once varas.

Nicanor Parra

NOCION DE PATRIA

Cuando resido en este país que no sueña
cuando vivo en esta ciudad sin párpados
donde sin embargo mi mujer me entiende
y ha quedado mi infancia y envejecen mis padres
y llamo a mis amigos de vereda a vereda
y puedo ver los árboles desde mi ventana
olvidados y torpes a las tres de la tarde
siento que algo me cerca y me oprime
como si una sombra espesa y decisiva
descendiera sobre mí y sobre nosotros
para encubrir a ese alguien que siempre afloja
el viejo detonador de la esperanza.

Cuando vivo en esta ciudad sin lágrimas
que se ha vuelto egoísta de puro generosa
que ha perdido su ánimo sin haberlo gastado
pienso que al fin ha llegado el momento
de decir adiós a algunas presunciones
de alejarse tal vez y hablar otros idiomas
donde la indiferencia sea una palabra obscena.

Confieso que otras veces me he escapado.
Diré ante todo que me asomé al Arno
que hallé en las librerías de Charing Cross
cierto Byron firmado por el vicario Bull
en una navidad de hace setenta años.
Desfilé entre los borrachos de Bowery

y entre los Brueghel de la Pinacoteca
comprobé cómo puede trastornarse
el equipo sonoro del Chateau de Langeais
explicando medallas e incensarios
cuando en verdad había sólo armaduras.

Sudé en Dakar por solidaridad
vi turbas galopando hasta la Monna Lisa
y huyendo sin mirar a Botticelli
vi curas madrileños abordando a rameras
y en casa de Rembrandt turistas de Dallas
que preguntaban por el comedor
suecos amontonados en dos metros de sol
y en Copenhague la embajada rusa
y la embajada norteamericana
separadas por un lindo cementerio.

Vi el cadáver de Lídice cubierto por la nieve
y el carnaval de Río cubierto por la samba
y en Tuskegee el rabioso optimismo de los negros
probé en Santiago el caldillo de congrio
y recibí el Año Nuevo en Times Square
sacándome cornetas del oído.

Vi a Ingrid Bergman correr por la Rue Blanche
y salvando las obvias diferencias
vi a Adenauer entre débiles aplausos vieneses
vi a Kruschev saliendo de Pennsylvania Station
y salvando otra vez las diferencias
vi un toro de pacífico abolengo
que no quería matar a su torero.

Vi a Henry Miller lejos de sus trópicos
con una insolación mediterránea
y me saqué una foto en casa de Jan Neruda
dormí escuchando a Wagner en Florencia
y oyendo a un suizo entre Ginebra y Tarascón
vi a gordas y humildes artesanas de Pomaire
y a tres monjitas jóvenes en el Carnegie Hall
marcando el jazz con negros zapatones

vi a las mujeres más lindas del planeta
caminando sin mí por la Vía Nazionale.

Miré
admiré
traté de comprender
creo que en buena parte he comprendido
y es estupendo
todo es estupendo
sólo allá lejos puede uno saberlo
y es una linda vacación
es un rapto de imágenes
es un alegre diccionario
es una fácil recorrida
es un alivio.

Pero ahora no quedan más excusas
porque se vuelve aquí
siempre se vuelve.
La nostalgia se escurre de los libros
se introduce debajo de la piel
y esta ciudad sin párpados
este país que nunca sueña
de pronto se convierte en el único sitio
donde el aire es mi aire
y la culpa es mi culpa
y en mi cama hay un pozo que es mi pozo
y cuando extiendo el brazo estoy seguro
de la pared que toco o del vacío
y cuando miro el cielo
veo acá mis nubes y allí mi Cruz del Sur
mi alrededor son los ojos de todos
y no me siento al margen
ahora ya sé que no me siento al margen.

Quizá mi única noción de patria
sea esta urgencia de decir Nosotros
quizá mi única noción de patria
sea este regreso al propio desconcierto.

LAS BALDOSAS

*I must have misunderstood
something in this story*

LAWRENCE FERLINGHETTI

Es increíble lo que está pasando.
El invierno desciende caluroso
los ángeles orinan en las fuentes
cantan los gallos a las nueve y media
que es una hora sin ningún prestigio.
Esta plaza se llama Libertad
y por eso le quitan las baldosas.
Si uno tuviera tiempo sentiría
como veinte minutos de vergüenza.
Desde que suspendieron las bocinas
la calle está ruidosa como nunca
no sé el motivo de este pobre estruendo
y en los ratos de ocio me pregunto
si no habrá que acabar con las campanas.
Es increíble lo que está pasando.
Los proletarios votan a los ricos.
Me canso de pensar en nuestra historia
de pocos héroes. Todo ese legado
metido ahora en nobles monumentos
que no recuerdan ni discuten ni hablan
sólo chorrean verdes objeciones.
Esta plaza se llama Libertad
por eso le quitaron las baldosas.
En primavera algunas hojas caen
tan sólo para confirmar la regla
y llueve a mares sobre mi sombrilla
y yo me quito los anteojos negros
porque son negros y porque no veo.
Es increíble lo que está pasando.
El mar es río y tiene gusto a sal
he perdido el reloj entre las dunas
y ya no iré a la cita de las cuatro

el sol calienta sobre mi paraguas
y ni siquiera así me compadecen
todos transcurren sin fervor ni alarma
y los profesionales del contento
miran el cielo cual si fuera un techo.
Esta plaza se llama Libertad
por eso le quitaron las baldosas.
Es increíble lo que está pasando.
Explotan mundos y usté aquí bosteza
los proletarios votan a los ricos
y los ricos se ponen el sombrero
para ser ricos de solemnidad
y para que la calva no les brille
ya no sé quién es quién ni cuándo es cuándo
la luna se interrumpe y ya no crece
un tango suena pero no es un himno
en el aire hay olor de felonía.
Es increíble lo que está pasando.
Hay quien se esconde para odiar en serio
hay quien se exhibe para instar en broma
hay quien sube a un cajón en las esquinas
y dice Amigos en vez de Socorro.
Se llama Libertad o se llamaba
hasta que le quitaron las baldosas.
El mundo explota y en Villa Dolores
primates varios de traste polícromo
suspiran y hablan de reforma agraria
con la esperanza de que no se cumpla.
Hoy es verano y voy de sobretodo
porque soy tímido y porque hace frío
el diario viene negro de noticias
pero a nosotros no nos mueve un pelo
miramos dulcemente el aguinaldo
y si no hay nos sentiremos como
olvidados por un hijo adoptivo.
Es increíble lo que está pasando.
A la conciencia igual siempre le queda
para llorar el Día de Difuntos

para sestear el Día de la Raza
para pensar cualquier miércoles de éstos.
Cuando aprieta el zapato o alguien echa
las margaritas a los pobres cerdos
cuando la prisa da palpitaciones
trae desasosiegos el reposo
y su linda mujer le pone cuernos
usté repite que es la bomba atómica
como si fuera el gran chiste del año.
Es increíble lo que está pasando.
Se televisa el odio y la ternura.
Veintidós hombres y ochenta mil almas
en el Estadio pierden sus complejos.
Se fornica con cierta parsimonia
y el corazón nos marcha a transistores.
Esta plaza se llama Libertad
por eso le quitaron las baldosas.
Eran viejas baldosas. Conocían
los mejores de nuestros malos pasos
recordaban desfiles procesiones
flores tanques diarieros Eisenhower
y tantos cigarrillos aplastados
y tantas aplastadas rebeldías.
Eran sabias y leales y seguras.
Por eso y porque nadie se da cuenta
es increíble lo que está pasando.
Cuando llegue el momento de creerlo
se me caerá probablemente el alma.

POEMA FRUSTRADO

Mi amigo
que es un poeta
convocó a los poetas.

Hay que escribir un poema
sobre la bomba atómica

es un horror
nos dijo
un horror horroroso
es el fin
es la nada
es la muerte
nos dijo
no es que te mueras solo
en tu cama
rodeado
del llanto y la familia
del techo y las paredes
no es que llegue una bala
perdida o encontrada
a cortarte el aliento
a meterse en tu sueño
no es que el cáncer te marque
te perfore
te borre
no es tu muerte
la tuya
la nada que ganaste

es el aire viciado
es la ruina de todo
lo que existe
de todo
nadie llorará a nadie
nadie tendrá sus lágrimas

y eso es lo más horrible
la muerte sin testigos
sin últimas palabras
y sin sobrevivientes
la muerte toda muerte
toda muerte
¿me entienden?
hay que escribir un poema
sobre la bomba atómica.

Quedamos en silencio
con las bocas abiertas
tragamos el terror
como saliva helada
luego nos fuimos todos
a cumplir la consigna.

Juro que lo he intentado
que lo estoy intentando
pero pienso en la bomba
y el lápiz se me cae
de la mano.

No puedo.

A mi amigo el poeta
le diré que no puedo.

PREGON

Señor que no me mira
mire un poco
yo tengo una pobreza para usté

limpia
nuevita
bien desinfectada
vale cuarenta
se la doy por diez

señor que no me encuentra
busque un poco
mueva la mano
'desarrime el pie
busque en su suerte
en todos los rincones

piense en las muchas cosas
que no fue

le vendo la pobreza
es una insignia
en la solapa puede convencer
qué cosas raras pasan en el mundo
usté tiene agua
yo no tengo sed

tiene su cáscara
su Dios
su diablo
su fe en los cielos
y su mala fe
lo tiene todo menos la pobreza
si no la compra
llorará después

va como propaganda
como muestra
quizá le guste y le coloque cien
pobreza sin los pobres
por supuesto
ya que los pobres
nunca huelen bien

pobreza abstracta
sin harapos
pulcra
noble al derecho
noble del revés
pobreza linda para ser contada
después del postre
y antes del café

señor que no me mira
mire un poco

yo tengo una pobreza para usté
mejor no se la vendo
le regalo
la pobreza por esta única vez.

ESTA CIUDAD ES DE MENTIRA

No puede ser.
Esta ciudad es de mentira.
No puede ser que las palmeras se doblen
a acariciar la crin de los caballos
y los ojos de las putas sean tiernos
como los de una Venus de Lucas Cranach
no puede ser que el viento levante las polleras
y que todas las piernas sean lindas
y que los concejales vayan en bicicleta
del otoño al verano y viceversa.

No puede ser.
Esta ciudad es de mentira.
No puede ser que nadie sienta rubor de mi pereza
y los suspiros me entusiasmen tanto como los hurras
y pueda escupir con inocencia y alegría
no ya en el retrato sino en un señor
no puede ser que cada azotea con antenas
encuentre al fin su rayo justiciero y puntual
y los suicidas miren el abismo y se arrojen
como desde un recuerdo a una piscina.

No puede ser.
Esta ciudad es de mentira.
No puede ser que las brujas sonrían a quemarropa
y que mi insomnio cruja como un hueso
y el subjefe y el jefe de policía lloren
como un sauce y un cocodrilo respectivamente
no puede ser que yo esté corrigiendo las pruebas

de mi propio y elogiosísimo obituario
y la ambulancia avance sin hacerse notar
y las campanas suenen sólo como campanas.

No puede ser.
Esta ciudad es de mentira.
O es de verdad
y entonces
está bien
que me encierren.

ANALISIS DEL REGRESO

Claro que ya me voy
uno regresa siempre
pero entendámonos
vuelvo porque me sufro
y no porque me encante
vuelvo porque me cuesta
no volver
vuelvo porque estas ganas
de dejarme caer
de un piso ciento cuatro
pueden ser vértigo
y también nostalgia
de todos modos
algo inesperado
vuelvo porque fatiga
mirar atrás
y nunca
reconocer la infancia
vuelvo porque volvemos
porque no vuelvo solo
porque
bueno
algún día

siempre volvemos todos
porque de pronto uno
decide
y ya está hecho
porque un tango hay que zumba
porfiado como mosca
sobre el largo verano conocido
vuelvo porque me pican
las ganas de volver
y además
además
qué les importa a ustedes
por qué vuelvo.

OBITUARIO CON HURRAS

Vamos a festejarlo
vengan todos
los inocentes
los damnificados
los que gritan de noche
los que sueñan de día
los que sufren el cuerpo
los que alojan fantasmas
los que pisan descalzos
los que blasfeman y arden
los pobres congelados
los que quieren a alguien
los que nunca se olvidan

vamos a festejarlo
vengan todos
el crápula se ha muerto
se acabó el alma negra
el ladrón
el cochino
se acabó para siempre
hurra

que vengan todos
vamos a festejarlo
a no decir
la muerte
siempre lo borra todo
todo lo purifica

cualquier día

la muerte
no borra nada
quedan
siempre las cicatrices

hurra
murió el cretino
vamos a festejarlo
a no llorar de vicio
que lloren sus iguales
y se traguen sus lágrimas

se acabó el monstruo prócer
se acabó para siempre
vamos a festejarlo
a no ponernos tibios
a no creer que éste
es un muerto cualquiera

vamos a festejarlo
a no volvernos flojos
a no olvidar que éste
es un muerto de mierda.

FALSA OPOSICION

Aquí está el Palacio Salvo
allá está el Victoria Plaza
son tan torpes tan horrendos

que a uno lo dejan sin habla
su fealdad es tan espesa
que no alcanzan las palabras
para describir sus moles
tan imponentes e inválidas.

Como casas son apenas
dos simulacros de casas
como monstruos sólo tienen
monstruosidades standard.

Cuando yo prefiero el Salvo
lo digo sin petulancia
sólo me fijo en sus muchos
balconcitos y ventanas
en esa manera heroica
decisiva y uruguaya
de ser pobre en la riqueza
de ser cursi en las arcadas.

El Victoria en cambio tiene
una fealdad tan cuadrada
una sombra tan monótona
y tan norteamericana
que uno se cansa de verlo
de la noche a la mañana
de la mañana a la noche
tan desprovisto de gracia.

Esta opinión no se impone
no se vende ni se cambia.

Quien pase y mire hacia arriba
y escuche las dos campanas
que elija lo que le guste
para eso es la democracia.

Aquí está el Palacio Salvo
allá está la Victoria Plaza.

PESADILLA

He pasado la noche
soñando un sueño tonto
alguien me regalaba
la lapicera fuente
más impecable y nueva
más elegante y mágica

sobre todo
eso
mágica

yo pensaba Buen Día
y ella escribía Good Morning
yo pensaba Qué Tal
y ella escribía Hello
yo pensaba Adelante
pero ella No Left Turn
pensaba Hijodeputa
y ella Sonofabitch

eso era demasiada
diferencia

por suerte
advertí que era urgente
salvarme
y desperté

aleluya aleluya
mi lapicera fuente
escribe en español.

ALLA ENFRENTE

Aquí
en esta vereda

impecables
lujosos
los Grandes Almacenes
el Banco y sus Billetes
el Diario y sus Pizarras
dos Curas
un Impala

allá enfrente
distintos
el farol
una escuela
dos hombres en campera
ciruelas y duraznos
las muchachas
su risa
un frente con balcones
tres negritos mirando

te ofrezco el brazo
vamos
a cruzar la Avenida.

BANDERA EN PENA

Están izando mi bandera
con ceremonia y sin pudor
pobre bandera
mi bandera
está alegre como una sábana
pero triste como un adiós
ondea sólo a la derecha
y ya no sé si tiene sol
está nueva como un trofeo
pero vieja como un perdón

están arriando mi bandera
con ceremonia y sin pasión

pobre bandera
mi bandera
los autobuses se detienen
y hay un silencio que es rencor
como son pocos los que miran
por lo menos la miro yo
y hasta el clarín que la saluda
se atraganta de compasión

están llevando mi bandera
con ceremonia y sin honor
pobre bandera
mi bandera
la doblarán en ocho pliegues
la guardarán en un cajón
la cerrarán con un candado
madeinusa de lo mejor

pero si miras hacia arriba
tendrás acaso otra visión
hay un fantasma de bandera
lindo trapo de cielo y sol
y esa alma en pena
esa bandera
bandera en pena
o qué sé yo
está en jirones
tiene sangre
y no se olvida
no.

CALMA CHICHA

Esperando que el viento
doble tus ramas

que el nivel de las aguas
llegue a tu arena

esperando que el cielo
forme tu barro

y que a tus pies la tierra
se mueva sola

pueblo
estás quieto

cómo
no sabes

cómo no sabes
todavía

que eres el viento
la marea

que eres la lluvia
el terremoto.

TURNING POINT

Sólo hasta ayer
fui joven
hoy
empecé a ser viejo

desde el mal bienestar
hasta el buen malestar
una modesta
oscilación

de todos modos
celebré el cambio
con un dolor intenso

divertido
que comenzó en el antebrazo
izquierdo
y se quedó un instante
junto al corazón

pero el festejo
no terminó
ahí

también
tuve un mareo
un ligerísimo mareo
durante el cual
pensé dos o tres cosas
que por supuesto
son
confidenciales.

TODO EL INSTANTE

Varón urgente
hembra repentina

no pierdan tiempo
quiéranse

dejen todo en el beso
palpen la carne nueva
gasten el coito único
destrúyanse

sabiendo

que el tiempo pasará
que está pasando

que ya ha pasado para
los dos
urgente viejo
anciana repentina.

ENTRE ESTATUAS

No te quedes inmóvil
al borde del camino
no congeles el júbilo
no te salves ahora
ni nunca
no te salves
no te llenes de gracia
no te arrepientas
cuando
alguien te lo aconseje
no reserves del mundo
sólo
un rincón tranquilo
no dejes caer los párpados
pesados como juicios
no te seques sin labios
no te pienses sin sangre
no te mueras sin tiempo

y si
después de todo
no puedes evitarlo
y congelas el júbilo
y te quedas inmóvil
y te salvas
entonces
no te quedes
conmigo.

FLOR DE PIEL

Esta piel de mis poros
y mis alergias
esta piel de mis pecas
y mis pecados
de mis lunares
y cicatrices
de mis erizos
y picazones
esta piel de mis venas
y tus caricias

de hora en hora
se vuelve arrugas
con plan
con método
sin retroceso

dentro de quince
de veinte años
dentro de veinte
treinta minutos
será un hollejo
será una pasa
un viejo odre
sin vino nuevo.

JUEGO DE VILLANOS

La muerte se puso una cara de monstruo
una cara de monstruo horrible
esperó y esperó detrás de la esquina
salió al fin de la sombra como un trozo de sombra
y el niño huyó más rápido que su propio alarido.

Entonces la muerte se puso otra cara
una vieja cara de mendigo
esperó y esperó enfrente de la iglesia
extendiendo la mano y gimiendo su pena
y el niño no supo qué hacer con su piedad.

Entonces la muerte se puso otra cara
una cara de mujer hermosa
esperó y esperó con los brazos abiertos
tan maternal tan fiel tan persuasiva
que el niño quedó inmóvil de susto o de ternura.

Entonces la muerte sacó su última cara
una cara de juguete inocente
esperó y esperó tranquila en la bohardilla
tan quieta tan trivial tan seductora
que el niño le dio cuerda con una sola mano.

Entonces la muerte se animó despacito
más traidora que nunca y le cortó las venas
y le pinchó los ojos y le quitó el aliento
y era lo único que podía esperarse
porque con la muerte no se juega.

BALANCE

En el Activo consta lo siguiente
un corazón inhábil y porfiado
los padres como abrigo
como mundo
dos viejas noches de hace treinta años
los zapatos rodeados de juguetes
buenas imitaciones del amor
un alegre cansancio repetido
trampas para mentiras
libros

viajes
tres corbatas que nunca se arrugaron
alguna charla con pocos amigos
memoria y tacto de cinturas
labios
el segundo en que aflojan los dolores
una ducha en enero
soledades
la provisoria paz de la conciencia
el turbador regreso de un desmayo
las cosas que se dicen cuando se ama
la tarde en que uno escribe de un tirón
los ojos de alguien en un gran silencio
el rato en que uno olvida que hay la muerte.

En el Pasivo consta lo siguiente
odios pesados y livianos
rabias
que son amargas hasta en la saliva
la cara al afeitarse de mañana
cuando uno se reencuentra con su víspera
y se sienten las deudas en la nuca
la corrida del ómnibus
el asma
el estupor frente al primer hipócrita
la envidia que lastima
el desconcierto
el amigo que no era
el que se va
la culpa los rencores los adioses
la presión deshonesta
el menosprecio
de los que tienen la sartén y el mango
los voraces que ganan la partida
la verdad que apabulla y que es verdad
el futuro cerrado y sin la llave
los ojos de alguien en un gran silencio
y todos los momentos menos uno
todas las noches en que está la muerte.

Salvo error u omisión este balance
infortunadamente arroja pérdidas
a enjugar en futuros ejercicios.

CORAZON CORAZA

Porque te tengo y no
porque te pienso
porque la noche está de ojos abiertos
porque la noche pasa y digo amor
porque has venido a recoger tu imagen
y eres mejor que todas tus imágenes
porque eres linda desde el pie hasta el alma
porque eres buena desde el alma a mí
porque te escondes dulce en el orgullo
pequeña y dulce
corazón coraza

porque eres mía
porque no eres mía
porque te miro y muero
y peor que muero
si no te miro amor
si no te miro

porque tú siempre existes dondequiera
pero existes mejor donde te quiero
porque tu boca es sangre
y tienes frío
tengo que amarte amor
tengo que amarte
aunque esta herida duela como dos
aunque te busque y no te encuentre
y aunque
la noche pase y yo te tenga
y no.

A LA IZQUIERDA DEL ROBLE

No sé si alguna vez les ha pasado a ustedes
pero el Jardín Botánico es un parque dormido
en el que uno puede sentirse árbol o prójimo
siempre y cuando se cumpla un requisito previo.
Que la ciudad exista tranquilamente lejos.

El secreto es apoyarse digamos en un tronco
y oír a través del aire que admite ruidos muertos
cómo en Millán y Reyes galopan los tranvías.

No sé si alguna vez les ha pasado a ustedes
pero el Jardín Bótanico siempre ha tenido
una agradable propensión a los sueños
a que los insectos suban por las piernas
y la melancolía baje por los brazos
hasta que uno cierra los puños y la atrapa.

Después de todo el secreto es mirar hacia arriba
y ver cómo las nubes se disputan las copas
y ver cómo los nidos se disputan los pájaros.

No sé si alguna vez les ha pasado a ustedes
ah pero las parejas que huyen al Botánico
ya desciendan de un taxi o bajen de una nube
hablan por lo común de temas importantes
y se miran fanáticamente a los ojos
como si el amor fuera un brevísimo túnel
y ellos se contemplaran por dentro de ese amor.

Aquellos dos por ejemplo a la izquierda del roble
(también podría llamarlo almendro o araucaria
gracias a mis lagunas sobre Pan y Linneo)
hablan y por lo visto las palabras
se quedan conmovidas a mirarlos
ya que a mí no me llegan ni siquiera los ecos.

No sé si alguna vez les ha pasado a ustedes
pero es lindísimo imaginar qué dicen
sobre todo si él muerde una ramita
y ella deja un zapato sobre el césped
sobre todo si él tiene los huesos tristes
y ella quiere sonreír pero no puede.

Para mí que el muchacho está diciendo
lo que se dice a veces en el Jardín Botánico

        ayer llegó el otoño
        el sol de otoño
        y me sentí feliz
        como hace mucho
        qué linda estás
        te quiero
        en mi sueño
        de noche
        se escuchan las bocinas
        el viento sobre el mar
        y sin embargo aquello
        también es el silencio
        mirame así
        te quiero
        yo trabajo con ganas
        hago números
        fichas
        discuto con cretinos
        me distraigo y blasfemo
        dame tu mano
        ahora
        ya lo sabés
        te quiero
        pienso a veces en Dios
        bueno no tantas veces
        no me gusta robar
        su tiempo
        y además está lejos

                    vos estás a mi lado
                    ahora mismo estoy triste
                    estoy triste y te quiero
                    ya pasarán las horas
                    la calle como un río
                    los árboles que ayudan
                    el cielo
                    los amigos
                    y qué suerte
                    te quiero
                    hace mucho era niño
                    hace mucho y qué importa
                    el azar era simple
                    como entrar en tus ojos
                    dejame entrar
                    te quiero
                    menos mal que te quiero.

No sé si alguna vez les ha pasado a ustedes
pero puede ocurrir que de pronto uno advierta
que en realidad se trata de algo más desolado
uno de esos amores de tántalo y azar
que Dios no admite porque tiene celos.

Fíjense que él acusa con ternura
y ella se apoya contra la corteza
fíjense que él va tildando recuerdos
y ella se consterna misteriosamente.

Para mí que el muchacho está diciendo
lo que se dice a veces en el Jardín Botánico

                    vos lo dijiste
                    nuestro amor
                    fue desde siempre un niño muerto
                    sólo de a ratos parecía
                    que iba a vivir
                    que iba a vencernos

pero los dos fuimos tan fuertes
que lo dejamos sin su sangre
sin su futuro
sin su cielo
un niño muerto
sólo eso
maravilloso y condenado
quizá tuviera una sonrisa
como la tuya
dulce y honda
quizá tuviera un alma triste
como mi alma
poca cosa
quizá aprendiera con el tiempo
a desplegarse
a usar el mundo
pero los niños que así vienen
muertos de amor
muertos de miedo
tienen tan grande el corazón
que se destruyen sin saberlo
vos lo dijiste
nuestro amor
fue desde siempre un niño muerto
y qué verdad dura y sin sombra
qué verdad fácil y qué pena
yo imaginaba que era un niño
y era tan sólo un niño muerto
ahora qué queda
sólo queda
medir la fe y que recordemos
lo que pudimos haber sido
para él
que no pudo ser nuestro
qué más
acaso cuando llegue
un veintitrés de abril y abismo
vos donde estés

llevale flores
que yo también iré contigo.

No sé si alguna vez les ha pasado a ustedes
pero el Jardín Botánico es un parque dormido
que sólo se despierta con la lluvia.

Ahora la última nube ha resuelto quedarse
y nos está mojando como a alegres mendigos.

El secreto está en correr con precauciones
a fin de no matar ningún escarabajo
y no pisar los hongos que aprovechan
para nacer desesperadamente.

Sin prevenciones me doy vuelta y siguen
aquellos dos a la izquierda del roble
eternos y escondidos en la lluvia
diciéndose quién sabe qué silencios.

No sé si alguna vez les ha pasado a ustedes
pero cuando la lluvia cae sobre el Botánico
aquí se quedan sólo los fantasmas.

Ustedes pueden irse.
Yo me quedo.

POEMAS DEL HOYPORHOY
1958-1961

*Hoy me gusta la vida mucho menos,
pero siempre me gusta vivir...*

CÉSAR VALLEJO

*Ich bleibe dennoch. Es gibt immer
Zuschaun.*

RAINER MARÍA RILKE

LA CRISIS

Viene la crisis
ojo
guardabajo
un pan te costará como tres panes
tres panes costarán como tres hijos
y qué barbaridad
todos iremos
a las nubes en busca de un profeta
que nos hable de paz
como quien lava.

Viene la crisis
ojo
quizá te esté subiendo
por la manga
quizá la tengas
ahora
enroscada sin más en el pescuezo
o esté votando con tu credencial
o comprando tu fe con tu dinero.

Oh cuánto cuánto
costará el escrúpulo
y la vergüenza buena
la importada
la que no encoge a la primera lluvia

529

la vergüenza de nylon
ciemporciento.

Oh cuánto cuánto
costará el amor
en la noche sin dólares ni luna
con los perros afónicos
y el sueño
firmando los conformes con rocío.

Oh cuánto cuánto
costará la muerte
ahora que no hay divisas
ni perdón
y no hay repuestos para la conciencia
ni ganas de morir
ni afán
ni nada.

Viene la crisis
ojo
guardabajo
no habrá vino ni azúcar ni zapatos
ni quinielas ni sol ni Dios ni abrigo
ni diputados ni estupefacientes
ni manteca ni fruta ni rameras.

Viene la crisis
Ojo.
Guardarriba.

MONSTRUOS

Qué vergüenza
carezco de monstruos interiores
no fumo en pipa frente al horizonte

en todo caso creo que mis huesos
son importantes para mí y mi sombra
los sábados de noche me lleno de coraje
mi nariz qué vergüenza no es como la de Goethe
no puedo arrepentirme de mi melancolía
y olvido casi siempre que el suicidio es gratuito
qué vergüenza me encantan las mujeres
sobre todo si son consecuentes y flacas
y no confunden sed con paroxismo
qué vergüenza diosmío no me gusta Ionesco
sin embargo estoy falto de monstruos interiores
quisiera prometer como Dios manda
y vacilar como la gente en prosa
qué vergüenza en las tardes qué vergüenza
en las tardes más oscuras de invierno
me gusta acomodarme en la ventana
ver cómo la llovizna corre a mis acreedores
y ponerme a esperar o quizás a esperarte
tal como si la muerte fuera una falsa alarma.

EDITORIAL

La nación es una manzana
una roja invitante manzana
y no sabemos quién la morderá

la nación es una corneta
una ronca gastada corneta
y no sabemos quién la sonará

la nación es una langosta
una atlética horrible langosta
y no sabemos quién la matará

ah nosotros estamos por la Reforma
o sea ahogar las cornetas en su tinta

y comer las manzanas con su cáscara
e invitar las langostas al té de los domingos

claro que estamos por la Reforma
o —en otras palabras— contra la Reforma
y ya que el prestigioso colega nos recuerda
que el once por ciento de nuestros lactantes
son comunistas y útiles cretinos
nuestro próximo slogan tendría que ser
démosles biberones con arsénico

así estaremos moralmente preparados
para regar con método y tal vez con piedad
la tierra de los hombres de buena voluntad

LOS PITUCOS

Hijo mío
recuérdalo
son éstos los pitucos

tienen un aire
verdad
que es un desaire

tienen la marca
verdad
de su comarca

mira
son los pitucos
nacen junto a la rambla
respiran el salitre
le hacen guiños al sol
se rascan el ombligo
duermen siestas feroces

besan con labios blandos
y en la rambla se mueren
y van al paraíso
y claro
el paraíso
es también una rambla

fíjate bien
son ellos
los pitucos
casi una raza aparte
son nietos de estancieros
primos de senadores
sobrinos de sobrinos
de heroicos industriales

son ágiles
imberbes
deportistas
cornudos

mira cómo te miran
bajo sus lentes negros
pero no te preocupes
en el fondo
son buenos

aman los dividendos
escuchan a Stravinsky
se bañan diariamente
con jabón perfumado
y a la hora del crepúsculo
bajan todos al Centro

hijo mío
prométeme
nunca intentes hacerles
zancadillas

533

los pitucos son tenues
los pitucos son blandos
una bocina
un grito
a veces una huelga
les arruinan el alma

en ocasiones
raras ocasiones
se hacen los malos
dicen palabrotas
pero después se mueren
de vergüenza
y allá en su diario íntimo
se azotan con metáforas

hijo mío
recuérdalo
son éstos los pitucos

tienen un pelo
verdad
que es terciopelo

una cadencia
verdad
que es decadencia

tú
déjalos pasar
son de otra raza
admíralos
toléralos
apláudelos
escúpelos
tírales caramelos
cualquier cosa

después
cuando seas grande
grande
y tengas un hijo
lo tomas de la mano
lo traes aquí a la rambla
y sin darle importancia
le dices
hijo mío
son éstos los pitucos.

ESE VOTO

Cuando corres el ómnibus y trepas
no sabes que noviembre va contigo
el punguista noviembre va a quitarte
el voto que aún ignoras ese voto
pensarás pensaremos qué trabajo
mientras noviembre busca en tu bolsillo
uno es emprendedor pero cretino
dos un marica habla con voz machaza
tres es solemne ególatra y pulido
cuatro es veraz contrabandista y lúcido

pensarás pensaremos qué trabajo
mientras noviembre busca en tu bolsillo
desde tu abuelo blanco o colorado
estabas firmemente decidido
a consentir que no decidirías
pensarás pensaremos qué trabajo
mientras noviembre busca en tu bolsillo
uno te ofrece un puesto sin cansancio
dos te regala un puesto sin horario
tres te consigue un puesto sin estorbos
cuatro te brinda un puesto sin denuedo
pensarás oh no pienses ya noviembre

ha encontrado tu voto en tu bolsillo
cuando bajes del ómnibus y enciendas
el cigarrillo de las siete y cuarto
te sentirás demócrata y tranquilo.

INTERVIEW

No es ninguna molestia
explicarle qué pienso
del infinito
el infinito es
sencillamente
un agrio viento frío
que eriza las mucosas
la piel
y las metáforas
le pone a uno en los ojos
lágrimas de rutina
y en la garganta un nudo
de sortilegio
seguramente usted ya se dio cuenta
en el fondo no creo
que exista el infinito.

Bueno sobre política
jesús
sobre política
mi bisabuelo que era liberal
espiaba a las criadas en el baño
mi abuelo el reaccionario
extraviaba las llaves de sus deudas
mi padre el comunista
compraba hectáreas con un gesto de asco
yo soy poeta
señor

y usted debe saber que los poetas
vivimos a la vuelta de este mundo
claro que usted quizá no tenga tiempo
para tener paciencia
pero debe conocer que en el fondo
yo no creo en la política.

Por supuesto el estilo
qué pienso del estilo
una cosa espontánea que se va haciendo sola
siempre escribí en la cama
mucho mejor que en los ferrocarriles
qué más puedo agregar
ah domino el sinónimo
módico exiguo corto insuficiente
siempre escribo pensando en el futuro
pero el futuro
se quedó sin magia
me olvidaba que usted
ya sabe que en el fondo
yo no creo en el estilo.

El amor el amor
ah caramba
el amor
por lo pronto me gusta
la mujer
bueno fuera
el alma
el corazón
sobre todo las piernas
poder alzar la mano
y encontrarla a la izquierda
tranquila
o intranquila
sonriendo desde el pozo
de su última modorra
o mirando mirando
como a veces se mira

un rato antes del beso
después de todo
usted y yo sabemos
que en el fondo
el amor
el amor
es una cosa seria.

Por favor
esto último
no vaya a publicarlo.

VUELO 202

Desde el viento que arrastra tantas nubes
como futuros ángeles caídos
desde este vasto sótano de cielo
hasta el que Dios no baja
pero igual llega el miedo
desde aquí
desde arriba
mi país es una mancha verde
una mancha tan verde
que parece rosada

sin embargo allá abajo es tan distinto
hay glorias
pero glorias de bolsillo
campanillas de caja
tangos viejos
aranceles de coimas
almas verdes
y almas de la estación
y almas podridas

pero aquí
desde arriba

no se ve nada de eso
no se ve ni se nombra

desde este vasto sótano de cielo
con brincos de aire y labios de azafata
mi país otra vez tiene misterio
quizás porque no puedo
reconocer sus marcas
ni el corazón de oro
ni la cola de paja.

CUMPLEAÑOS EN MANHATTAN

Todos caminan
yo también camino

es lunes y venimos con la saliva amarga
mejor dicho
son ellos los que vienen

a la sombra de no sé cuántos pisos
millones de mandíbulas
que mastican su goma
sin embargo son gente de este mundo
con todo un corazón bajo el chaleco

hace treinta y nueve años
yo no estaba
tan solo y tan rodeado
ni podía mirar a las queridas
de los innumerables ex-sargentos
del ex-sargentísimo Batista
que hoy sacan a mear
sus perros de abolengo
en las esquinas de la democracia

hace treinta y nueve años
allá abajo
más abajo de lo que hoy se conoce
como Fidel Castro o como Brasilia
abrí los ojos y cantaba un gallo
tiene que haber cantado
necesito
un gallo que le cante al Empire State Building
con toda su pasión
y la esperanza
de parecer iguales
o de serlo

todos caminan
yo también camino
a veces me detengo
ellos no
no podrían

respiro y me siento
respirar
eso es bueno
tengo sed y me cuesta
diez centavos de dólar
otro jugo de fruta
con gusto a Guatemala

este cumpleaños
no es
mi verdadero
porque este alrededor
no es
mi verdadero
los cumpliré más tarde
en febrero o en marzo
con los ojos que siempre me miraron
las palabras que siempre me dijeron
con un cielo de ayer sobre mis hombros

y el corazón deshilachado y terco
los cumpliré más tarde
o no los cumplo
pero éste no es mi verdadero

todos caminan
yo también camino
y cada dos zancadas poderosas
doy un modesto paso melancólico

entonces los becarios colombianos
y los taximetristas andaluces
y los napolitanos que venden pizza y cantan
y el mexicano que aprendió a mascar chicles
y el brasileño de insolente fotómetro
y la chilena con su amante gringo
y los puertorriqueños que pasean
su belicoso miedo colectivo
miran y reconocen mi renguera
y ellos también se aflojan un momento
y dan un solo paso melancólico
como los autos de la misma marca
que se hacen una seña con las luces

nunca estuvo tan lejos
ese cielo
nunca estuvo tan lejos
y tan chico
un triángulo isósceles nublado
que ni siquiera es una nube entera

tengo unas ganas cursis
dolorosas
de ver algo de mar
de sentir como llueve en Andes y Colonia
de oír a mi mujer diciendo cualquier cosa
de escuchar las bocinas
y de putear con eco

de conseguir un tango
un pedazo de tango
tocado por cualquiera
que no sea Kostelanetz

pero también es bueno
sentir alguna vez un poco de ternura
hacia este chorro enorme
poderoso
indefenso
de humanidad dócilmente apurada
con la cruz del confort sobre su frente
un poco de imprevista ternura sin raíces
digamos por ejemplo hacia una madre equis
que ayer en el zoológico de Central Park
le decía a su niño con preciosa nostalgia
look Johnny this is a cow
porque claro
no hay vacas entre los rascacielos

y otro poco de fe
que es mi único folklore
para agitar como un pañuelo blanco
cuando pasen o simplemente canten
las tres clases de seres más vivos de este Norte
quiero decir los negros
las negras
los negritos

todos caminan
pero yo
me he sentado
un yanqui de doce años me lustra los zapatos
él no sabe que hoy es mi cumpleaños
ni siquiera que no es mi verdadero
por mi costado pasan todos ellos
acaso yo podría ser un dios provisorio
que contemplara inerme su rebaño

o podría ser un héroe más provisorio aún
y disfrutar mis trece minutos estatuarios

pero todo está claro
y es más dulce
más útil
sobre todo más dulce
reconocer que el tiempo está pasando
que está pasando el tiempo y hace ruido
y sentirse de una vez para siempre
olvidado y tranquilo
como un cero a la izquierda.

Nueva York,
14 de setiembre de 1959.

UN PADRENUESTRO LATINOAMERICANO

Padre nuestro que estás en los cielos
con las golondrinas y los misiles
quiero que vuelvas antes de que olvides
cómo se llega al sur de Río Grande

Padre nuestro que estás en el exilio
casi nunca te acuerdas de los míos
de todos modos dondequiera que estés
santificado sea tu nombre
no quienes santifican en tu nombre
cerrando un ojo para no ver las uñas
sucias de la miseria

en agosto de mil novecientos sesenta
ya no sirve pedirte
venga a nos el tu reino
porque tu reino también está aquí abajo
metido en los rencores y en el miedo

543

en las vacilaciones y en la mugre
en la desilusión y en la modorra
en esta ansia de verte pese a todo

cuando hablaste del rico
la aguja y el camello
y te votamos todos
por unanimidad para la Gloria
también alzó su mano el indio silencioso
que te respetaba pero se resistía
a pensar hágase tu voluntad

sin embargo una vez cada tanto
tu voluntad se mezcla con la mía
la domina
la enciende
la duplica
más arduo es conocer cuál es mi voluntad
cuándo creo de veras lo que digo creer
así en tu omnipresencia como en mi soledad
así en la tierra como en el cielo
siempre·
estaré más seguro de la tierra que piso
que del cielo intratable que me ignora

pero quién sabe
no voy a decidir
que tu poder se haga o se deshaga
tu voluntad igual se está haciendo en el viento
en el Ande de nieve
en el pájaro que fecunda a su pájara
en los cancilleres que murmuran yes sir
en cada mano que se convierte en puño

claro no estoy seguro si me gusta el estilo
que tu voluntad elige para hacerse
lo digo con irreverencia y gratitud
dos emblemas que pronto serán la misma cosa

544

lo digo sobre todo pensando en el pan nuestro
de cada día y de cada pedacito de día

ayer nos lo quitaste
dánosle hoy
o al menos el derecho de darnos nuestro pan
no sólo el que era símbolo de Algo
sino el de miga y cáscara
el pan nuestro
ya que nos quedan pocas esperanzas y deudas
perdónanos si puedes nuestras deudas
pero no nos perdones la esperanza
no nos perdones nunca nuestros créditos

a más tardar mañana
saldremos a cobrar a los fallutos
tangibles y sonrientes forajidos
a los que tienen garras para el arpa
y un panamericano temblor con que se enjugan
la última escupida que cuelga de su rostro

poco importa que nuestros acreedores perdonen
así como nosotros
una vez
por error
perdonamos a nuestros deudores

todavía
nos deben como un siglo
de insomnios y garrote
como tres mil kilómetros de injurias
como veinte medallas a Somoza
como una sola Guatemala muerta

no nos dejes caer en la tentación
de olvidar o vender este pasado
o arrendar una sola hectárea de su olvido

ahora que es la hora de saber quiénes somos
y han de cruzar el río
el dólar y su amor contrarrembolso
arráncanos del alma el último mendigo
y líbranos de todo mal de conciencia
amén.

BALADA DEL MAL GENIO

Hay días en que siento una desgana
de mí, de ti, de todo lo que insiste en creerse
y me hallo solidariamente cretino
apto para que en mí vacilen los rencores
y nada me parezca un aceptable augurio.

Días en que abro el diario con el corazón en la boca
como si aguardara de veras que mi nombre
fuera a aparecer en los avisos fúnebres
seguido de la nómina de parientes y amigos
y de todo el indócil personal a mis órdenes.

Hay días que ni siquiera son oscuros
días en que pierdo el rastro de mi pena
y resuelvo las palabras cruzadas
con una rabia hecha para otra ocasión
digamos, por ejemplo, para noches de insomnio.

Días en que uno sabe que hace mucho era bueno
bah tal vez no hace tanto que salía la luna
limpia como después de un jabón perfumado
y aquello sí era auténtica melancolía
y no este malsano, dulce aburrimiento.

Bueno, esta balada sólo es para avisarte
que en esos pocos días no me tomes en cuenta.

546

ELLA QUE PASA

Paso que pasa
rostro que pasabas
qué más quieres
te miro
después me olvidaré
después y solo
solo y después
seguro que me olvido.

Paso que pasas
rostro que pasabas
qué más quieres
te quiero
te quiero sólo dos
o tres minutos
para quererte más
no tengo tiempo.

Paso que pasas
rostro que pasabas
qué más quieres
ay no
ay no me tientes
que si nos tentamos
no nos podremos olvidar
adiós.

AUSENCIA

El niño que no vino
tiene los labios fuertes
tiene las manos tiernas
el alma como nube

no es nadie
es sólo niño
saca viejas monedas
del bolsillo de Dios
se parece a la madre
su misma risa ancha
su corazón a saltos

juega con los silencios
y con ellos hace otros
silencios
y se aburre

el niño que no vino
no viene
porque cree
que todo el que aquí nace
no se muere
después.

AHORA VALE LA PENA

Ahora vale la pena.
Dios
se quedó dormido.

Todos sabemos que esto
no es
definitivo
que es una suerte loca
quizá un breve
delirio.

Ahora vale la pena
vivir
aunque haga frío

aunque la tarde vuele.
O no vuele.
Es lo mismo.

Ahora sí
pero luego
si Dios no se despierta
qué pasará
diosmío.

EL ANGEL

La paz oh la paz
quién habló de la paz
aquel viejo con cara de caballo
que mira sin mirar y a veces pide
ése habló de la paz
aquella jovencita con arrugas
que recuerda sus épocas de virgen
ésa habló de la paz
aquel atleta de campera verde
aquel tímido lleno de rencores
aquel horrible y sabio lustrabotas
ése ésos hablaron de la paz
aquella ama de casa con bostezos
aquel auxiliar cuarto que no fuma
aquel santo que piensa cuando vota
aquel bobo que cree en una bandera
todos ésos hablaron de la paz
pero qué pena
que grandísima pena
todos tan inocentes
tan alegres
no saben que la paz dependía de un ángel
y ese ángel tiene ahora
un dedo en el gatillo.

ASI RODEADO

Otra vez estoy solo
tan hondamente
solo
que no siento la ayuda
ni el calor
de tu mano
ni tu nueva mirada
ni siquiera la antigua
universal
tristeza

tan libremente
solo
que no puedo acordarme
de cómo era el mundo
con su pobre
tranquila muchedumbre
con sus brazos abiertos
con su espalda vencida

tan claramente
solo
que las paredes lloran
los vagabundos lloran
los solitarios lloran
y se alejan

ah pero éstos
éstos los sobornables
solitarios
antes de irse me envuelven
en una blanda
ojeada
que parece piedad
pero es
envidia.

MAS O MENOS LA MUERTE

La muerte es sólo un niño
de cara triste
un niño
sin motivo
sin miedo
sin fervor
un pobre niño viejo
que se parece
a Dios.

A veces
sin embargo
es tan sólo un silencio
sin pasado
sin molde
sin olor
un silencio en que ladran
los perros
esos perros
y uno se pregunta
quiénes son.

A veces.

Otras veces
es una niebla espesa
que se mete en los ojos
que destruye la voz
y lo arrincona a uno definitivamente
bueno
definitivamente no
tan sólo hasta que uno
se siente
sin amor.

A veces.

551

Pero es raro.
Por lo común la muerte
es solamente un niño
de cara triste
un niño
que sale de la noche
sin motivo
sin miedo
sin fervor
un pobre niño viejo
que deja caer su mano
sobre mi corazón.

POBRE DIOS

Es imposible estar seguro
pero tal vez sea Dios todo el silencio
que queda de los hombres

es imposible estar seguro
pero acaso Dios sea
la soledad total
irrevocable
más grave que la tuya
o que la mía
por lo menos más grave que la mía
que es soledad tan sólo
cuando el viejo crepúsculo me mira
como un toro furioso
y yo no tengo a mano
tus sabios labios para
olvidarme de todo lo que temo

es imposible estar seguro
ah pero en ese caso
pobre Dios qué tristeza
debe ser su tristeza

pobre Dios
si una vez descendiera
a asir nuestra miseria
y respirara por unas pocas horas
el incesante miedo de la muerte
quizá mucho después
allá
solo y eterno
recordara esa tibia bocanada
como el único asueto
de su enorme
desolado Infinito.

CINCO VECES TRISTE

1. *Barco Viejo*

La tristeza del mundo
es decir mi tristeza
empezó hace treinta años
en una noche hueca.

Por entonces los ángeles
trepaban por mis nervios
me dejaban promesas
me colgaban temores
y eso alcanzaba para todo el tiempo
para entender la vida
todo el tiempo.

Después de todo
no eran ángeles
eran tan sólo
escalofríos.

También tuve y no tengo un abuelo
con un siglo de cuentos
y una barba de seda
y dijo buenas noches
y se metió en su sueño
como huésped antiguo y de confianza.

Claro
no era su sueño
era su única muerte
nada más.

Por entonces había
nubes como montañas
y el horizonte era una cuerda floja
y los lunes
y miércoles
y viernes
Dios hacía equilibrio
sin caerse.

Pero no era Dios
era tan sólo
un barco viejo.

2.   *Es tan poco*

Lo que conoces
es tan poco
lo que conoces
de mí
lo que conoces
son mis nubes
son mis silencios
son mis gestos
lo que conoces
es la tristeza

de mi casa vista de afuera
son los postigos de mi tristeza
el llamador de mi tristeza.

Pero no sabes
nada
a lo sumo
piensas a veces
que es tan poco
lo que conozco
de ti
lo que conozco
o sea tus nubes
o tus silencios
o tus gestos
lo que conozco
es la tristeza
de tu casa vista de afuera
son los postigos de tu tristeza
el llamador de tu tristeza.
Pero no llamas.
Pero no llamo.

3. *Cáscara y nada*

A veces el futuro es un sueño cerrado
y uno arroja la llave al precipicio
el corazón a veces nos despierta a los gritos
y uno se vuelve sordo de ternura

a veces es preciso que se nos caiga el cielo
para saber todo lo que nos falta
para inventar el surco del insomnio
para quedarse a solas con el mundo.

Casi siempre es la hora de la verdad vacía
sólo cáscara y nada
Dios inmóvil
es el temor recién amanecido
y ya opaco de veras
ya de veras maldito.
A veces el futuro es una noche sola
y uno gasta la urgencia en llegar y dormirse.

4. *Mi pozo*

La soledad es una paz oscura
una suerte de luto sin orgullo
una tranquila sumisión
un pozo
la soledad es uno mismo
sin compasión y con vergüenza
pero también es una dulce
lengua
para hablar con los monstruos
de la noche
y quedarse como siempre
perplejo.

A veces
cuando el amor se ajena
o los amigos van quedando inmóviles
o el tacto y la conciencia recomponen
las averías de lo inefable
suelo ponerme mi soledad
y nadie
reconoce ese luto sin orgullo
ese decir lo mismo hasta el cansancio
esa tranquila sumisión
mi pozo.

5. *Ruidos secundarios*

Me hago el honor de resignarme
sólo esta noche
como descanso
mañana temprano abriré los ojos
seré otra vez valiente y ordinario
rebelde con las manos en los bolsillos
eterno con la muerte en el ojal
sólo esta noche en que no hay luna
creerme que voy
creerme que vengo
creer que mi corazón ya no podrá jamás
aumentar de tamaño y de nostalgias
sólo esta noche
por favor
por piedad
sentirme vencido
humilde
devastado
hecho y deshecho con desechos de Dios
puesto a soñar sin vistobueno
dado a mentir sin esperanza
pero sabiendo que se trata
sólo de esta noche estéril y única
mañana a las siete abriré los ojos
y otra vez pondré el hombro sin quejarme
y escucharé el estruendo universal
sin que me engañen ruidos secundarios.

POEMAS DE LA OFICINA
1953-1956

SUELDO

Aquella esperanza que cabía en un dedal,
aquella alta vereda junto al barro,
aquel ir y venir del sueño,
aquel horóscopo de un larguísimo viaje
y el larguísimo viaje con adioses y gente
y países de nieve y corazones
donde cada kilómetro es un cielo distinto,
aquella confianza desde no sé cuándo,
aquel juramento hasta no sé dónde,
aquella cruzada hacia no sé qué,
ese aquel que uno hubiera podido ser
con otro ritmo y alguna lotería,
en fin, para decirlo de una vez por todas,
aquella esperanza que cabía en un dedal
evidentemente no cabe en este sobre
con sucios papeles de tantas manos sucias
que me pagan, es lógico, en cada veintinueve
por tener los libros rubricados al día
y dejar que la vida transcurra,
gotee simplemente
como un aceite rancio.

ELLOS

Ellos saben si soy o si no soy,
ellos abren la puerta y dicen: «Pase»,

561

miran y relativamente son felices,
endosan el destino como un cheque
y eructan, aquiescentes, sin provocar a nadie.

Ellos saben si soy o si no soy,
por detrás de los dientes dicen: «Hola»,
hablan y relativamente son ingenuos
y sencillos y escupen y recelan
y traspiran a veces en dos dedos de frente.

Ellos saben si soy o si no soy,
ellos cierran la mano y dicen: «Pero»
viven y relativamente son milagros
y sueldo y providencia y mal aliento
y gastan por docenas los pañuelos sin lágrimas.

Ellos saben si soy o si no soy,
ellos miran al cielo y dicen «¿Cuánto?»,
pasan y relativamente son nombrados,
pero yo, como ellos me instruyeron,
no digo ni caramba ni ahí te pudras.

EL NUEVO

Viene contento
el nuevo
la sonrisa juntándole los labios
el lápizfaber virgen y agresivo
el duro traje azul
de los domingos.
Decente
un muchachito.
Cada vez que se sienta
piensa en las rodilleras
murmura sí señor
se olvida

de sí mismo.
Agacha la cabeza
escribe sin borrones
escribe escribe
hasta
las siete menos cinco.
Sólo entonces
suspira
y es un lindo suspiro
de modorra feliz
de cansancio tranquilo.

Claro
uno ya lo sabe
se agacha demasiado
dentro de veinte años
quizá
de veinticinco
no podrá enderezarse
ni será
el mismo
tendrá unos pantalones
mugrientos y cilíndricos
y un dolor en la espalda
siempre en su sitio.
No dirá
sí señor
dirá viejo podrido
rezará palabrotas
despacito
y dos veces al año
pensará
convencido
sin creer su nostalgia
ni culpar al destino
que todo
todo ha sido
demasiado
sencillo.

VERANO

Voy a cerrar la tarde
se acabó
no trabajo
tiene la culpa el cielo
que urge como un río
tiene la culpa el aire
que está ansioso y no cambia
se acabó
no trabajo
tengo los dedos blandos
la cabeza remota
tengo los ojos llenos
de sueños
yo que sé
veo sólo paredes
se acabó
no trabajo
paredes con reproches
con órdenes
con rabia
pobrecitas paredes
con un solo almanaque
se acabó
no trabajo
que gira lentamente
dieciséis de diciembre.

Iba a cerrar la tarde
pero suena el teléfono
sí señor enseguida
comonó cuandoquiera.

CUENTA CORRIENTE

Usted que se desliza
sobre el tiempo,

usted que saca punta
y se persigna,
usted, modesto anfibio,
usted que firma con mi pluma fuente
y tose con su tos y no me escupa,
usted que sirve para
morirse y no se muere,
usted que tiene ojos dulces como el destino
y dudas que son cheques
al portador
y dudas
que le despejan Life y Selecciones,
¿cómo hace noche a noche
para cerrar los ojos
sin una sola deuda
sin una sola deuda
sin una sola sola sola deuda?

AGUINALDO

Ya he sacado mis cuentas
y no le pago
a nadie.

Ni al sastre que me hizo estas solapas
como alas de palomo
ni al pobre almacenero
que no me vende azúcar
ni al Banco que me ahorca
ni al librero que gime
ni al destino que claro no recoge
las tiernas oraciones
que envío contra reembolso.

Ya he sacado mis cuentas
y no le pago
a nadie.

Cobraré el aguinaldo en billetes de uno a uno
y me iré caminando por Dieciocho
silbando un tango amargo
como otro distraído.

LUNES

Volvió el noble trabajo
pucha qué triste
que nos brinda el pan nuestro
pucha qué triste
me meto en el atraso
hastacuandodiosmío
como un viejo tornillo
como cualquier gusano
me meto en el atraso
y el atraso me asfixia,
dos veinte, cinco quince,
me aplasta, me golpea,
once setenta, mil
trescientos veintiuno,
se me perdió una cifra
estaba aquí y ahora
tres falsos contrasientos
gotean de mi bolsillo
alguien llama alguien manda
pucha qué triste
alguien
se metió en el atraso
desordenó las pistas
y en cada diferencia
añadió tres centésimos.

Volvió el noble trabajo
aleluya
qué peste
faltan para el domingo
como siete semanas.

DIRECTORIO

Hay una tos reseca
como de cigarrillo
después
un comentario murmurado

un arrastre de silla
dos bostezos
la lectura del acta anterior
esa peste.

El delgado tabique
toma partido y cuenta
nos cuenta todo
como un gran secreto.

Ahora un largo silencio
alguien escribe
alguien
y a mí todo eso
ni me va ni me viene.

Se discute
se vota
se toma coca cola
en una paz cansada
se estudia el presupuesto.

De pronto uno difunde
el alerta.
Otros gritan.
Este dice: «Jamás»
y aquéllos dicen: «Nunca».

Los reproches golpean
la tímida mampara

pero yo estoy tranquilo
tranquilo e importante.

Un orgullo pueril
me enciende
y sobriamente
reconozco que ahora
están hablando de mí.

COSAS DE UNO

Yo digo ¿no?
esta mano
que escribe mil doscientos
y transporte
y Enero
y saldo en caja
que balancea el secante
y da vuelta la hoja
esta mano crispada en el apuro
porque se viene el plazo
y no hay tu tía
que suma cifras de otros
cheques de otros
que verdaderamente pertenece a otros
yo digo ¿no?
esta mano
¿qué carajo
tiene que ver conmigo?

KINDERGARTEN

Vino el patrón y nos dejó su niño
casi tres horas nos dejó su niño,

indefenso, sonriente, millonario,
un angelito gordo y sin palabras.

Lo sentamos allí, frente a la máquina
y él se puso a romper su patrimonio.
Como un experto desgarró la cinta
y le gustaron efes y paréntesis.

Nosotros, satisfechos como tías,
lo dejamos hacer. Después de todo,
sólo dice «papá». El año que viene
dirá estádespedido y noseaidiota.

DACTILOGRAFO

Montevideo quince de noviembre
de mil novecientos cincuenta y cinco
Montevideo era verde en mi infancia
absolutamente verde y con tranvías
muy señor nuestro por la presente
yo tuve un libro del que podía leer
veinticinco centímetros por noche
y después del libro la noche se espesaba
y yo quería pensar en cómo sería eso
de no ser de caer como piedra en un pozo
comunicamos a usted que en esta fecha
hemos efectuado por su cuenta
quién era ah sí mi madre se acercaba
y prendía la luz y no te asustes
y después la apagaba antes que me durmiera
el pago de trescientos doce pesos
a la firma Menéndez & Solari
y sólo veía sombras como caballos
y elefantes y monstruos casi hombres
y sin embargo aquello era mejor
que pensarme sin la savia del miedo

desaparecido como se acostumbra
en un todo de acuerdo con sus órdenes
de fecha siete del corriente
era tan diferente era verde
absolutamente verde y con tranvías
y qué optimismo tener la ventanilla
sentirse dueño de la calle que baja
jugar con los números de las puertas cerradas
y apostar consigo mismo en términos severos
rogámosle acusar recibo lo antes posible
si terminaba en cuatro o trece o diecisiete
era que iba a reír o a perder o a morirme
de esta comunicación a fin de que podamos
y hacerme tan sólo una trampa por cuadra
registrarlo en su cuenta corriente
absolutamente verde y con tranvías
y el Prado con caminos de hojas secas
y el olor a eucaliptus y a temprano
saludamos a usted atentamente
y desde allí los años y quién sabe.

HERMANO

Qué suerte
siempre iguales
hermano
vos y yo
desde aquella alegría
de nuestro primer sueldo
siempre iguales
hermano
en las licencias
en los aguinaldos
en los ascensos
en las comisiones
siempre en el mismo cargo

siempre en el mismo sueldo
yo
usando lo que sé
brindando lo que tengo
ecuaciones
inglés
teneduría
alemán
buena letra
logaritmos
yo
usando lo que sé
nada más
nada menos
vos
prendido a la Oreja
como una caravana.

DESPUES

El cielo de veras que no es éste de ahora
el cielo de cuando me jubile
durará todo el día
todo el día caerá
como lluvia de sol sobre mi calva.

Yo estaré un poco sordo para escuchar los árboles
pero de todos modos recordaré que existen
tal vez un poco viejo para andar en la arena
pero el mar todavía me pondrá melancólico
estaré sin memoria y sin dinero
con el tiempo en mis brazos como un recién nacido
y llorará conmigo y lloraré con él
estaré solitario como una ostra
pero podré hablar de mis fieles amigos
que como siempre contarán desde Europa
sus cada vez más tímidos contrabandos y becas.

Claro estaré en la orilla del mundo contemplando
desfiles para niños y pensionistas
aviones
eclipses
y regatas
y me pondré sombrero para mirar la luna
nadie pedirá informes ni balances ni cifras
y sólo tendré horario para morirme
pero el cielo de veras que no es éste de ahora
ese cielo de cuando me jubile
habrá llegado demasiado tarde.

ORACION

Déjame este zumbido de verano
y la ausencia bendita de la siesta
déjame este lápiz
este block
esta máquina
este impecable atraso de dos meses
este mensaje del tabulador
déjame solo con mi sueldo
con mis deudas y mi patrón
déjame
pero
no me dejes
después de las siete
menos diez
Señor
cuando esta niebla de ficción
se esfume
y quedes Tú
si quedo Yo.

ELEGIA EXTRA

Hoy
un domingo
como cualquier otro
uno de esos
que Dios ha reservado
para el mate
la radio despacito
para el amor
repetido en los parques
para el descanso
el vino
y el Estadio
para la dulce farra
de la siesta
precisamente hoy
un domingo cualquiera
debo abrir puertas
de silencio horrible
debo juntarme
con mi aburrimiento
debo enfrentar mi mesa
empecinada
asquerosa de tinta
y de papeles.
El sol allí cerquita
sucio domingo
pienso
yo a veces di consejos
claros como setiembre
yo me hice mala sangre
hasta la madrugada
¿y ahora qué?
ahora
espesos y rituales
Gardel y un alboroto
bajan del sexto piso

el sol va recorriendo
tranquilamente
el muro
y yo como un intruso
y yo como una pieza
dislocada
yo frente al miedo
de la Ciudad Vieja
más allá del fervor
y el pesimismo
porque a mis dedos
ya
nadie los mueve
y quedan más planillas
más planillas
más inmundas planillas
todas
con siete copias

COMISION

Mírela y no proteste
ésta es su tierra
amigo
ella lo está esperando
como una amante nueva
como la tierra
simplemente
que es
yo no sé si mañana
estará como ahora
ahí nomás tan cerquita
al lado de su mano
delante de su pie
porque la tierra es eso
una esperanza

porque la tierra es
claro
una inversión
y cada día usted sabe
que su esperanza vale
un poco un poco más
tómela y no discuta
ella lo está esperando
como una buena madre
como una patria nueva
como la tierra
simplemente
que es
piénselo usted la paga
en treinta años
qué son
treinta años para el mundo
treinta años para Dios
un abrir y cerrar
de ojos
un suspiro
además
claro
bueno
comonó comonó
ésta es su tierra
amigo
no se olvide
de abonarme la seña
es más seguro.

ANGELUS

Quién me iba a decir que el destino era esto.

Ver la lluvia a través de letras invertidas,
un paredón con manchas que parecen prohombres,

el techo de los ómnibus brillantes como peces
y esa melancolía que impregna las bocinas.

Aquí no hay cielo,
aquí no hay horizonte.

Hay una mesa grande para todos los brazos
y una silla que gira cuando quiero escaparme.
Otro día se acaba y el destino era esto.

Es raro que uno tenga tiempo de verse triste:
siempre suena una orden, un teléfono, un timbre,
y, claro, está prohibido llorar sobre los libros
porque no queda bien que la tinta se corra.

AMOR, DE TARDE

Es una lástima que no estés conmigo
cuando miro el reloj y son las cuatro
y acabo la planilla y pienso diez minutos
y estiro las piernas como todas las tardes
y hago así con los hombros para aflojar la espalda
y me doblo los dedos y les saco mentiras.

Es una lástima que no estés conmigo
cuando miro el reloj y son las cinco
y soy una manija que calcula intereses
o dos manos que saltan sobre cuarenta teclas
o un oído que escucha como ladra el teléfono
o un tipo que hace números y les saca verdades.

Es una lástima que no estés conmigo
cuando miro el reloj y son las seis.
Podrías acercarte de sorpresa
y decirme «¿Qué tal?» y quedaríamos
yo con la mancha roja de tus labios
tú con el tizne azul de mi carbónico.

OH

Jefe
usté está aburrido
aburrido de veras
hace veintiocho años
que sabe sus asientos
que comprueba los saldos
y revuelve el café.

Está aburrido
jefe
se le nota en los ojos
en la voz
en las órdenes
en el paso
en las mangas
en los setenta rubros
de letra redondilla.

Jefe
usté está aburrido
nadie lo sabe
nadie.

Pero ahora que está solo
ahora que no ven Ellos
desahóguese
grite
discuta
diga mierda
dé golpes en la mesa
vuélvase insoportable
por favor
diga no
diga no muchas veces
hasta quedarse ronco.

No cuesta nada
jefe
haga la prueba.

LICENCIA

Aquí empieza el descanso.
En mi conciencia y en el almanaque
junto a mi nombre y cargo en la planilla
aquí empieza el descanso.
Dos semanas.

Debo apurarme porque hay tantas cosas
recuperar el mar
eso primero
recuperar el mar desde una altura
y hallar toda la vida en cuatro olas
gigantescas y tristes como sueños

mirar el cielo estéril
y encontrarlo cambiado
hallar que el horizonte
se acercó veinte metros
que el césped hace un año era más verde
y aguardar con paciencia
escuchando los grillos
el apagón tranquilo de la luna.

Me desperezo
grito
poca cosa
qué poca cosa soy sobre la arena
la mañana se fue
se va la tarde
la caída del sol me desanima

sin embargo respiro
sin embargo
qué apretujón de ocio a plazo fijo.

Pero nadie se asusta
nadie quiere
pensar que se ha nacido para esto
pensar que alcanza y sobra
con los pinos
y la mujer
y el libro
y el crepúsculo.

Una noche cualquiera acaba todo
una mañana exacta
seis y cuarto
suena el despertador como sonaba
en el resto del año
un alarido.

Aquí empieza el trabajo.
En mi cabeza y en el almanaque
junto a mi nombre y cargo en la planilla.

Aquí empieza el trabajo.
Mansamente.
Son
cincuenta semanas.

SOLO MIENTRAS TANTO
(1948-1950)

ESTA ES MI CASA

No cabe duda. Ésta es mi casa
aquí sucedo, aquí
me engaño inmensamente.
Ésta es mi casa detenida en el tiempo.

Llega el otoño y me defiende,
la primavera y me condena.
Tengo millones de huéspedes
que ríen y comen,
copulan y duermen,
juegan y piensan,
millones de huéspedes que se aburren
y tienen pesadillas y ataques de nervios.

No cabe duda. Ésta es mi casa.
Todos los perros y campanarios
pasan frente a ella.
Pero a mi casa la azotan los rayos
y un día se va a partir en dos.

Y yo no sabré dónde guarecerme
porque todas sus puertas dan afuera del mundo.

AHORA EN CAMBIO

Hubiera entregado el Dios que no poseo,
hubiera aprendido tres o cuatro signos,
y así desalentado,
así fiel, ceniciento,
invariable como un recuerdo atroz,
me hubiera respondido,
me hubiera transformado en ademanes
me hubiera convencido como todos,
refugiado en el hambre universal,
salvado para siempre y para nada.

Ahora en cambio estoy un poco solo,
de veras un poco solo y solo.
Mi tristeza es un vaso de oraciones
que se derraman sobre el césped
y desde el césped nace Dios
y está también un poco solo,
de veras un poco solo y solo.

Mas yo le ayudo a conocer las aves
y en toda su extensión la herejía vegetal,
los corazones de sus alegres huérfanos,
la tierra que es la palma de su mano.

EMPERO

Cierro los ojos para disuadirme.
Ahora no es, no puede ser la muerte.
Está el escarabajo a tropezones,
mi‧sed de ti, la baja tarde inmóvil.

De veras está todo como antes:
el cielo tan inerme,

la misma soledad tan maciza,
la luz que se devora y no comprende.
Todo está como antes
de tu rostro sin nubes,
todo aguarda como antes la anunciada
estación en suspenso,
pero también estaba entonces este pánico
de no saber huir y no saber
alejarme del odio.

De veras todo está
destruido, indescifrable,
como verdad caída inesperadamente
del cielo o del olvido
y si alguien, algo, me golpea los párpados
es una lenta gota empecinada.
Ahora no es, no puede ser la muerte.
Abro los ojos para convencerme.

SOLO MIENTRAS TANTO

Vuelves, día de siempre,
rompiendo el aire justamente donde
el aire había crecido como muros.

Pero nos iluminas brutalmente
y en la sencilla náusea de tu claridad
sabemos cuándo se nos caerán los ojos,
el corazón, la piel de los recuerdos.

Claro, mientras tanto
hay oraciones, hay pétalos, hay ríos,
hay la ternura como un viento húmedo.
Sólo mientras tanto.

DIOS MEDIANTE

Cierto, me rodean árboles un tanto silenciosos,
se asoman al paisaje como buscándome
mas yo también me busco y he olvidado
desesperadamente mis labios.
Vuelvo recién del último silencio
y estaba Dios o algo así como Dios
desolando puntual mi sueño.
Sufrí como se sufre, demasiado feliz,
tendido aquí en la tierra, casi deshabitado,
pidiendo, no pidiendo, dejándome llevar.
Y estaba Dios o algo así como Dios
desencantando adrede mi soledad.
Sin embargo ahora estoy rodeado
por los familiares en mi mundo desierto:
el hermano cielo, la hermana tarde,
viene sobre el viento la nube rosa.
Es cierto, me rodean,
se asoman al paisaje como buscándome.
Son las moléculas de Dios infinito,
quizá Dios mismo o algo así como Dios
pero se interponen entre él y yo.
No se me olvide,
nunca
se me olvide.
A Dios no podré asirlo
Dios mediante.

NOCTURNO

Por una vez no existe el cielo innecesario.
Nadie averigua acerca de mi corazón
ni de mi salud milagrosa y cordial,
porque es de noche, manantial de la noche,

586

viento de la noche, viento olvido,
porque es de noche entre silencio y uñas
y quedo desalmado como un reloj lento.

Húmeda oscuridad desgarradora,
oscuridad sin adivinaciones,
con solamente un grito que se quiebra a lo lejos,
y a lo lejos se cansa y me abandona.

Ella sabe qué palabras podrían decirse
cuando se extinguen todos los presagios
y el insomnio trae iras melancólicas
acerca del porvenir y otras angustias.

Pero no dice nada, no las suelta.
Entonces miro en lo oscuro llorando,
y me envuelvo otra vez en mi noche
como en una cortina pegajosa
que nadie nunca nadie nunca corre.

Por el aire invisible baja una luna dulce,
hasta el sueño por el aire invisible.
Estoy solo con mi infancia de alertas,
con mis corrientes espejismos de Dios
y calles que me empujan inexplicablemente
hacia un remoto mar de miedos.

Estoy solo como una estatua destruida,
como un muelle sin olas, como una simple cosa
que no tuviera el hábito de la respiración
ni el deber del descanso ni otras muertes en cierno
solo en la anegada cuenca del desamparo
junto a ausencias que nunca retroceden.
Naturalmente, ella
conoce qué palabras podrían decirse,
pero no dice nada,
pero no dice nada irremediable.

LAS PRIMERAS MIRADAS

Nadie sabe en qué noche de octubre solitario,
de fatigados duendes que ya no ocurren,
puede inmolarse la perdida infancia
junto a recuerdos que se están haciendo.

Qué sorpresa sufrirse una vez desolado,
escuchar cómo tiembla el coraje en las sienes,
en el pecho, en los muslos impacientes
sentir cómo los labios se desprenden
de verbos maravillosos y descuidados,
de cifras defendidas en el aire muerto,
y cómo otras palabras, nuevas, endurecidas
y desde ya cansadas se conjuran
para impedirnos el único fantasma de veras.

Cómo encontrar un sitio con los primeros ojos,
un sitio donde asir la larga soledad
con los primeros ojos, sin gastar
las primeras miradas,
y si quedan maltrechas de significados,
de cáscara de ideales, de purezas inmundas,
cómo encontrar un río con los primeros pasos,
un río —para lavarlos— que las lleve.

ELEGIR MI PAISAJE

Si pudiera elegir mi paisaje
de cosas memorables, mi paisaje
de otoño desolado,
elegiría, robaría esta calle
que es anterior a mí y a todos.

Ella devuelve mi mirada inservible,
la de hace apenas quince o veinte años

cuando la casa verde envenenaba el cielo.
Por eso es cruel dejarla recién atardecida
con tantos balcones como nidos a solas
y tantos pasos como nunca esperados.

Aquí estarán siempre, aquí, los enemigos,
los espías aleves de la soledad,
las piernas de mujer que arrastran a mis ojos
lejos de la ecuación de dos incógnitas.
Aquí hay pájaros, lluvia, alguna muerte,
hojas secas, bocinas y nombres desolados,
nubes que van creciendo en mi ventana
mientras la humedad trae lamentos y moscas.

Sin embargo existe también el pasado
con sus súbitas rosas y modestos escándalos
con sus duros sonidos de una ansiedad cualquiera
y su insignificante comezón de recuerdos.

Ah si pudiera elegir mi paisaje
elegiría, robaría esta calle,
esta calle recién atardecida
en la que encarnizadamente revivo
y de la que sé con estricta hostalgia
el número y el nombre de sus setenta árboles.

AUSENCIA DE DIOS

Digamos que te alejas definitivamente
hacia el pozo de olvido que prefieres,
pero la mejor parte de tu espacio,
en realidad la única constante de tu espacio,
quedará para siempre en mí, doliente,
persuadida, frustrada, silenciosa,
quedará en mí tu corazón inerte y sustancial,
tu corazón de una promesa única

en mí que estoy enteramente solo
sobreviviéndote.

Después de ese dolor redondo y eficaz,
pacientemente agrio, de invencible ternura,
ya no importa que use tu insoportable ausencia
ni que me atreva a preguntar si cabes
como siempre en una palabra.

Lo cierto es que ahora ya no estás en mi noche
desgarradoramente idéntica a las otras
que repetí buscándote, rodeándote.
Hay solamente un eco irremediable
de mi voz como niño, esa que no sabía.

Ahora qué miedo inútil, qué vergüenza
no tener oración para morder,
no tener fe para clavar las uñas,
no tener nada más que la noche,
saber que Dios se muere, se resbala,
que Dios retrocede con los brazos cerrados,
con los labios cerrados, con la niebla,
como un campanario atrozmente en ruinas
que desandara siglos de ceniza.

Es tarde. Sin embargo yo daría
todos los juramentos y las lluvias,
las paredes con insultos y mimos,
las ventanas de invierno, el mar a veces,
por no tener tu corazón en mí,
tu corazón inevitable y doloroso
en mí que estoy enteramente solo
sobreviviéndote.

COMO UNA HIEDRA

Ahora es preciso que me encuentre indefenso
a solas con la vida de mi muerte
como recién nacido
como recién asido
a la posibilidad de mi no-ser.

Yo puedo ser el dueño de mis hechos,
puedo venir de alguna parte,
a la muerte puedo tender
como a una residencia o un presagio
y a la vida de la sobremuerte
como a una esperanza o un placer.

Pero cuando el silencio derriba el muro
y debo penetrar en la noche neutra
sin una sombra porque es sólo sombras,
sin un murciélago bendito
ni un relámpago de terror,
entonces sí me vuelvo despiadado,
entonces sí soy irrisorio,
entonces sí improviso mis rencores,
desmorono mis sueños,
verifico mis dudas.

El día estalla otra vez en gritos,
busca con ansiedad mis ojos de la noche
toda muerte, mis ojos
de la olvidada noche.
Como una hiedra sigo trepando
por el muro que existe de nuevo
y el sol perpetuo me reconoce
y por un rato soy la vida.

ASUNCION DE TI

A Luz

1

Quién hubiera creído que se hallaba
sola en el aire, oculta,
tu mirada.
Quién hubiera creído esa terrible
ocasión de nacer puesta al alcance
de mi suerte y mis ojos,
y que tú y yo iríamos, despojados
de todo bien, de todo mal, de todo,
a aherrojarnos en el mismo silencio,
a inclinarnos sobre la misma fuente
para vernos y vernos
mutuamente espiados en el fondo,
temblando desde el agua,
descubriendo, pretendiendo alcanzar
quién eras tú detrás de esa cortina,
quién era yo detrás de mí.
Y todavía no hemos visto nada.
Espero que alguien venga, inexorable,
siempre temo y espero,
y acabe por nombrarnos en un signo,
por situarnos en alguna estación
por dejarnos allí, como dos gritos
de asombro.
Pero nunca será. Tú no eres ésa,
yo no soy ése, ésos, los que fuimos
antes de ser nosotros.

Eras sí pero ahora
suenas un poco a mí.
Era sí pero ahora
vengo un poco de ti.

No demasiado, solamente un toque,
acaso un leve rasgo familiar,
pero que fuerce a todos a abarcarnos
a ti y a mí cuando nos piensen solos.

2

Hemos llegado al crepúsculo neutro
donde el día y la noche se funden y se igualan.
Nadie podrá olvidar este descanso.
Pasa sobre mis párpados el cielo fácil
a dejarme los ojos vacíos de ciudad.
No pienses ahora en el tiempo de agujas,
en el tiempo de pobres desesperaciones.
Ahora sólo existe el anhelo desnudo,
el sol que se desprende de sus nubes de llanto,
tu rostro que se interna noche adentro
hasta sólo ser voz y rumor de sonrisa.

3

Puedes querer el alba
cuando ames.
Puedes
venir a reclamarte como eras.
He conservado intacto tu paisaje.
Lo dejaré en tus manos
cuando éstas lleguen, como siempre,
anunciándote.
Puedes
venir a reclamarte como eras.
Aunque ya no seas tú.
Aunque mi voz te espere
sola en su azar
quemando

y tu sueño sea eso y mucho más.
Puedes amar el alba
cuando quieras.
Mi soledad ha aprendido a ostentarte.
Esta noche, otra noche
tú estarás
y volverá a gemir el tiempo giratorio
y los labios dirán
esta paz ahora esta paz ahora.
Ahora puedes venir a reclamarte,
penetrar en tus sábanas de alegre angustia,
reconocer tu tibio corazón sin excusas,
los cuadros persuadidos,
saberte aquí.
Habrá para vivir cualquier huida
y el momento de la espuma y el sol
que aquí permanecieron.
Habrá para aprender otra piedad
y el momento del sueño y el amor
que aquí permanecieron.
Esta noche, otra noche
tú estarás,
tibia estarás al alcance de mis ojos,
lejos ya de la ausencia que no nos pertenece.
He conservado intacto tu paisaje
pero no sé hasta dónde está intacto sin ti,
sin que tú le prometas horizontes de niebla,
sin que tú le reclames su ventana de arena.
Puedes querer el alba cuando ames.
Debes venir a reclamarte como eras.
Aunque ya no seas tú,
aunque contigo traigas
dolor y otros milagros.
Aunque seas otro rostro
de tu cielo hacia mí.

INDICE

GEOGRAFIAS (1982-1984)

VIENTO DEL EXILIO (1980-1981)

Entre siempre y jamás

Los inmortales y la muerte

Refranivocos/Signitos

Nombres propios

El baquiano y los suyos

COTIDIANAS (1978-1979)

Piedritas en la ventana

POEMAS DE OTROS (1973-1974)

LETRAS DE EMERGENCIA (1969-1973)

Versos para cantar

QUEMAR LAS NAVES (1968-1969)

A RAS DE SUEÑO (1967)

CONTRA LOS PUENTES LEVADIZOS (1965-1966)

NOCION DE PATRIA (1962-1963)

POEMAS DEL HOYPORHOY (1958-1961)

POEMAS DE LA OFICINA (1953-1956)

SOLO MIENTRAS TANTO (1948-1950)

Esta obra se terminó de imprimir en septiembre de 1996
en los talleres de EDIMSA, S.A. de C.V.
Av. Tláhuac núm. 43-F, Col. Santa Isabel Industrial 09820
México, D.F.